EL NIÑO ROBADO

EL NIÑO ROBADO

KEITH DONOHUE

Traducción de
Ignacio Gómez Calvo

Grijalbo

Título original: *The Stolen Child*

Primera edición: octubre, 2008

© 2006, Keith Donohue
© 2008, Random House Mondadori, S. A.
  Travessera de Gràcia, 47-49. 08021 Barcelona
© 2008, Ignacio Gómez Calvo, por la traducción

Printed in Spain – Impreso en España

ISBN: 978-84-253-4218-9
Depósito legal: B. 31.118-2008

Fotocomposición: Revertext, S. L.

Impreso en Litografía SIAGSA
Joaquín Vayreda, 19. Badalona (Barcelona)

Encuadernado en Imbedding

GR 4 2 1 8 9

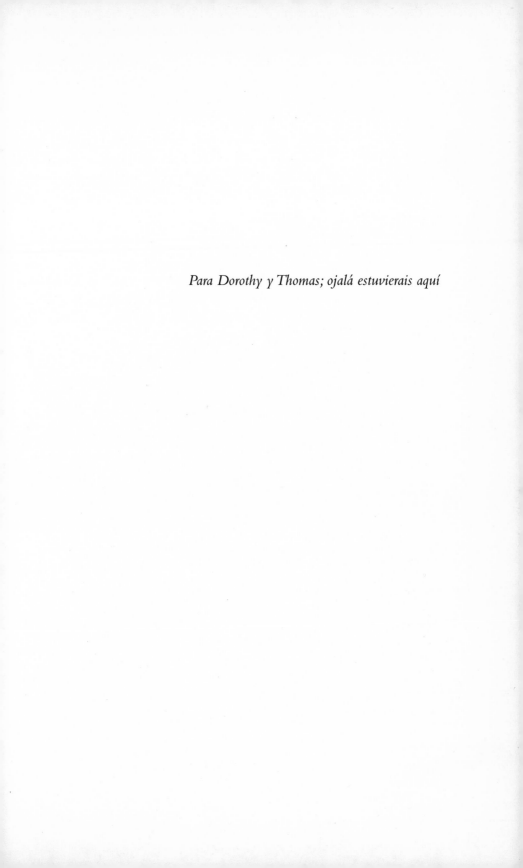

Para Dorothy y Thomas; ojalá estuvierais aquí

Solo miramos el mundo una vez, durante la infancia.

El resto son recuerdos.

LOUISE GLÜCK,
«Nostos»

1

No me llames hada. Ya no nos gusta que nos llamen así. Hubo un tiempo en que la palabra «hada» era un cajón de sastre perfectamente aceptable para designar a diversas criaturas, pero en la actualidad ha adquirido demasiadas connotaciones. Desde el punto de vista etimológico, un hada es algo muy concreto, relacionado con las náyades o ninfas acuáticas en cuanto a la especie, aunque nosotros somos únicos. La palabra «hada» proviene del latín «Fata», la diosa del destino. Las hadas vivían en un reino situado entre el reino celestial y el terrestre.

En este mundo existen varios espíritus sublunares que *carminibus coelo possunt deducere lunam*, y se dividen desde la antigüedad en seis clases: ígneos, aéreos, terrestres, acuáticos, subterráneos y la categoría de las hadas y las ninfas. De los espíritus del fuego, el agua y el aire no sé casi nada. Pero a los demonios terrestres y subterráneos los conozco perfectamente, y existe una infinita variedad de ellos así como de mitos relacionados con su comportamiento, sus costumbres y su cultura. Conocidos en todo el mundo con distintos nombres —lares, genios, faunos, sátiros, gnomos, duendes, *leprechauns, pukas, sídhe, trolls*—, los pocos que quedan viven escondidos en los bosques y rara vez son vistos o hallados por los seres humanos. Si quieres ponerme un nombre, llámame trasgo.

O, mejor aún, soy un suplantador: una expresión que describe lo que hacemos. Raptamos a un niño humano y lo reemplazamos por uno de los nuestros. El trasgo se convierte en niño, y el niño se convierte en trasgo. Pero no sirve cualquier niño o niña, sino únicamente las pocas almas confundidas por su tierna edad o sensibles a los problemas de este mundo. Los suplantadores escogen con cuidado, pues es posible que solo se les presente una oportunidad en una década. Un niño que pasa a formar parte de nuestra sociedad tal vez espere un siglo hasta que llegue su turno en el ciclo y pueda convertirse en un suplantador y volver a entrar en el mundo de los humanos.

La preparación resulta tediosa, e incluye la estricta vigilancia del niño, así como la de sus amigos y familiares. Naturalmente, esto debe hacerse con discreción. Es mejor escoger al niño antes de que empiece a ir a la escuela, ya que entonces la sustitución se vuelve más complicada pues hay que memorizar y procesar una gran cantidad de información al margen del círculo familiar íntimo, y se debe lograr imitar su personalidad y su historia con la misma precisión con que se copian su psique y sus rasgos. Los bebés son los más fáciles de sustituir, pero cuidar de ellos supone un problema para los suplantadores. Es mejor una edad de seis o siete años. Cualquier niño mayor sin duda tiene una personalidad más desarrollada. Independientemente de la edad, el objetivo es engañar a los padres haciéndoles creer que el suplantador es realmente su hijo. Y eso se consigue más fácilmente de lo que la mayoría de la gente imagina.

No, la dificultad no radica en asumir el pasado de un niño, sino en el doloroso acto del cambio propiamente dicho. Primero se empieza por los huesos y la piel, que se estiran hasta que el sujeto tiembla y adopta el tamaño y la forma corporal adecuada. A continuación, los demás suplantadores empiezan a trabajar en la cabeza y la cara nuevas, proceso que requiere las dotes de un escultor. En esta fase se ejerce una considerable presión y alargamiento de los cartílagos, como si el cráneo fuera un trozo de arcilla o de caramelo, y luego tiene lugar la manipulación de los dientes, la extracción del pelo y el tedioso paso consistente en volver a coserlo todo. El proceso se realiza sin ningún tipo de anestesia, aunque algunos beben un alcohol repugnante elaborado con la pasta fermentada de las bellotas. Se trata de una tarea desagradable, pero merece la pena, aunque yo podría prescindir de la complicadísima recolocación de los genitales. Al final, uno se convierte en la copia exacta de un niño. Hace treinta años, en 1949, yo era un suplantador que se convirtió de nuevo en humano.

Cambié de vida con Henry Day, un niño que había nacido en una granja situada a las afueras del pueblo. Un día de verano, a última hora de la tarde, Henry, que entonces tenía siete años, se escapó de casa y se escondió en un castaño hueco. Nuestros espías lo siguieron y dieron la alarma, y yo me transformé en su copia perfecta. Lo atrapamos, y me metí en el espacio hueco para cambiar mi vida por la suya. Por la noche, cuando las personas encargadas de la búsqueda me encontraron, se sintieron felices, aliviadas y orgullosas; y no se enfadaron, como yo esperaba. «Henry», me dijo un hombre pelirrojo con un uniforme de bombero mientras yo me hacía el dormido en mi escondite. Abrí los ojos y le dediqué una radiante sonrisa. El hombre me envolvió en una manta fina, me sacó del bosque y me llevó a una carretera asfaltada donde estaba esperando un camión de bomberos, cuya sirena roja parpadeaba como si fuera un corazón latiendo. Los bomberos me llevaron a casa de Henry, con mis nuevos padres. Esa noche, mientras avanzábamos por la carretera, no dejaba de pensar que, si superaba aquella primera prueba, el mundo volvería a ser mío.

Entre los pájaros y los animales salvajes existe una leyenda extendida según la cual la madre reconoce a sus crías como propias y no permite que un extraño entre en su guarida o nido. Esto no es cierto. De hecho, el cuco normalmente pone sus huevos en el nido de otros pájaros y, pese a su extraordinario tamaño y voraz apetito, la cría de cuco recibe el mismo amor maternal, si no más; a menudo hasta el punto de expulsar al res-

13

to de las crías de su hogar en las alturas. A veces, la madre priva de comida a su propia prole a causa de las incesantes exigencias del cuco. Mi primera tarea consistía en crear la ilusión de que yo era el auténtico Henry. Por desgracia, los humanos son más suspicaces y menos tolerantes con los intrusos en el nido.

Mis rescatadores solo sabían que estaban buscando a un niño perdido en el bosque, y yo permanecí mudo. Al fin y al cabo, habían encontrado a alguien y estaban satisfechos por ello. Cuando el camión de bomberos se acercó a la entrada de la casa de los Day dando tumbos, vomité contra la puerta roja un colorido amasijo de pasta de bellotas, berros y exoesqueletos de pequeños insectos. El bombero me dio una palmadita en la cabeza y me recogió, con la manta incluida, como si mi caso no revistiera mayor importancia que el de un gato rescatado o un bebé abandonado. El padre de Henry se acercó corriendo para cogerme en brazos, y me recibió como a su único hijo abrazándome fuerte y dándome afectuosos besos que apestaban a humo y alcohol. La madre sería mucho más difícil de engañar.

Su cara era la viva imagen de la desolación: la piel llena de manchas, agrietada por las lágrimas saladas, los ojos azul claro enrojecidos, el cabello enredado y despeinado. Me aferró con manos temblorosas y emitió un gritito agudo, como el que hacen los conejos en una trampa a causa del dolor. Se enjugó los ojos con la manga de la camisa y me abrazó con el estremecimiento de una mujer enamorada. A continuación, empezó a reír nerviosamente.

—Henry, Henry… —Me apartó y me sujetó por los hombros con los brazos estirados—. Deja que te mire. ¿Eres tú?

—Lo siento, mamá.

Me apartó el flequillo que me tapaba los ojos y me apretó contra su pecho. Su corazón latía contra mi mejilla, y me entró calor y me sentí incómodo.

—No tienes por qué preocuparte, tesoro. Estás en casa sano y salvo, y eso es lo único que importa. Has vuelto conmigo.

Mi padre apoyó su enorme mano en mi cabeza, y creí que aquella escena de bienvenida iba a durar eternamente. Me removí hasta liberarme y saqué el pañuelo del bolsillo de Henry, haciendo que unas migas se derramasen en el suelo.

—Siento haber robado la galleta, mamá.

Ella se rió, y una sombra pasó tras sus ojos. A lo mejor hasta entonces había estado preguntándose si de verdad era su retoño, pero la mención de la galleta surtió efecto. Henry había robado una de la mesa al escapar de casa, y mientras los demás lo llevaban al río, la cogí y me la guardé en el bolsillo. Las migas demostraban que era su hijo.

Bien entrada la medianoche me metieron en la cama, una comodidad que tal vez constituya el mayor invento del género humano. En cualquier caso, es mejor que dormir en un agujero en el suelo frío, con el mohoso pellejo de un conejo a modo de almohada, y rodeado de los gruñidos y suspiros de una docena de suplantadores inquietos por el sueño. Me estiré entre las sábanas limpias y medité acerca de mi buena suerte. Existen muchas historias sobre suplantadores que han fracasado y han sido descubiertos por sus presuntas familias. Un niño que apareció en un pueblo pesquero de Nueva Escocia asustó tanto a sus pobres padres, que huyeron de su propia casa en medio de un temporal de nieve y más tarde los hallaron helados meciéndose en las aguas glaciales del puerto. Una suplantadora de seis años dio tal susto a sus padres cuando abrió la boca para hablar, que se echaron cera caliente en los oídos y no volvieron a escuchar ningún otro sonido. Otros padres que se enteraron de que su hijo había sido reemplazado por un suplantador encanecieron durante la noche, se quedaron catatónicos o sufrieron un ataque cardíaco o una muerte repentina. Y un caso todavía peor, aunque menos frecuente, es el de las familias que expulsaron a las criaturas por medio del exorcismo, el destierro, el abandono o el asesinato. Hace setenta años perdí a un buen amigo que se olvidó de aparentar mayor edad a medida que pasaba el tiempo. Convencidos de que era un demonio, sus padres lo metieron en un saco como a un gato no deseado, y lo tiraron a un pozo. Sin embargo, la mayoría de las veces los padres se sienten confundidos por el repentino cambio de su hijo, o un cónyuge culpa al otro de su extraña suerte. Se trata de una empresa arriesgada no recomendable para pusilánimes.

El hecho de haber llegado tan lejos sin que me hubieran descubierto me causaba no poca satisfacción, pero no estaba del todo tranquilo. Media hora después de haberme ido a la cama, la puerta de mi habitación se abrió despacio. Recortados contra la luz del pasillo, el señor y la señora Day asomaron la cabeza por la abertura. Cerré los ojos dejando únicamente una rendija abierta y fingí estar durmiendo. Ella sollozaba de forma tenue pero insistente. Nadie era capaz de llorar con la destreza de Ruth Day.

—Tenemos que enmendarnos, Billy. Tienes que asegurarte de que esto no vuelva a pasar.

—Lo sé. Te lo prometo —susurró él—. Pero mira cómo duerme. «El inocente sueño que desenreda la enmarañada madeja del desasosiego.»

Cerró la puerta y me dejó a oscuras. Mis compañeros y yo habíamos estado espiando al niño durante meses, de modo que había visto el perfil de mi nuevo hogar desde las afueras del bosque. La visión que Henry tenía desde aquel lugar y del mundo que se extendía más allá de él resultaba mágica. En el exterior, las estrellas brillaban a través de la ventana por encima de una hilera puntiaguda de abetos. Por las ventanas entraba una suave brisa, y las polillas retrocedían aleteando ante la mosquitera. La luna casi llena arrojaba suficiente luz en la estancia para distinguir el dibujo oscuro del papel de las paredes, el crucifijo que tenía encima de la cabeza y las páginas arrancadas de revistas y periódicos colgadas en la pared con chinchetas. Un guante y una pelota de béisbol reposaban sobre el escritorio, y en el lavamanos, un jarro y una palangana relucían con una blancura fosfórica. Una pequeña pila de libros se hallaba apoyada contra la palangana, y apenas pude contener mi entusiasmo ante la perspectiva de leer a la mañana siguiente.

Las gemelas empezaron a berrear al amanecer. Recorrí el pasillo sin hacer ruido y pasé por delante de la habitación de mis nuevos padres, siguiendo el sonido. Las pequeñas se callaron en cuanto me vieron, y estoy seguro de que, si hubieran tenido la facultad del razonamiento y el habla, Mary y Elizabeth habrían dicho «Tú no eres Henry» cuando entré en la habitación. Pero no eran más que unas criaturas, con más dientes que frases en su repertorio, y no podían expresar los misterios de su tierna mente. Observaron cada uno de mis movimientos con silenciosa atención. Intenté sonreír, pero no me devolvieron el gesto. Intenté poner caras graciosas, haciéndoles cosquillas debajo de la rolliza barbilla, bailando como una marioneta y silbando como un pájaro, pero ellas se limitaron a mirar, pasivas e inertes como dos sapos bobos. Me devané los sesos en busca de una forma de hacerme entender por ellas y me acordé de las veces que me había encontrado en el bosque con seres tan indefensos y peligrosos como aquellas dos niñas humanas. En una ocasión, paseando por una solitaria cañada, me había topado con un osezno separado de su madre. El animal asustado emitió un grito tan desolador que creí que me vería rodeado por todos los osos de las montañas. A pesar de mis poderes con los animales, no tenía nada que hacer con un monstruo que podría haberme abierto en canal de un solo zarpazo. Logré calmar a la bestia cantándole en voz baja y, al recordarlo, decidí hacer lo mismo con mis nuevas hermanas. Las niñas quedaron cautivadas por el sonido de mi voz e inmediatamente se pusieron a hacer gorgoritos y a dar palmadas con sus regordetas manos mientras les caían largos hilillos de baba por la barbilla. Un par de nanas sirvieron para tranquilizarlas o convencerlas de que me aproximaba bastante a su hermano, o que incluso era preferible a él, aunque quién sabe con certeza lo que pasaba por sus simples cabezas. Ellas gorjeaban y farfullaban. Entre canción y canción, a modo de contrapunto, les hablaba con la voz de Henry, y poco a poco llegaron a creer que era él… o abandonaron su incredulidad.

La señora Day entró apresuradamente en la habitación de las niñas, canturreando y tarareando. Su tamaño y su amplitud me asombraron; la había visto muchas veces, pero nunca tan de cerca. Desde la seguridad que ofrecía el bosque, parecía más o menos como todos los adultos humanos, pero en persona adquiría una ternura peculiar, aunque desprendía un olor ligeramente agrio, como a leche y levadura. Se puso a bailar mientras descorría las cortinas e inundaba la habitación de la deslumbrante luz dorada de la mañana, y las niñas, animadas por su presencia, se levantaron agarrándose a los barrotes de sus cunas. Yo también le sonreí. Era lo único que podía hacer para evitar prorrumpir en carcajadas de júbilo. Ella me devolvió la sonrisa como si fuera su único hijo.

—Ayúdame con tus hermanas, ¿quieres, Henry?

Cogí a la niña que tenía más cerca y anuncié muy intencionadamente a mi madre:

—Yo cojo a Elizabeth. —Pesaba tanto como un tejón. Sostener a un bebé sin intención de robarlo es una sensación curiosa; los más pequeños transmiten una agradable ternura.

La madre de las niñas se detuvo y me miró fijamente, y por un instante pareció desconcertada e insegura.

—¿Cómo sabías que era Elizabeth? Nunca has sido capaz de distinguirlas.

—Es fácil, mamá. A Elizabeth le salen dos hoyuelos cuando sonríe y su nombre es más largo, y a Mary solo le sale uno.

—Pero mira que eres listo. —Cogió a Mary y se marchó al piso de abajo.

Elizabeth escondió su cara en mi hombro mientras seguíamos a nuestra madre. La mesa de la cocina crujía bajo el peso de un enorme festín: tortitas y beicon, una jarra con jarabe de arce caliente, un reluciente cántaro de leche y cuencos de porcelana llenos de rodajas de plátano. Después de una larga vida en el bosque comiendo lo que encontraba, aquella comida sencilla parecía un bufet de exóticos manjares, sustanciosos y maduros, que prometían saciar mi hambre.

—Mira, Henry, he preparado tu desayuno favorito.

Habría sido capaz de besarla en el acto. Si ella estaba satisfecha de sí misma por haberse tomado la molestia de elaborar los platos favoritos de Henry, debió de sentirse extraordinariamente complacida por la forma en que comí con apetito y disfruté del desayuno. Después de tomar cuatro tortitas, ocho lonchas de beicon y todo el cántaro de leche a excepción de dos pequeños vasos, me quejé de que seguía teniendo hambre, de modo que me preparó tres huevos y media barra de pan casero tostado. Parecía que mi metabolismo hubiera cambiado. Ruth Day veía mi apetito como una muestra de amor hacia ella, y durante los siguientes once años, hasta que fui a la universidad, se dedicó a mimarme. Con el tiempo, transformó sus propias ansiedades y empezó a comer como yo. Las décadas que yo había vivido como suplantador habían moldeado mi apetito y mis energías, pero ella era demasiado humana, y fue engordando a medida que pasaba el tiempo. A lo largo de los años, me pregunté más de una vez si ella habría cambiado tanto con su verdadero primogénito o si con la comida saciaba las sospechas que la atormentaban.

Aquel día me hizo quedar en casa. Después de lo que había ocurrido, ¿quién podía culparla? Me pegué a ella como si fuera su sombra, examinándola atentamente, aprendiendo cómo ser su hijo, mientras ella limpiaba el polvo y barría, fregaba los platos y cambiaba los pañales a las niñas. La casa parecía más segura que el bosque, pero resultaba extraña y ajena. Allí aguardaban pocas sorpresas. La luz del día entraba oblicuamente por las ventanas con cortinas, recorría las paredes y proyectaba dibujos sobre las alfombras creando unas formas geométricas totalmente distintas de las existentes bajo el manto de hojas del bosque. De especial interés resultaban los pequeños universos compuestos de motas de polvo que únicamente eran visibles a través de los rayos de sol. En contraste con el resplandor del sol del exterior, la luz interior ejercía un efecto soporífero, especialmente sobre las gemelas. Las pequeñas se cansaron poco después de la comida —otra fiesta en mi honor— y durmieron la siesta a primera hora de la tarde.

Mi madre salió de su habitación de puntillas y me encontró esperándola pacientemente en el mismo lugar donde me había dejado, apostado en el pasillo como un centinela. Estaba hechizado por un enchufe eléctrico que me incitaba a meter dentro el dedo meñique. Aunque la puerta de la habitación de las gemelas estaba cerrada, su rítmica respiración sonaba como una tormenta que avanza entre los árboles, pues todavía no había aprendido a evitar oír ciertas cosas. Mamá me cogió de la mano, y su suave apretón me embargó de una perdurable empatía. Aquella mujer me infundía una profunda paz con su simple contacto. Me acordé de los libros junto al lavamanos de Henry y le pregunté si me leería un cuento.

Fuimos a mi habitación y nos subimos juntos a la cama. Durante el último siglo, los humanos habían sido unos completos extraños para mí, y la vida entre los suplantadores había distorsionado mi perspectiva. Con un tamaño más del doble de grande que el mío, ella parecía demasiado robusta y gruesa para ser real, sobre todo comparada con el cuerpo flacucho del niño que yo había sustituido. Mi situación parecía delicada y caprichosa. Si ella se daba la vuelta, me podía partir como si fuera un haz de ramitas. Pero su gran tamaño suponía un refugio contra el mundo exterior. Ella me protegería de todos mis enemigos. Mientras las gemelas dormían, me leyó unos cuentos de los hermanos Grimm: *Juan sin miedo*, *El lobo y los siete cabritos*, *Hansel y*

Gretel, *El hueso cantor*, *La doncella sin manos* y muchos otros, conocidos y desconocidos. Mis preferidos eran *Cenicienta* y *Caperucita Roja*, que ella leía con su hermoso tono de mezzosoprano, un sonsonete demasiado alegre para aquellos cuentos espeluznantes. En la música de su voz resonaba un eco de tiempos muy lejanos y, mientras descansaba a su lado, las décadas se disolvieron.

Había escuchado aquellos cuentos antes, hacía mucho tiempo, pero en alemán, de la voz de mi madre (sí, yo también tuve madre una vez), quien me había presentado a *Aschenputtel* y a *Rotkäppchen*, de los *Kinder-und Hausmärchen*. Yo quería olvidar, creía que estaba olvidando, pero podía oír muy claramente su voz en mi cabeza:

—*Es war einmal im tiefen, tiefen Wald.*

Aunque hace mucho que abandoné la sociedad de los suplantadores, he permanecido, en cierto sentido, en esos bosques oscuros ocultando mi verdadera identidad a aquellos a los que quiero. No ha sido hasta ahora, después de los extraños sucesos del último año, que me he armado de valor para contar la historia. Esta es la confesión, demasiado postergada, que tanto he temido llevar a cabo y que no he revelado hasta ahora por los peligros pasajeros que podían aguardar a mi hijo. Todos cambiamos. Yo he cambiado.

2

Me he marchado.

Esto no es un cuento de hadas, sino la historia real de mi doble vida, la vida que dejé atrás donde todo comenzó, por si alguien me volviera a encontrar.

Mi historia da comienzo cuando era un niño de siete años, libre de mis actuales deseos. Hace casi treinta años, una tarde de agosto, me escapé de casa y nunca volví. Ciertos asuntos triviales que han quedado olvidados provocaron mi huida, pero recuerdo que me preparé para un largo viaje, llenándome los bolsillos de las galletas que habían sobrado del almuerzo, y salí de la casa muy sigilosamente para que mi madre no se enterara de que me había ido.

Desde la puerta trasera de la casa de labranza hasta el límite del bosque, nuestro jardín se hallaba bañado de luz, como si se tratara de una zona fronteriza que hubiera que cruzar con cautela, por miedo a ser descubierto. Al llegar al monte me sentí a salvo y oculto en el oscurísimo bosque, y, a medida que avanzaba, una quietud se iba asentando entre los árboles. Los pájaros habían dejado de cantar y los insectos estaban reposando. Cansado del calor abrasador, un árbol crujió como si se estuviera removiendo en sus raíces. El techo verde formado por las hojas susurraba cada vez que soplaba una brisa pasajera. Cuando el sol se escondió detrás del bosque, me topé con un imponente castaño que tenía en su base un hueco lo suficientemente grande para permitirme esconderme dentro, esperar y permanecer atento por si oía a las personas que me buscaban. Y cuando llegaron lo bastante cerca, no me moví. Los adultos no dejaron de gritar «¡Henry!» a la luz cada vez más tenue de la tarde, la penumbra del crepúsculo y la noche fresca y estrellada. Yo me negué a contestar. Los haces de las linternas subían y bajaban frenéticamente entre los árboles, y la partida de búsqueda avanzó de forma ruidosa entre la maleza, tropezando con los tocones y los troncos caídos hasta pasar por delante de mí. Al poco rato los gritos se perdieron a lo lejos, desvaneciéndose hasta convertirse en ecos, susurros, silencio. Yo estaba decidido a que no me encontraran.

Me escondí bien en mi guarida, pegando la cara al interior del tronco del árbol, aspirando el dulce olor a podredumbre y humedad, notando el tacto áspero de las hebras de la madera contra mi piel. A lo lejos se oyó un susurro tenue que se convirtió en un rumor. Conforme se iba aproximando, el murmullo se intensificó y se aceleró. Las ramas se partían y las hojas crujían mientras la fuente del sonido corría hacia el árbol hueco hasta detenerse cerca de mi escondite. Una respiración jadeante, un susurro y unas pisadas. Cuando algo se introdujo parcialmente en el agujero y chocó contra mis pies, me acurruqué. Unos dedos fríos me rodearon el tobillo y tiraron de él.

Me sacaron a la fuerza del agujero y me sujetaron en el suelo. Solté un grito antes de que una mano pequeña me tapara la boca con firmeza y otros dos pares de manos me pusieran una mordaza. En la oscuridad no se distinguían sus rasgos, pero su tamaño y su forma eran iguales que los míos. Rápidamente me desnudaron y me enrollaron con una telaraña como si fuera una momia. Unos niños extraordinariamente fuertes me habían secuestrado.

Me cogieron en volandas y echaron a correr. Varios pares de manos y hombros huesudos me llevaron por el bosque a una velocidad vertiginosa. Las estrellas asomaban en lo alto entre el manto de hojas y pasaban como una lluvia de meteoritos, y el mundo empezó a dar vueltas rápidamente en la oscuridad. Las atléticas criaturas se movían con soltura a pesar de la carga, orientándose por el terreno invisible y los obstáculos de los árboles sin el menor impedimento ni tropiezo. Mientras me deslizaba por el bosque nocturno como una lechuza, me sentía excitado y temeroso. Al tiempo que cargaban conmigo, iban hablando entre ellos en un galimatías que sonaba como el chillido de una ardilla o el resoplido áspero de un ciervo. Una voz ronca susurró algo parecido a «Edwelweis» o «Henry Day». La mayoría de ellos guardó silencio, aunque de vez en cuando alguno se ponía a resollar como un lobo. Como respondiendo a una señal, el grupo redujo la marcha hasta avanzar a medio galope por lo que, según distinguí más tarde, eran unos senderos de ciervos bien trazados que servían a los habitantes de los bosques.

Los mosquitos se me posaban en la cara, las manos y los pies y me picaban a voluntad, bebiendo de mi sangre hasta saciarse. Empecé a notar picor y me entraron unas ganas desesperadas de rascarme. Por encima del ruido de los grillos, las cigarras y las ranas, el agua murmuraba y borboteaba. Los diablillos se pusieron a cantar al unísono y se detuvieron repentinamente. Podía oír cómo corría el río. Y, envuelto de aquella forma, me tiraron al agua.

Ahogarse es una forma terrible de acabar. No fue el vuelo por el aire lo que me alarmó, ni el impacto real con el río, sino el sonido de mi cuerpo al atravesar la superficie. El penoso contraste del aire caliente y el agua fría fue lo que más me sorprendió. La mordaza no me salía de la boca, y no tenía las manos sueltas. Una vez sumergido, me resultó imposible ver, y por un momento intenté contener la respiración, pero entonces noté una dolorosa opresión en el pecho y los orificios nasales cuando los pulmones se encharcaron. No vi la vida pasar ante mis ojos —solo tenía siete años— y no llamé a mi madre ni a mi padre ni a Dios. Mis últimos pensamientos no giraron en torno al acto de morir, sino al hecho de estar muerto. Las aguas me rodearon, incluso rodearon mi alma; las profundidades del río me envolvieron, y las algas se pegaron a mi cabeza.

Muchos años más tarde, cuando la historia de mi conversión y purificación se transformó en una leyenda, se dijo que cuando me resucitaron expulsé un chorro de agua lleno de renacuajos y pececillos. Lo primero que recuerdo es despertarme en un lecho improvisado, con mocos resecos en la nariz y la boca, bajo un manto de juncos. Sentadas sobre las rocas y los tocones de los árboles, y colocados a mi alrededor, se encontraban elfos y hadas, como ellos y ellas se llamaban a sí mismos, hablando en voz baja como si yo no estuviera. Los conté y, yo incluido, éramos doce. Uno a uno, se fueron percatando de que yo estaba despierto y vivo. Permanecí inmóvil, tanto por miedo como por vergüenza, pues me hallaba desnudo bajo el manto de juncos. Parecía que estuviera soñando despierto o que hubiera muerto y vuelto a nacer.

Me señalaron y empezaron a hablar con entusiasmo. Al principio, su lenguaje parecía desafinado, lleno de consonantes ahogadas y sonidos como de estática. Pero, al concentrarme atentamente, pude apreciar que se trataba de un inglés modulado. Se acercaron a mí con cuidado para no asustarme, como se acercaría uno a un pajarillo caído o a un cervatillo separado de su madre.

—Creíamos que no lo conseguirías.

—¿Tienes hambre?

—¿Tienes sed? ¿Te apetece beber agua?

Se acercaron sigilosamente, y los vi con mayor claridad. Parecían una tribu de niños perdidos. Seis niños y cinco niñas, ágiles y delgados, con la piel oscura del sol y una capa de polvo y ceniza. Prácticamente desnudos, tanto los chicos como las chicas llevaban unos inadecuados pantalones cortos, y tres o cuatro vestían jerséis raídos. Ninguno usaba zapatos, y tenían las plantas de los pies llenas de callos y endurecidas, igual que las palmas de las manos. Llevaban el pelo largo y desaliñado, lleno de rizos, bucles, nudos y marañas. Había unos cuantos que conservaban todos los dientes de leche, mientras que otros tenían huecos donde se les habían caído algunas piezas. Solo uno, que parecía unos años mayor que el resto, lucía dos dientes permanentes en la parte superior de la boca. Sus caras eran muy finas y delicadas. Mientras me escrutaban, se les formaban unas ligeras patas de gallo en el rabillo de los ojos, apagados y ausentes. No se asemejaban a ninguno de los niños que yo conocía, sino que parecían ancianos con cuerpos de niños salvajes.

Eran elfos y hadas, aunque no como los que salen en los libros, los cuadros o las películas. No tenían nada que ver con los siete enanitos, los *munchkins*, Pulgarcito, los duendes, los gnomos, o esos espíritus voladores que salen casi desnudos al principio de *Fantasía*. No eran hombrecillos pelirrojos vestidos de verde que iban más allá del arco iris. No eran los ayudantes de Papá Noel, ni tenían nada que ver con los ogros, los *trolls* y los demás monstruos de los hermanos Grimm o de Mamá Gansa. Niños y niñas atrapados en el tiempo, sin edad, fieros como una jauría de perros salvajes.

Una niña muy morena se agachó junto a mí y se puso a dibujar en el suelo cerca de mi cabeza.

—Me llamo Mota. —El hada sonrió y se quedó mirándome—. Tienes que comer algo.

Hizo señas a sus amigos con la mano para que se acercasen. Ellos dejaron tres platos delante de mí: una ensalada a base de diente de león, berros y setas silvestres; una montaña de moras cogidas de las zarzas antes del amanecer; y un surtido variado de escarabajos asados. Rechacé el último plato, pero acompañé las frutas y las verduras con agua clara y fría de una calabaza hueca. Ellos me observaron atentamente en pequeños grupos, susurrando entre ellos y mirándome a la cara de tanto en tanto, y sonriendo cada vez que nuestras miradas se cruzaban.

Tres de las criaturas se acercaron para llevarse los platos vacíos; otra me entregó unos pantalones. Al ver que yo forcejeaba debajo del manto de juncos soltó una risita, y luego prorrumpió en carcajadas cuando intenté abrocharme la bragueta sin dejar al descubierto mi desnudez. Cuando el cabecilla se presentó a sí mismo y a sus compinches no me sentía en condiciones de estrechar la mano que me ofrecía.

—Yo soy Igel —dijo, y se echó el pelo rubio hacia atrás con los dedos—. Este es Béka.

Béka era un niño con cara de rana más alto que los demás.

—Y esta es Cebollas.

Vestida con una camiseta a rayas de niño y unos pantalones cortos sujetos por unos tirantes, la niña dio un paso al frente. Se protegió la vista del sol con una mano, entornó los ojos y me sonrió, y yo me puse más rojo que un tomate. Tenía las puntas de los dedos teñidas de verde de arrancar las cebollas silvestres que tanto le gustaba comer. Cuando terminé de vestirme, me incorporé apoyándome en los codos para ver mejor al resto.

—Yo soy Henry Day —dije, con voz ronca y la garganta dolorida.

—Hola, Aniday.

Cebollas sonrió, y todo el mundo se rió del nombre. Los niños empezaron a cantar «Aniday, Aniday», y se me cayó el alma a los pies. A partir de entonces me llamaron Aniday, y con el tiempo me olvidé de mi nombre real, aunque en ocasiones oía versiones similares como Andy Day o Harry Way. Bautizado de aquel modo, mi anterior identidad empezó a desvanecerse, del mismo modo que un bebé no recuerda lo sucedido antes de su nacimiento. Perder el propio nombre supone el principio del olvido.

Cuando los vítores cesaron, Igel presentó a cada uno de los elfos y las hadas, pero el batiburrillo de nombres acabó resonándome en los oídos. Se marcharon en grupos de dos y de tres, desaparecieron en unos agujeros ocultos que rodeaban el claro, y a continuación volvieron a aparecer con cuerdas y mochilas. Por un momento, me pregunté si habían pensado atarme para bautizarme otra vez, pero la mayoría de ellos apenas repararon en mi pánico. Se apiñaron, ansiosos por empezar, e Igel se acercó resueltamente a mi lecho.

—Nos vamos a buscar tesoros, Aniday. Pero tú tienes que quedarte aquí a descansar. Has pasado por una experiencia terrible.

Cuando intenté levantarme, él opuso resistencia con su mano sobre mi pecho. Aunque parecía un niño de seis años, tenía la fuerza de un adulto.

—¿Dónde está mi madre? —pregunté.

—Béka y Cebollas se quedarán contigo. Descansa.

Gritó una orden, e inmediatamente el grupo se reunió a su lado. Sin hacer ruido, y antes de que yo pudiera pronunciar la menor palabra de protesta, desaparecieron en el bosque como lobos fantasmales. Mota, que se había quedado atrás, giró la cabeza y me gritó:

—¡Ahora eres uno de los nuestros! —Y acto seguido se alejó dando grandes zancadas para unirse a los demás.

Permanecí tumbado y contuve las lágrimas mirando al cielo. Las nubes pasaban bajo el sol estival, haciendo avanzar sus sombras entre los árboles y sobre el campamento. Me había aventurado con anterioridad en aquel bosque solo o con mi padre, pero nunca me había internado hasta aquel lugar silencioso y aislado. Los habituales castaños, robles y olmos crecían allí más alto, y el bosque que bordeaba el claro parecía tupido e impenetrable. Aquí y allí había tocones y troncos consumidos y restos de una hoguera. Un lagarto tomaba el sol sobre la roca en la que había estado sentado Igel. Y, cerca de allí, una tortuga se arrastraba entre las hojas caídas y cuando me acerqué a mirarla más detenidamente se metió dentro de su caparazón.

Levantarme resultó un error y me dejó aturdido y desorientado. Quería estar en casa, en mi cama, disfrutando del bienestar que me ofrecía mi madre, escuchando cómo cantaba a las gemelas, pero en lugar de ello noté la gélida mirada de Béka. A su lado estaba Cebollas, que tarareaba para sí mientras jugaba absorta pasando un hilo entre sus manos de forma hipnótica. Agotado, me tumbé estremeciéndome a pesar del calor y la humedad. La tarde avanzaba lentamente y me entró sueño. Mis dos compañeros observaban cómo yo los observaba a ellos, pero no decían nada. Sumido en un estado de semiconciencia, me sentía incapaz de mover mis huesos cansados, mientras recordaba los sucesos que me habían llevado a aquella arboleda y empezaba a preocuparme por los problemas a los que tendría que enfrentarme cuando volviera a casa. En medio de la modorra, abrí los ojos al percibir una extraña agitación. Cerca de mí, Béka y Cebollas estaban luchando debajo de una manta. Él estaba encima de la espalda de ella, empujando y gruñendo, y ella se hallaba tumbada boca abajo, con la cara vuelta hacia mí. Tenía la boca verde muy abierta y, cuando advirtió que la miraba, me sonrió enseñándome los dientes. Cerré los ojos y volví la cabeza. Mi mente confundida se debatía entre la fascinación y la repugnancia. No volví a conciliar el sueño hasta que los dos se quedaron callados; ella se puso a tararear mientras el pequeño niño-rana roncaba con satisfacción. El estómago se me encogió como un puño, y las náuseas me invadieron como si de una fiebre se tratara. Asustado y añorado de mi hogar, sentí ganas de escapar y desaparecer de aquel extraño lugar.

3

urante las dos últimas semanas del verano, aprendí a leer y escribir otra vez con mi nueva madre, Ruth Day. Ella estaba decidida a mantenerme encerrado en casa, al alcance del oído o dentro de su campo visual, y yo la complací gustosamente. Por supuesto, leer no es más que asociar símbolos con sonidos, memorizar las combinaciones, las reglas, los significados y, lo más importante, los espacios entre palabras. Escribir resultó más difícil, principalmente porque uno debe tener algo que decir antes de enfrentarse a la página en blanco. La escritura del alfabeto acabó siendo un latazo. La mayoría de las tardes practicaba con una tiza y un borrador en una pizarra, llenándola una y otra vez con mi nuevo nombre. Mi madre empezó a preocuparse por mi conducta compulsiva, de modo que al final lo dejé, pero antes escribí lo más claramente posible: «Quiero a mi madre». A ella le hizo mucha gracia cuando lo descubrió, y el gesto me hizo merecedor de una tarta de melocotón entera para mí solo, no tuve que dar un trozo a los demás, ni siquiera a mi padre.

La novedad de ir a segundo curso rápidamente se convirtió en un aburrimiento. El trabajo de clase me resultaba fácil, aunque tardé algo más que mis compañeros en entender otro método de lógica simbólica: la aritmética. Todavía me peleo con los números, no tanto en las operaciones básicas —suma, resta, multiplicación— como en los planteamientos más abstractos.

La ciencia y la historia elementales me mostraron una forma de pensar en el mundo que difería de mi experiencia entre los suplantadores. Por ejemplo, no tenía ni idea de que George Washington es, metafóricamente hablando, el padre de nuestro país, ni me había percatado de que una cadena alimentaria es la forma de distribución de los organismos de una comunidad ecológica según el orden de depredación en la que cada uno usa a los siguientes miembros, normalmente inferiores, como fuente de alimento. Al principio, esas explicaciones de orden natural me parecían muy poco naturales. Las cosas en el bosque tenían mucho más que ver con la existencia. La vida dependía de la agudización de los instintos, no de la memorización de datos. Desde que los cazarrecompensas habían matado o ahuyentado a los últimos lobos, no quedaba más enemigo que el hombre. Si permanecíamos ocultos, seguiríamos resistiendo.

Nuestro empeño consistía en encontrar al niño adecuado con el que cambiar de vida. La selección no se podía hacer al azar. Un suplantador debía buscar un niño que tuviera la misma edad que él tenía cuando lo habían secuestrado. Yo tenía siete años cuando me atraparon, y siete cuando me marché, aunque había estado en el bosque casi un siglo. La dura prueba de ese mundo no solo consiste en la supervivencia, sino en la larga e insoportable espera para volver a este mundo.

Cuando regresé por primera vez, esa paciencia adquirida se convirtió en una virtud. Mis compañeros de clase veían cómo el tiempo se alargaba interminablemente cada tarde, esperando una eternidad a que sonara el timbre de las tres en punto. Los alumnos de segundo curso permanecíamos en la misma clase sofocante desde septiembre hasta mediados de junio, y, exceptuando los fines de semana y la maravillosa libertad de las vacaciones, debíamos llegar a las ocho en punto y portarnos bien durante las siguientes siete horas. Si hacía buen tiempo, nos dejaban salir al patio dos veces al día a modo de pequeño recreo y a la hora del almuerzo. Vistos en retrospectiva, los momentos que pasábamos juntos resultan insignificantes comparados con el tiempo que estábamos separados, pero algunas cosas deben medirse más por la calidad que por la cantidad. Mis compañeros de clase hacían que cada día resultara una tortura. Yo esperaba que fueran civilizados, pero eran peores que los suplantadores. Los niños, con sus mugrientas pajaritas y sus uniformes azules, eran invariablemente horribles: se hurgaban la nariz, se chupaban el dedo, roncaban, eran unos inútiles, se tiraban pedos, eructaban e iban sucios. Había un matón que respondía al nombre de Hayes al que le gustaba torturar a los demás, robándoles el almuerzo, empujándolos en las filas, meando en sus zapatos y peleándose con ellos en el patio. O bien uno se unía a su coro de aduladores y le daba cuerda, o era considerado una víctima potencial. Unos cuantos niños se veían oprimidos constantemente. Ellos reaccionaban mal, replegándose en sí mismos o, lo que era peor, llorando y gritando ante la más mínima provocación. A tan temprana edad, quedaron marcados de por vida, condenados seguramente a terminar de dependientes o encargados de tiendas, biólogos o asesores. Volvían del recreo con las señales de los abusos a los que eran sometidos —los ojos morados, las narices manchadas de sangre, los ojos enrojecidos de las lágrimas—, pero yo no me molestaba en acudir en su rescate, aunque tal vez debería haberlo hecho. Si hubiera utilizado mi verdadera fuerza, habría podido despachar fácilmente a los matones con un solo golpe bien colocado.

Las niñas, a su manera, sufrían humillaciones peores. Ellas también mostraban muchos de los decepcionantes hábitos personales y de la falta de higiene general. También se reían de forma demasiado estruendosa o no lo hacían en absoluto. Competían ferozmente entre ellas o con sus adversarias, o se escabullían como ratones. La peor de ellas, llamada Hines, se dedicaba a hacer pedazos de forma rutinaria a las chicas más tímidas con sus mofas y sus rechazos. Por ejemplo, humillaba a sus víctimas sin piedad si mojaban las bragas en clase, como le ocurrió el primer día de curso justo antes del recreo a una desprevenida Tess Wodehouse. Ella se puso muy colorada, y por primera vez sentí algo parecido a la compasión por las desgracias ajenas. A la pobrecilla le tomaron el pelo con aquel episodio hasta el día de San Valentín. Vestidas con sus jerséis a cuadros y sus blusas blancas, las niñas dependían de las palabras más que del cuerpo para ganar sus batallas. En ese sentido, resultaban insignificantes comparadas con los trasgos hembras, que eran astutas como las raposas y al mismo tiempo feroces como los linces.

Los niños humanos eran del todo inferiores. Algunas noches deseaba poder volver a merodear por el bosque, espantando a las aves dormidas de los gallineros, robando ropa de los tendederos y divirtiéndome, en lugar de tener que soportar una hoja tras otra de deberes y perder los nervios con mis compañeros. Pero, a pesar de todos sus defectos, el mundo real era superior, y me concentré en olvidar el pasado y volver a convertirme en un niño de verdad. Pese a lo insoportable que era el colegio, mi vida hogareña lo compensaba con creces. Cada tarde mamá me esperaba fingiendo que limpiaba el polvo o que cocinaba cuando yo entraba triunfalmente por la puerta.

—Aquí está mi niño —decía, y me llevaba a la cocina para tomar un tentempié consistente en una tostada con mermelada y una taza de cacao—. ¿Qué tal te ha ido el día, Henry?

Yo me inventaba una o dos mentiras agradables para complacerla.

—¿Has aprendido algo nuevo?

Entonces le recitaba todo lo que había estado ensayando de camino a casa. Ella se mostraba excesivamente curiosa y satisfecha, pero al final me dejaba para que hiciera los terribles deberes, que normalmente conseguía terminar justo antes de la hora de la cena. Poco antes de que mi padre llegara a casa del trabajo, ella preparaba la cena, mientras yo le hacía compañía en la cocina. De fondo sonaba la radio, que emitía sus baladas favoritas, y me las aprendía todas desde la primera escucha y podía cantarlas cada vez que las repetían. Sin pensar, imitaba las voces de los cantantes a la perfección y podía cantar tono por tono, compás por compás, frase por frase, exactamente igual que Bing Crosby y Frank Sinatra, Rosemary Clooney o Jo Stafford. Mamá interpretó mi don musical como una extensión natural de mi distinción, mi encanto y mi inteligencia innata generales. A ella le encantaba escucharme, y a menudo apagaba la radio y me rogaba que cantara una canción de nuevo.

—Sé bueno y cántanos otra vez «There's a Train Out for Dreamland».

Cuando mi padre me oyó por primera vez, no reaccionó tan bien.

—¿Dónde has aprendido eso? Antes no sabías seguir una melodía y ahora cantas como un jilguero.

—No lo sé. A lo mejor antes no escuchaba bien.

—¿Me estás tomando el pelo? Ella tiene puesta la radio día y noche, con ese Nat King Cole, toda esa música jazz y «Can you take me dancin' sometime?». Como si la madre de unas gemelas… ¿Qué es eso de que antes no escuchabas bien?

—Quería decir concentrado.

—Deberías concentrarte en tus deberes y en ayudar a tu madre con las tareas de la casa.

—Si prestas atención y escuchas en lugar de limitarte a oír la canción, puedes aprender la melodía en un momento.

Él sacudió la cabeza y encendió otro Camel.

—Haz caso a tus mayores, por favor, Caruso.

A partir de entonces procuré no ser tan buen imitador delante de mi padre.

Por otra parte, Mary y Elizabeth eran demasiado pequeñas para hacerse preguntas, y aceptaron sin rechistar mi floreciente talento para la interpretación. De hecho, me pedían canciones constantemente, sobre todo cuando estaban en la cuna, y yo entonaba temas nuevos como «Mairzy Doats» o «Three Little Fishies». Sin embargo, cada vez que cantaba «Over the Rainbow» se dormían sin falta como si se hubieran quedado inconscientes.

Mi vida con los Day rápidamente cayó en una agradable rutina, y mientras permanecía en casa o en clase no había problemas. De repente empezó a refrescar, y prácticamente al instante las hojas adquirieron unos estridentes tonos amarillos y rojos, tan llamativos que su simple visión me hacía daño a los ojos. Detestaba aquellos coloridos recordatorios de la vida en el bosque. Octubre resultó un derroche para los sentidos, y llegó a su punto culminante en las vertiginosas semanas previas a Halloween. Sabía que entonces se celebraba una fiesta, que se pedían nueces y caramelos, que se encendían hogueras en la plaza y se gastaban bromas a la gente del pueblo. Te aseguro que los trasgos nos divertíamos lo nuestro: sacábamos las puertas de sus goznes, aplastábamos calabazas, pegábamos dibujos de demonios en las ventanas de la biblioteca. Lo que no conocía eran los elementos decorativos tan familiares para los niños y la participación de las escuelas en su confección. Dos semanas antes del gran día, las monjas empezaron a planear una fiesta con actividades y refrigerios. Colgaron papel crepé naranja y negro de lo alto de las pizarras y pegaron calabazas y gatos negros de papel en las paredes. Los alumnos recortamos obedientemente figuras terroríficas en cartulina y pegamos nuestras creaciones artísticas, a pesar de lo lamentables que resultaban. A las madres se les encargó la preparación de galletas y pastelillos, así como la elaboración de bolas de palomitas dulces y manzanas de caramelo. Estaba permitido llevar disfraces; de hecho, era lo esperado. Recuerdo exactamente la conversación que mantuve con mi madre sobre el tema.

—El día de Halloween vamos a celebrar una fiesta en el colegio, y la profesora ha dicho que llevemos disfraces en lugar de los uniformes. Yo quiero ir vestido de trasgo.

—¿Qué es eso?

—Ya sabes, un trasgo.

—Creo que no sé lo que es. ¿Es como un monstruo?

—No.

—¿Un fantasma? ¿Un demonio?

—Tampoco.

—¿Tal vez un pequeño vampiro?

—No soy ningún chupasangre, mamá.

—¿Tal vez sea un elfo?

Solté un alarido. Por primera vez en casi dos meses, perdí los estribos y grité con mi voz salvaje natural. El sonido la sobresaltó.

—Por el amor de Dios, Henry. Me has dado un susto de muerte gritando como un loco. Te quedarás sin fiesta de Halloween.

Yo rompí a llorar y me puse a berrear como las gemelas. Ella me atrajo hacia sí y me abrazó contra su vientre.

—Venga, solo estaba bromeando. —Me levantó la barbilla y me miró a los ojos—. No sé lo que es un trasgo. Mira, ¿qué te parece si vas de pirata? Te gustaría, ¿verdad?

Y así fue como acabé vestido: con unos bombachos y una camisa con las mangas abultadas, un pañuelo atado alrededor de la cabeza y un pendiente a lo Errol Flynn. El día de Halloween aparecí ante una clase llena de fantasmas, brujas y vagabundos; yo fui el único pirata del colegio, y probablemente de todo el país. La profesora me había pedido que cantara «The Teddy Bears' Picnic» como parte de las actividades de nuestra fiesta. Yo hablaba normalmente con una voz aguda como la de Henry Day, pero cuando canté «Si esta noche sales al bosque» sonó exactamente igual que el sonoro tono de bajo que Frank DeVol empleaba en el disco. La imitación asombró a casi todos. En un rincón del fondo, Caroline Hines se dedicó a sollozar asustada durante toda la canción. La mayoría de los niños se quedaron boquiabiertos bajo sus máscaras y maquillajes, sin saber qué pensar. Recuerdo que Tess Wodehouse se quedó mirándome fijamente sin pestañear, como si hubiera descubierto un engaño pero fuera incapaz de averiguar el truco. Sin embargo, las monjas sabían algo más. Al final de la canción, se pusieron a susurrar entre ellas en una conspiración de pingüinos y a continuación asintieron con la cabeza al tiempo que se santiguaban.

La ronda de recolección de dulces dejó mucho que desear. Mi padre me llevó al pueblo al anochecer y me esperó mientras yo recorría la hilera de casas situadas a lo largo de la calle principal, divisando aquí y allí a otros niños ataviados con patéticos disfraces. No apareció ningún trasgo, aunque un gato negro intentó cruzarse en mi camino. Le silbé en perfecto lenguaje gatuno, y el animal huyó aterrado para esconderse bajo una mata de madreselva. Una sonrisa maléfica se dibujó en mi rostro. Era agradable saber que todavía no había perdido todos mis trucos.

4

Al anochecer, los cuervos llegaban para pasar la noche en una hilera de robles sin hojas. Uno tras otro, los pájaros volaban en dirección a la colonia de grajos, mientras sus sombras negras se recortaban contra el cielo desvaído. Mi secuestro, todavía reciente en mi memoria, me había dejado amedrentado y magullado, incapaz de confiar en nadie en el bosque. Echaba de menos a mi familia, pero los días y las semanas pasaron, marcados por la aparición rutinaria de los pájaros. Su llegada y su partida ofrecían una tranquilizadora continuidad. Cuando los árboles perdieron sus hojas y sus ramas desnudas se extendieron hacia el cielo, los cuervos ya no me daban miedo. Llegué a esperar con ansia su grácil llegada, perfilados contra el cielo invernal, como una parte natural de mi nueva vida.

Los elfos y las hadas me recibieron como a uno de los suyos y me enseñaron las costumbres del bosque, y les cogí cariño a todos. Además de Mota, Igel, Béka y Cebollas, había otros siete. Las tres niñas eran inseparables: Kivi y Blomma, rubias y pecosas, silenciosas y confiadas, y su acompañante, Chavisory, una parlanchina que no aparentaba más de cinco años. Cuando sonreía, sus dientes de leche brillaban como un collar de perlas, y cuando se reía, sus escuálidos hombros se sacudían y se movían nerviosamente. Cada vez que encontraba algo realmente divertido o emocionante, se ponía a saltar como una loca, bailando en círculos y trazando ochos por el claro.

Aparte de Igel, el cabecilla, y el solitario Béka, los niños formaban dos parejas. Ragno y Zanzara me recordaban a los dos hijos de los tenderos italianos del pueblo. Delgados y con la piel color aceituna, ambos tenían una mata de rizos morenos en la cabeza, se enfadaban con rapidez y perdonaban todavía con más rapidez. La otra pareja, Smaolach y Luchóg, se comportaban como hermanos, aunque no podían ser más distintos. Smaolach, que descollaba por encima de todos exceptuando a Béka, se concentraba en la tarea que tenía entre manos, abstraído y concienzudo como un petirrojo tirando de una lombriz. Su buen amigo Luchóg, el más pequeño de todos nosotros, siempre estaba echándose hacia atrás un mechón de pelo negro azabache que se le rizaba en la frente como la cola de un ratón. Sus ojos, azules como un cielo de verano, reflejaban su apasionada lealtad hacia sus amigos, incluso cuando intentaba fingir despreocupación.

Igel, el mayor y el cabecilla de la banda, puso especial cuidado en explicarme las costumbres del bosque. Me enseñó a pescar ranas y peces con lanza, a encontrar el agua acumulada durante la noche en los huecos de las hojas caídas, a distinguir las setas comestibles de los hongos mortales, y muchas otras tretas de supervivencia. Pero ni siquiera el mejor guía es comparable a la experiencia, y durante la mayor parte de mis primeros días de estancia todos me mimaron. Era vigilado constantemente como mínimo por dos miembros de la banda, y me obligaban a quedarme en el campamento, advirtiéndome en tono alarmado que me escondiera ante la más mínima señal de que cerca había otras personas.

—Si te cogen, creerán que eres un demonio —me dijo Igel—. Y te encerrarán o, lo que es peor, probarán si están en lo cierto echándote al fuego.

—Y arderás como la leña —dijo Ragno.

—Y no quedará nada de ti más que humo —dijo Zanzara, y Chavisory hizo una demostración bailando alrededor de la hoguera y dando vueltas hasta donde empezaba la oscuridad.

Cuando llegó la primera helada fuerte, un pequeño grupo fue enviado de excursión nocturna y volvieron con montones de jerséis, chaquetas y zapatos. Los que nos habíamos quedado estábamos tiritando bajo pieles de ciervo.

—Como tú eres el más pequeño —me dijo Igel—, serás el primero en elegir ropa y calzado.

Smaolach, que estaba junto al montón de zapatos, me hizo señas. Me fijé en que iba descalzo. Me puse a hurgar entre la colección de zapatos de niño de tacón bajo, zapatos de piel de puntera cuadrada, zapatillas de tenis de lona y una bota vieja desparejada, y finalmente escogí un par de zapatos nuevos de piel blancos y negros que parecían de mi número.

—Esos te harán daño en los tobillos.

—¿Y estos? —pregunté, levantando las zapatillas de tenis—. Puede que me entren apretando. —Notaba los pies húmedos y helados en el suelo frío.

Smaolach empezó a buscar y escogió los zapatos marrones más feos que había visto en mi vida. La piel crujió cuando dobló las suelas, y los cordones parecían serpientes enroscadas. Tenían unas pequeñas placas de metal en las punteras.

—Confía en mí; estos te mantendrán abrigado y calentito todo el invierno, y te durarán mucho.

—Pero son demasiado pequeños.

—¿No sabes que has encogido? —Y, con una sonrisa pícara, metió la mano en el bolsillo del pantalón y sacó unos gruesos calcetines de lana—. Y he cogido estos especialmente para ti.

Todos soltaron un grito ahogado en señal de aprecio. Me dieron un jersey de lana con dibujos de trenzas y una cazadora impermeable, que me mantendría seco los días de lluvia.

A medida que las noches se hacían más largas y frías, cambiamos nuestros mantos de juncos y nuestras solitarias camas por un montón de pieles de animales y mantas robadas. Dormíamos los doce juntos formando un grupo enmarañado. Yo disfrutaba de la comodidad de la situación, aunque la mayoría de mis amigos tenían mal aliento o despedían hedores fétidos. Aquello debía de responder en parte al cambio de dieta, con el paso de la abundancia del verano a la mengua de finales del otoño y las privaciones del invierno. Varias de aquellas pobres criaturas llevaban tanto tiempo en el bosque que habían abandonado toda esperanza de vivir en una sociedad humana. De hecho, algunos no tenían el menor deseo de ello, de modo que vivían como animales y casi nunca se bañaban ni se limpiaban los dientes con una ramita. Hasta un zorro se lame los cuartos traseros, pero algunos de aquellos seres eran las bestias más sucias imaginables.

Aquel primer invierno yo ansiaba ir con los que se dedicaban a la caza y la recolección en su búsqueda matutina de comida y otras provisiones. Como los cuervos que se reunían al amanecer y al anochecer, aquellos ladrones disfrutaban de la libertad lejos del gallinero. Mientras me quedaba en el bosque, tenía que aguantar a canguros como el desagradable Béka y su compañera Cebollas, o a Zanzara y Ragno, que se pasaban el día riñendo y tiraban cáscaras de nuez y piedras a los pájaros y las ardillas que hurgaban en nuestro botín oculto. Me aburría, tenía frío y estaba ansioso por vivir aventuras.

Una mañana gris el propio Igel decidió quedarse para vigilarme, y quiso la suerte que mi amigo Smaolach lo acompañara. Prepararon una infusión de cortezas secas y menta, y, mientras yo observaba cómo caía la fría lluvia, insistí en el tema.

—¿Por qué no me dejas ir con los demás?

—Mi gran temor es que te escapes e intentes volver al lugar del que viniste, y no puedes hacer eso, Aniday. Ahora eres uno de los nuestros. —Igel bebió un sorbo de su infusión y se quedó mirando a lo lejos. Tras hacer una pausa considerable para dejarme asimilar su sabiduría, continuó—: Por otra parte, has demostrado ser un miembro valioso de nuestro clan. Recoges leña, quitas la cáscara a las bellotas y cavas agujeros cuando se te ordena. Estás aprendiendo lo que es la verdadera obediencia y el respeto. Te he observado, Aniday, y eres un buen estudiante de nuestras costumbres.

Smaolach estaba mirando fijamente el fuego agonizante y dijo algo en una lengua secreta, llena de vocales y consonantes duras rebosantes de flema. Igel meditó sobre la frase secreta y rumió sus pensamientos antes de expresarlos en voz alta. Entonces, como ahora, yo no entendía la forma en que piensa la gente, el proceso mediante el cual resuelven los misterios de la vida. Una vez que acabó de reflexionar, Igel empezó a otear de nuevo el horizonte.

—Esta tarde vendrás con Luchóg y conmigo —me informó Smaolach guiñando el ojo en actitud cómplice—. Te enseñaremos la zona en cuanto vuelvan los demás.

—Más vale que te abrigues —me recomendó Igel—. La lluvia cambiará dentro de poco.

Justo entonces, los primeros copos de nieve empezaron a mezclarse con las gotas de lluvia y, en cuestión de minutos, comenzó a caer una fuerte nevada. Cuando el grupo de elfos y hadas regresó al campamento, perseguido por la repentina inclemencia del tiempo, seguíamos sentados en el mismo sitio. El invierno a veces se adelantaba en nuestra zona del país, pero normalmente no nevaba hasta después de las Navidades. Cuando empezó a soplar una ráfaga de viento, me pregunté por primera vez si no habrían pasado ya las Navidades; como mínimo habíamos dejado atrás el día de Acción de Gracias, y lo más probable era que ya hubiera tenido lugar la fiesta de Halloween. Pensé en mi familia, que seguiría buscándome a diario en el bosque. A lo mejor creían que había muerto, lo que me producía lástima y hacía que me entraran ganas de avisarles que me encontraba bien.

Mamá estaría en casa vaciando cajas de adornos, sacando el pesebre, decorando con guirnaldas el pasamano de la escalera.

Las Navidades anteriores mi padre me había llevado a talar un pequeño abeto para la casa, y me preguntaba si ahora estaría triste, sin contar con mi ayuda para elegir el adecuado. Incluso echaba de menos a mis hermanas pequeñas. ¿Habrían empezado a andar y a hablar? ¿Estarían soñando con Papá Noel y preguntándose qué había sido de mí?

—¿Qué día es hoy? —pregunté a Luchóg mientras se ponía ropa de abrigo.

Él se chupó el dedo y lo levantó al viento.

—¿Martes?

—No, me refiero a qué día del año. Qué día del mes.

—No tengo ni idea. A juzgar por las señales, podríamos estar a finales de noviembre o principios de diciembre. Pero la memoria me falla y no es muy fiable en cuestiones de tiempo o de clima.

Las Navidades no habían pasado. Decidí estar pendiente de los días a partir de entonces y celebrar la estación como correspondía, aunque a los demás les dieran igual las vacaciones y ese tipo de cosas.

—¿Sabes dónde puedo conseguir papel y lápiz?

Él logró ponerse las botas.

—¿Para qué los quieres?

—Quiero hacer un calendario.

—¿Un calendario? Vaya, necesitarías una buena reserva de papel y unos cuantos lápices para hacer un calendario aquí fuera. Te enseñaré a mirar el sol en el cielo y a prestar atención a los seres vivos. Con eso aprenderás mucho sobre el tiempo, te lo aseguro.

—Pero ¿y si quiero hacer un dibujo o escribir un mensaje a alguien?

Luchóg se subió la cremallera de su cazadora.

—¿Escribir? ¿A quién? La mayoría de nosotros ha olvidado por completo cómo se escribe, y los que no lo han hecho es porque no lo aprendieron. Es mejor dar tu opinión, en lugar de escribir lo que piensas y sientes de forma más o menos permanente. Es peligroso, tesoro.

—Pero a mí me gusta dibujar.

Empezamos a atravesar el círculo del bosque, donde se hallaban Smaolach e Igel como dos altos árboles, dialogando. Como Luchóg era el más pequeño de todos, le costaba seguir mi paso. Mientras trotaba a mi lado, continuaba con su disertación.

—Así que eres un artista, ¿eh? ¿Conque no tienes papel y lápiz? ¿Sabes que los artistas de la antigüedad se fabricaban su propio papel y sus lápices? Con la piel de los animales y las plumas de los pájaros. Y la tinta, con hollín y saliva. Y antes aún, rascaban en las piedras. Te enseñaré a dejar tu marca, y tendrás tu papel, pero a su debido tiempo.

Cuando llegamos hasta el cabecilla, Igel me dio una palmada en el hombro y me dijo:

—Te has ganado mi confianza, Aniday. Escucha y haz caso a estos dos.

Luchóg, Smaolach y yo nos internamos en el bosque, y miré hacia atrás para decir adiós con la mano. Las otras hadas y elfos se hallaban sentados reunidos en grupos, acurrucados para protegerse del frío, y dejando que la nieve los cubriese, como estoicas criaturas insensatas y desprotegidas.

Estaba muy contento de encontrarme fuera del campamento, pero mis compañeros hacían todo lo posible por aplacar mi curiosidad. Me dejaron pasear por los caminos durante un rato antes de que mi torpeza espantara a una nidada de palomas que estaban reposando. Los pájaros echaron a volar en medio de un tumulto de trinos y alas. Smaolach se llevó un dedo a los labios, y capté el mensaje. Imitando sus movimientos, empecé a moverme casi tan grácilmente como ellos; caminábamos tan sigilosamente que oía más el ruido de la nieve al caer que el sonido de nuestros pasos. El silencio tiene su encanto y su gracia, y agudiza todos los sentidos, sobre todo el oído. Cuando se rompía una ramita a lo lejos, Smaolach y Luchóg giraban la cabeza inmediatamente en la dirección del sonido y establecían la causa. Me enseñaron las cosas ocultas que el silencio permitía desvelar: un faisán estirando el cuello para espiarnos desde un matorral, un cuervo saltando de rama en rama, un mapache roncando en su madriguera. Antes de que oscureciera del todo, avanzamos por el terreno mojado hacia la ribera embarrada del río. A lo largo de la orilla se habían formado cristales de hielo, y, al escuchar atentamente, oímos el crujido que emitía el agua al congelarse. Un pato solitario nadaba río abajo, y cada copo de nieve producía un susurro al tocar la superficie del agua. La luz se desvaneció como un murmullo y desapareció.

—Escucha esto —dijo Smaolach, y contuvo el aliento.

Inmediatamente, la nieve se transformó en aguanieve y comenzó a emitir un golpeteo contra las hojas, las piedras y las ramas empapadas; una sinfonía a pequeña escala del mundo natural. Nos alejamos del río y nos resguardamos en un bosquecillo de árboles de hoja perenne. El hielo revestía cada aguja de los árboles con una envoltura transparente. Luchóg sacó una bolsita de piel que llevaba colgada del cuello con un cordón y extrajo primero un trocito de papel y luego unas hebras secas y marrones de hierba que parecían tabaco. Y, con sus diestros dedos y un rápido lametazo, lió un fino cigarrillo. Sacó varias cerillas de madera de otro apartado de la bolsita, las contó en la palma de su mano y volvió a meterlas todas menos una en el compartimiento impermeable. Rascó la cerilla con la uña del pulgar y encendió una llama, que acercó a la punta del cigarrillo. Smaolach había cavado un agujero lo bastante profundo para dar con una capa de agujas y piñas secas. Tras coger con cuidado la cerilla encendida de las puntas de los dedos de su amigo, la colocó en el hueco y enseguida tuvimos una lumbre con la que calentarnos las palmas de las manos y los dedos. Luchóg pasó el cigarrillo a Smaolach, quien le dio una profunda chupada y retuvo el humo en la boca un largo rato. Cuando lo expulsó, el efecto fue tan repentino e impactante como el remate de un chiste.

—Dale al chico una calada —propuso Smaolach.

—No sé cómo se fuma.

—Haz lo mismo que yo —dijo Luchóg entre dientes—. Pero, hagas lo que hagas, no se lo cuentes a Igel. No se lo cuentes a nadie.

Di una chupada al cigarrillo encendido y empecé a toser y a escupir a causa del humo. Ellos soltaron una risita y no pararon de carcajearse hasta mucho después de que la última hebra hubo sido inhalada. El aire de debajo de las ramas de los árboles estaba cargado de un extraño perfume, que me hizo sentir mareado y con unas ligeras náuseas. Luchóg y Smaolach cayeron bajo el mismo hechizo, pero simplemente parecían contentos, mostrándose al mismo tiempo atentos y tranquilos. El aguanieve empezó a remitir, y el silencio volvió como un amigo desaparecido.

—¿Has oído eso?

—¿Qué es? —pregunté.

Luchóg me hizo callar.

—Primero escucha a ver si lo oyes.

Un momento más tarde, el sonido llegó hasta mí, y pese a resultarme familiar, su naturaleza y su origen me desconcertaron.

Luchóg se levantó de un salto y despertó a su amigo.

—Es un coche, tesoro. ¿Alguna vez has seguido un automóvil?

Negué con la cabeza, pensando que debía de haberme confundido con un perro. Entonces mis dos compañeros me cogieron de las manos y nos lanzamos a correr más rápido de lo que jamás había creído posible. El mundo pasó zumbando a nuestro alrededor; manchas y contornos borrosos donde antes había árboles. El barro y la nieve nos salpicaban, manchando nuestros pantalones mientras avanzábamos a un ritmo vertiginoso. Cuando la maleza se hizo más espesa, me soltaron las manos y seguimos corriendo en fila por el sendero. Las ramas me golpeaban en la cara, y tropecé y me caí en el fango. Tras levantarme con dificultad, frío, mojado y sucio, me di cuenta de que estaba solo por primera vez desde hacía meses. El miedo se apoderó de mí, y agudicé la vista y el oído, ansioso por encontrar a mis amigos. Experimenté un intenso dolor en la frente debido a la concentración, pero presté atención y los oí corriendo por la nieve a lo lejos. Noté que mis sentidos se veían dotados de una nueva y poderosa magia, pues los podía ver claramente, aunque era consciente de que debían de encontrarse demasiado adelantados y fuera del alcance de la vista. Al visualizar mi camino me puse a perseguirlos, y los árboles y las ramas que antes me habían confundido ahora no parecían el más mínimo obstáculo. Atravesé el bosque de la misma forma que un gorrión vuela a través de las aberturas de una valla, sin pensar, plegando las alas en el momento justo, deslizándose por en medio.

Cuando los alcancé, descubrí que estaban detrás de los ásperos pinos que había fuera del límite del bosque. Ante nosotros se extendía una carretera, y en esa carretera había un coche parado cuyos faros atravesaban la oscuridad neblinosa, mientras que en el asfalto relucían los trozos rotos de la rejilla de metal. A través de la puerta abierta del conductor, brillaba una pequeña luz en el interior vacío. La presencia anómala del coche me impulsaba hacia él, pero los fuertes brazos de mis amigos me retuvieron. Una figura salió de la oscuridad y se situó en la luz: una joven delgada con un abrigo de vivo color rojo. Tenía una mano en la frente, y se inclinó lentamente, estiró el brazo libre y casi tocó una masa oscura extendida en la carretera.

—Ha atropellado a un ciervo —dijo Luchóg, con una nota de tristeza en la voz.

De pie junto a la figura postrada del animal, la joven se apartaba el pelo de la cara y se apretaba los labios con la otra mano, visiblemente acongojada.

—¿Está muerto? —pregunté.

47

—El secreto —dijo Smaolach en voz queda— está en respirar en su boca. No está muerto en absoluto, sino en estado de shock.

Luchóg me susurró:

—Esperaremos hasta que ella se marche, y podrás insuflarle aire.

—¿Yo?

—¿No lo sabes? Ahora eres un elfo, igual que nosotros, y puedes hacer todo lo que nosotros hacemos.

La idea me abrumó. ¿Un elfo? Quería saber enseguida si aquello era cierto; quería probar mis poderes. De modo que me separé de mis amigos y me acerqué al ciervo entre las sombras. La joven se hallaba en medio de aquella carretera solitaria, escrutando en ambas direcciones en busca de otro coche. No reparó en mi presencia hasta que estuve allí, agachado sobre el animal, con la mano posada en su flanco caliente y su pulso acelerado en contacto con el mío. Rodeé el hocico del ciervo con la mano y respiré dentro de su boca. Prácticamente al instante, el animal levantó la cabeza, me apartó de un empujón y se meció hasta levantarse. Se quedó mirándome un instante; luego, como si de una enseña blanca se tratase, su cola se levantó de repente en señal de advertencia, y el ciervo se internó en la noche. Decir que nosotros —el animal, la mujer, yo— nos sorprendimos por aquel giro de los acontecimientos sería quedarse muy corto. Ella estaba perpleja, de modo que le sonreí. En ese momento, mis compañeros empezaron a llamarme en susurros.

—¿Quién eres?

La joven se envolvió bien con su abrigo rojo. Al menos aquellas me parecieron sus palabras, aunque su voz sonaba extraña, como si estuviera hablando a través del agua. Miré el suelo y me di cuenta de que no sabía la verdadera respuesta. Ella acercó la cara lo bastante para que yo pudiera detectar un asomo de sonrisa en sus labios y el azul verdoso de sus iris tras sus gafas. Tenía unos ojos espléndidos.

—Debemos irnos.

Una mano me agarró del hombro desde la oscuridad, y Smaolach me arrastró hasta los arbustos, donde me quedé preguntándome si todo había sido un sueño. Nos ocultamos en una maraña de hojas mientras ella nos buscaba, hasta que finalmente se dio por vencida, se metió en el coche y se marchó. Yo no lo sabía entonces, pero ella sería el último ser humano con el que me encontraría durante más de una docena de años. Las luces traseras del coche serpentearon sobre las colinas y entre los árboles hasta que desaparecieron.

Volvimos al campamento en un silencio incómodo. A mitad de camino, Luchóg me aconsejó:

—No debes decir a nadie lo que ha pasado esta noche. No te acerques a la gente y confórmate con lo que eres.

Durante el trayecto, ideamos una historia con la que explicar nuestra larga ausencia e inventamos una anécdota sobre el agua y el campo que, una vez contada, fue aceptada por todos. Pero nunca olvidé el secreto de la joven del abrigo rojo, y más tarde, cuando empecé a tener dudas sobre el mundo de arriba, el recuerdo de aquel encuentro fulgurante y aislado me confirmó que no era ningún mito.

5

La vida con la familia Day adquirió un reconfortante patrón. Mi padre se marchaba a trabajar antes de que ninguno de nosotros se hubiese despertado, y la hora que transcurría desde que él partía hasta que yo iba al colegio era todo un alivio. Mi madre se afanaba frente a los fogones, removiendo harina de avena o friendo el desayuno en una sartén; las gemelas se dedicaban a explorar la cocina con paso vacilante. Los ventanales enmarcaban el mundo exterior y nos protegían de él. Muchos años antes, la casa de los Day había sido una finca agrícola, y aunque sus propietarios habían abandonado la agricultura, todavía quedaban vestigios de ella. Un viejo granero, cuya pintura roja iba adquiriendo un tono malva oscuro, ahora hacía las veces de garaje. La valla de madera que daba a la propiedad se estaba cayendo tabla a tabla. El terreno, casi media hectárea de un campo antaño verde salpicado de maíz, estaba en barbecho; una maraña de zarzas que mi padre solo se molestaba en cortar una vez cada mes de octubre. Los Day habían sido los primeros en abandonar la labranza en la zona, y sus lejanos vecinos siguieron su ejemplo a lo largo de los años, vendiendo granjas y terrenos a las inmobiliarias. Pero, cuando yo era niño, todavía resultaba un lugar silencioso y solitario.

El secreto de hacerse mayor reside en acordarse de crecer. La parte mental del proceso de convertirme en Henry Day requería una plena atención a todos los aspectos de su vida, pero la preparación no permite conocer la historia familiar del sujeto —recuerdos de fiestas de cumpleaños pasadas y demás intimidades— que uno finge recordar. La historia es bastante fácil de simular: si uno ronda a una persona el tiempo suficiente, puede ponerse al corriente de cualquier cosa. Pero otros accidentes y fallos ponen de manifiesto los riesgos de adoptar la identidad de otra persona. Afortunadamente, nosotros casi nunca teníamos compañía, pues la vieja casa se hallaba aislada en una pequeña parcela de tierra de labranza en pleno campo.

Unos días antes de mi primera Navidad, mientras mi madre atendía a las lloronas gemelas en el piso de arriba y yo holgazaneaba junto a la chimenea, llamaron a la puerta principal. En el porche había un hombre con el sombrero en la mano, que desprendía un olor a puro reciente mezclado con el aroma ligeramente medicinal de la brillantina. Sonrió como si me hubiera reconocido inmediatamente, aunque era la primera vez que yo lo veía.

—Henry Day —dijo—. En persona.

Me quedé clavado en el umbral, haciendo memoria y tratando de buscar alguna pista que me revelara quién podía ser aquel hombre. Él taconeó con los pies y se inclinó ligeramente por la cintura, y a continuación pasó a mi lado con resolución y penetró en la entrada, mirando furtivamente a lo alto de la escalera.

—¿Está tu madre en casa? ¿Está visible?

Casi nadie acudía a visitarnos en pleno día, salvo en ocasiones las mujeres de los granjeros que vivían cerca o las madres de mis compañeros de clase, que llegaban del pueblo provistas de una tarta recién hecha y nuevos cotilleos. Al espiar a Henry, no habíamos visto a ningún hombre acudir a la casa exceptuando a su padre o al lechero.

El tipo lanzó su sombrero al aparador y se volvió hacia mí de nuevo.

—¿Cuándo fue la última vez que nos vimos, Henry? ¿En el

cumpleaños de tu mamá, tal vez? No parece que hayas crecido mucho. ¿Tu papá no te da de comer?

Me quedé mirando al extraño sin saber qué decir.

—Sube corriendo y dile a tu mamá que he venido. Vamos, hijo.

—¿Quién le digo que ha venido?

—¿Quién va a ser? Tu tío Charlie, por supuesto.

—Pero yo no tengo tíos.

El hombre se rió; luego frunció el ceño, y su boca se tornó en una línea severa.

—¿Te encuentras bien, Henry? —Se inclinó para mirarme a los ojos—. Bueno, no soy realmente tu tío, hijo, sino el amigo más viejo de tu mamá. Un amigo de la familia, como se suele decir.

Mi madre me salvó al bajar por la escalera inesperadamente, y en cuanto vio al extraño le tendió los brazos y corrió a abrazarlo. Yo aproveché su reencuentro para escabullirme.

Me había ido de un pelo, aunque no fue tan grave como el susto que me llevé unas semanas más tarde. Durante aquellos primeros años, conservé todos mis poderes de suplantador y tenía el oído de un gato. Podía escuchar a escondidas las charlas íntimas de mis padres desde cualquier habitación de la casa y oír las sospechas que mi padre expresaba en sus conversaciones de alcoba.

—¿Últimamente has notado algo raro en el niño?

Ella se metió en la cama junto a él.

—¿Raro?

—Se pasa el día cantando.

—Tiene una voz preciosa.

—Y esos dedos.

Me miré las manos y vi que tenía los dedos excesivamente largos y desproporcionados en comparación con los otros niños.

—Creo que será pianista. Billy, deberíamos apuntarlo a clases.

—Y los dedos de los pies.

Doblé los dedos de los pies en la cama.

—Y no parece que haya crecido ni haya engordado nada en todo el invierno.

—Necesita que le dé el sol, eso es todo.

El hombre se dio la vuelta hacia ella.

—Es un crío raro, es lo único que sé.

—Billy… basta.

Esa noche decidí convertirme en un niño de verdad y prestar más atención a lo que debía hacer para que me consideraran normal. Una vez que se cometía un error como aquel, no se podía hacer nada. Aunque era capaz de acortar los dedos de las manos y los pies sin problema, eso suscitaría más dudas, pero sí podía estirar el resto del cuerpo un poco cada noche y mantenerme al nivel de los demás niños. Asimismo, puse empeño en evitar a mi padre todo lo posible.

La idea del piano me intrigaba como forma de congraciarme con mi madre. Cuando ella no estaba escuchando a los cantantes por la radio, solía sintonizar emisoras de música clásica, sobre todo los domingos. Bach me dejaba absorto, evocando en mí un eco del pasado lejano. Pero tenía que buscar una forma de mencionar mi interés sin que mamá se diera cuenta de que yo escuchaba sus conversaciones privadas, por discretas e íntimas que estas fueran. Afortunadamente, las gemelas me brindaron la respuesta. En Navidad, mis abuelos les mandaron un piano de juguete. Con un tamaño que no superaba el de un cesto del pan, el instrumento emitía tan solo ocho pequeñas notas, y a partir del día de Año Nuevo empezó a acumular una capa de polvo. Rescaté el juguete, y me sentaba en la habitación de los bebés y me ponía a interpretar melodías casi reconocibles de memoria. Mis hermanas, como siempre, estaban encantadas, y se quedaban como dos yoguis extasiados mientras yo ponía a prueba mi memoria con el limitado registro del piano. Mi madre, plumero en ristre, solía pasar por delante y se quedaba en la puerta escuchando atentamente. Yo espiaba con el rabillo del ojo cómo ella me observaba, y cuando terminaba con una floritura, su aplauso no me pillaba por sorpresa.

Durante el breve período de tiempo comprendido entre los deberes y la cena, seleccionaba una melodía cualquiera, y poco a poco fui revelando mi talento innato, pero ella necesitaba un estímulo mayor. Mi plan fue fortuito y sencillo. Dejé caer que varios niños del colegio recibían clases de música, cuando en realidad puede que solo fueran uno o dos. En los viajes en coche, simulaba que el panel situado debajo de la ventanilla era un teclado y tecleaba compases hasta que mi padre me ordenaba que parase. Silbaba insistentemente los primeros compases de alguna pieza conocida, como la *Novena Sinfonía* de Beethoven, cuando ayudaba a mi madre a secar los platos. Decidí no pedírselo, sino que esperé el momento propicio, hasta que mi madre llegó a creer que la idea se le había ocurrido a ella. Una vez puesta en práctica mi estrategia, el sábado antes del octavo cumpleaños de Henry mis padres me llevaron a la ciudad a hablar con un hombre acerca de unas clases de piano.

Dejamos a las gemelas con los vecinos y, los tres sentados en la parte de delante del cupé de mi padre, partimos temprano aquella mañana de primavera vestidos con nuestra ropa de domingo. Pasamos por el pueblo de mi escuela, donde hicimos unas compras y fuimos a misa, y de allí cogimos la carretera que nos llevó a la ciudad. Aceleramos y nos metimos en aquella cinta de energía pura que fluía en ambas direcciones, donde los coches relucientes se desplazaban zumbando por el asfalto. En mi vida había ido tan rápido, y hacía casi cien años que no visitaba la ciudad. Billy conducía el De Soto del 49 como un viejo, con una mano en el volante y el brazo libre estirado detrás de mi madre y de mí. El viejo conquistador del escudo nos miraba desde el eje del volante, y cada vez que papá tomaba una curva, parecía que los ojos del explorador nos siguieran.

Cuando nos aproximamos a la ciudad, lo primero que apareció fueron las fábricas de las afueras, con sus grandes chimeneas despidiendo chorros de nubes negras y los hornos que brillaban por dentro con sus corazones de fuego. Giramos una curva y, de repente, un paisaje de edificios se extendió hasta el cielo. Las elevadas dimensiones del centro me dejaron sin aliento, y cuanto más nos acercábamos, más imponente resultaba todo, hasta que súbitamente nos vimos en las calles atestadas de coches. Las sombras aumentaron y se volvieron más oscuras. En un cruce vimos pasar un tranvía chirriando, cuyo poste lanzaba chispas al contacto con el cable de encima. Las puertas se abrieron como un fuelle, y del interior salió un tropel de gente vestida con chaquetas de primavera y sombreros que se quedó en una isla de hormigón situada en la calle, a la espera de que cambiara el semáforo. En los escaparates de los grandes almacenes, los reflejos de los compradores y los policías de tráfico se mezclaban con los nuevos artículos expuestos: vestidos de mujer y trajes de hombre colocados en maniquíes que me engañaron al principio, pues parecía que estuvieran vivos y posaran totalmente inmóviles.

—No sé qué necesidad tienes de venir hasta el centro para esto. Ya sabes que no me gusta venir a la ciudad. No voy a encontrar aparcamiento.

Mamá estiró rápidamente el brazo derecho.

—Ahí hay un hueco. Qué suerte hemos tenido.

Mientras subíamos en el ascensor, mi padre se metió la mano en el bolsillo de su chaqueta para coger un Camel y, cuando se abrieron las puertas en el quinto piso, lo encendió. Llegábamos con unos minutos de antelación y, mientras ellos debatían si entrábamos o no, yo me dirigí a la puerta y me metí dentro. Puede que el señor Martin no fuera un elfo, pero resultaba muy misterioso y extraño. Era alto y delgado, llevaba el pelo largo y canoso como un muchacho melenudo, e iba ataviado con un traje gastado de color ciruela. Detrás de él se hallaba el instrumento más hermoso que había visto en mi vida. Con un acabado lacado de intenso color negro, el piano de cola atraía toda la vitalidad de la habitación hacia su tapa levantada. Aquellas teclas albergaban en su serenidad la posibilidad de emitir cualquier sonido hermoso. La primera vez que el hombre me preguntó estaba demasiado mudo de asombro para contestar.

—¿En qué puedo ayudarte, jovencito?

—Soy Henry Day y he venido a aprender todo lo que sabe usted.

—Mi querido jovencito —contestó, suspirando—. Me temo que eso es imposible.

Me dirigí hacia el piano y me senté en el taburete. La visión de las teclas desencadenó el lejano recuerdo de un severo instructor alemán que me ordenaba que aumentase el tempo. Separé los dedos al máximo para comprobar la extensión de mi palmo, y los posé sobre las teclas de marfil sin provocar ningún sonido accidental. El señor Martin se movió detrás de mí, mirando por encima de mi hombro, examinando mis manos.

—¿Has tocado antes?

—Hace mucho tiempo…

—Enséñeme dónde está el do medio, señor Day.

Y, sin pensarlo, apreté la tecla en cuestión con el pulgar izquierdo.

Mi madre y mi padre entraron en la habitación y anunciaron su presencia con un educado «ejem». El señor Martin se giró y se acercó a recibirlos. Mientras se estrechaban la mano y hacían las presentaciones, yo toqué unas escalas desde el centro hacia afuera. Los tonos del piano me provocaron intensas sinapsis, reviviendo partituras que conocía de memoria. Una voz en mi cabeza me pedía *heissblütig, heissblütig*: más pasión, más sentimiento.

—Usted dijo que era principiante.

—Y así es —contestó mi madre—. Creo que nunca ha visto un piano de verdad.

—Este niño tiene un don innato.

Por diversión, me puse a tocar «Campanita del lugar» como la interpretaba para mis hermanas. Procuré usar solo un dedo, como si el piano de cola no fuera más que un juguete.

—La ha aprendido él solo —dijo mamá—. En un pianito digno de una orquesta de duendes. Y también sabe cantar como un pájaro.

Mi padre me lanzó una rápida mirada de reojo. El señor Martin, que estaba demasiado ocupado intentando formarse un juicio de mi madre, no reparó en el silencioso intercambio. Mi madre parloteaba ensalzando todas mis dotes, pero nadie la escuchaba. Empleando unos compases muy lentos y separados, ensayé una pieza de Chopin, tan cambiada que ni siquiera el viejo señor Martin reconoció la melodía.

—Señor Day, señora Day, acepto a su hijo como alumno. Sin embargo, el requisito mínimo de asistencia es de ocho semanas seguidas. Puedo enseñar al niño las tardes de los miércoles y los sábados.

A continuación, mencionó su tarifa con una voz que apenas pasaba de un susurro. Mi padre encendió otro Camel y se dirigió a la ventana.

—Pero en el caso de su hijo —esta vez se dirigía solo a mi madre—, en el caso de Henry, un músico nato como no he oído nunca, solo le cobraré la mitad, aunque deberán comprometerse a traerlo dieciséis semanas. Cuatro meses. Así sabremos lo lejos que podemos llegar.

Toqué de oído un rudimentario «Cumpleaños feliz». Mi padre terminó de fumar y me dio un golpecito en el hombro para indicarme que nos marchábamos. Se acercó a mamá y la agarró suavemente por el brazo.

—Lo llamaré mañana —dijo— a las tres y media. Lo pensaremos.

El señor Martin se inclinó ligeramente y me miró directamente a los ojos.

—Tienes un don, jovencito.

Durante el viaje de vuelta a casa, contemplé cómo la ciudad se alejaba por el retrovisor y desaparecía. Mamá charlaba sin parar, soñando con el futuro, planificando nuestras vidas. Billy, con las manos en el volante, estaba concentrado en la carretera y no decía nada.

—Compraré unas gallinas ponedoras, eso haré. ¿Te acuerdas de cuando decías que te gustaría volver a convertir nuestra casa en una granja de verdad? Empezaré a criar pollos y venderemos los huevos, y con eso seguro que podremos pagar las clases. Y además tendremos huevos frescos cada mañana. Y Henry podrá coger el autobús de la escuela hasta la parada del tranvía, y luego el tranvía para ir al centro. ¿Podrías llevarlo a la parada del tranvía los sábados?

—Yo podría hacer las tareas de la casa para ganarme las clases.

—¿Ves las ganas que tiene de aprender, Henry? Tiene un don, es lo que ha dicho el señor Martin. Es tan refinado… ¿Has visto en tu vida algo como ese piano? Ese hombre debe de sacarle brillo cada día.

Mi padre bajó su ventanilla un par de centímetros para dejar entrar una ráfaga de aire fresco.

—¿Has visto cómo ha tocado «Cumpleaños feliz»? Parecía que llevara haciéndolo toda la vida. Es lo que él quiere; es lo que yo quiero, cielo.

—¿Y cuándo practicaría, Ruth? Hasta yo sé que hace falta tocar todos los días, y puedo permitirme pagar unas clases de piano, pero desde luego no puedo permitirme tener un piano en casa.

—En el colegio hay un piano —dije—. Nadie lo usa. Estoy seguro de que, si lo pidiera, me dejarían quedar después de…

—¿Y qué hay de los deberes y las tareas que has dicho que harías? No quiero que tus notas empeoren.

—Nueve por nueve son ochenta y uno. «Homenaje» se escribe con hache y con jota. Oppenheimer inventó la bomba con la que nos encargamos de los japoneses. La Santa Trinidad está formada por el Padre, el Hijo y el Espíritu Santo, y es un misterio sagrado que nadie puede resolver.

—Está bien, Einstein. Puedes intentarlo, pero durante ocho semanas. Solo para estar seguros. Tu madre tendrá que reunir el dinero de los huevos, y tú tendrás que ayudarla a cuidar de los pollos. ¿No te enseñan eso en tu colegio?

Ruth observó su cara, con una extraña mirada de amor y asombro. Los dos se dedicaron una media sonrisa íntima y tímida, cuyo significado se me escapaba. Sentado entre ellos, disfruté de la calidez del momento, sin sentir la más mínima culpabilidad por no ser su hijo. Proseguimos nuestro trayecto, como la más feliz de las familias.

Al cruzar un alto puente que atravesaba el río que había cerca de nuestra casa, divisé algo que se movía a lo largo de la orilla situada debajo. Para mi horror, vi a un grupo de suplantadores que caminaban en fila por un claro, mezclándose con los árboles y los arbustos, y acto seguido desaparecieron en un abrir y cerrar de ojos. Aquellos extraños niños se movían como ciervos. Mis padres no se percataron de su presencia, pero al pensar en las criaturas que había allí abajo me puse colorado y empecé a sudar, y rápidamente me entraron escalofríos. El hecho de que siguieran existiendo me inquietó, pues casi me había olvidado de ellos. La posibilidad de que desvelasen mi pasado me ponía enfermo, y estuve a punto de pedirle a mi padre que saliera de la carretera. Pero él encendió otro cigarrillo y abrió más la ventanilla, y el aire fresco me alivió las náuseas, aunque no el dolor.

Mamá rompió el hechizo.

—¿No dijo el señor Martin que teníamos que comprometernos cuatro meses?

—Lo llamaré el lunes y llegaremos a un acuerdo. Primero probemos dos meses. A ver si al chico le gusta.

Durante los siguientes ocho años recibí clases de piano, y fue la época más feliz de todas mis vidas. Cuando llegaba pronto al colegio, las monjas me dejaban practicar gustosamente con el piano en el comedor. Más adelante, me dejaron entrar en la iglesia para aprender a tocar el órgano, y me convertí en el organista suplente más joven que había tenido nunca la parroquia. La vida se volvió ordenada, y la disciplina resultaba agradable. Cada mañana metía la mano debajo de la barriga de las gallinas para recoger los huevos, y cada tarde ponía los dedos sobre el teclado para perfeccionar mi técnica. Los miércoles y los sábados, el viaje a la ciudad resultaba estimulante, ya que me permitía estar lejos de la granja y la familia y en medio de la civilización. Ya no era algo salvaje, sino una criatura culta que llevaba camino de convertirse otra vez en un virtuoso.

6

Al poner por escrito estos recuerdos de mis lejanos primeros años, me he dejado engañar por el tiempo, como nos ocurre a todos. Mis padres, que desaparecieron hace tanto de mi mundo, viven de nuevo. La joven del abrigo rojo, a la que solo vi una vez, aparece de forma más insistente en mi cabeza que lo que hice ayer o el hecho de haber tomado cardos y miel o bayas de saúco para desayunar. Mis hermanas, que ahora deben de ser unas mujeres de mediana edad, son eternos bebés para mí, dos querubines idénticos, con tirabuzones, regordetas e indefensas como unos cachorros. La memoria, que tanto confunde nuestra vida con las expectativas y los remordimientos, puede ser nuestro único consuelo cuando el tiempo se nos escapa.

Mi primera incursión nocturna en el bosque me dejó agotado. Me metí debajo de un montón de abrigos, mantas y pieles, y al mediodía del día siguiente ardía de fiebre. Zanzara me llevó una taza con una infusión caliente y un plato con un caldo desagradable, y me ordenó: «Bebe, bebe, dale un sorbo». Pero fui incapaz de tolerar un solo trago. Por muchas capas de ropa que me pusieran, no conseguía entrar en calor. Al anochecer tenía unos escalofríos incontrolables. Me castañeteaban los dientes y me dolían los huesos.

Con el sueño, llegaron unas extrañas y horribles pesadillas en las que todo parecía ocurrir al mismo tiempo. Mi familia invadió mis sueños. Cogidos de las manos, formaban un semicírculo alrededor de un agujero del suelo, silenciosos como tumbas. Mi padre me agarraba del tobillo, me sacaba del árbol hueco en el que estaba escondido y me dejaba en el suelo. A continuación volvía a meter la mano en el árbol, tiraba del tobillo de las gemelas y las sujetaba en alto, mientras las niñas se reían nerviosamente de miedo y gozo. Y mi madre lo reprendía:

—No seas tan duro con el niño. ¿Dónde has estado, dónde has estado?

Entonces yo aparecía en la carretera, iluminado por el haz de luz que salía de un viejo Ford; el ciervo estaba tendido en el pavimento, respirando de forma superficial. Yo sincronizaba mi respiración con sus ritmos vitales, y la mujer del abrigo rojo y los ojos verde claro decía:

—¿Quién eres?

Y se inclinaba hacia mi cara, me cogía la barbilla entre las manos para besarme en los labios y me convertía otra vez en niño. Era yo. Pero no recordaba mi nombre.

Aniday. Una niña salvaje como yo, una chica llamada Mota, se inclinaba sobre mí para besarme en la frente, y sus labios refrescaban mi piel ardiente. Detrás de ella, las hojas de los robles se convertían en miles de cuervos que levantaban el vuelo a la vez y se alejaban en medio de un gran tornado revoloteante de alas. Una vez que la bandada huía hacia el horizonte y empezaba a amanecer, volvía a hacerse el silencio. Yo perseguía a los pájaros corriendo tan rápido que la piel se me desgarraba en los costados y el corazón me martilleaba contra las costillas, hasta que me detenía ante la aparición mortal de un río negro que avanzaba serpenteando. Concentrándome con todas mis fuerzas, veía el otro lado del río, y allí, en la orilla, cogidos de las manos alrededor de un agujero del suelo, estaban mi padre y mi madre, la mujer del abrigo rojo, mis dos hermanas y el niño que no era yo. Permanecían inmóviles como piedras, como árboles, mirando al claro. Si me armaba de valor y saltaba al agua, era posible que llegara hasta ellos. Las aguas turbias me habían arrastrado en una ocasión, de modo que me quedé en la orilla, gritando con una voz inaudible, pronunciando palabras que nadie podía entender.

No sé cuánto tiempo estuve delirando a causa de la fiebre. ¿Una noche, un día o dos, una semana, un año? ¿O más? Cuando me desperté bajo un cielo lluvioso y acerado, me sentía cómodo y a salvo, aunque tenía los brazos y las piernas agarrotados, me dolían las tripas y tenía el estómago vacío. Ragno y Zanzara, que me estaban cuidando, jugaban a las cartas empleando mi barriga a modo de mesa. Su juego desafiaba toda lógica, ya que no habían conseguido robar una baraja completa. Mezclando restos de muchos mazos distintos, habían terminado con casi cien cartas. Cada uno de ellos sostenía un puñado de naipes, y las cartas sobrantes reposaban en un montón desordenado sobre mi estómago.

—¿Tienes algún cinco? —preguntó Ragno.

Zanzara se rascó la cabeza.

Ragno le gritó levantando los cinco dedos de una mano:

—¡Cinco, cinco! Coge una carta.

Y se puso a dar la vuelta a una carta detrás de otra hasta que encontró una pareja, que mostró triunfalmente antes de ceder el turno a Zanzara.

—Eres un tramposo, Ragno.

—Y tú una sanguijuela.

Tosí para hacerles saber que estaba consciente.

—Eh, mira, está despierto.

Zanzara me puso sus pegajosas manos en la frente.

—Deja que te traiga algo de comer. ¿Una infusión, tal vez?

—Has estado durmiendo mucho tiempo, chico. Eso es lo que se consigue saliendo con esos. Esos irlandeses no son buenos.

Miré el campamento a mi alrededor en busca de mis amigos, pero, como siempre, al mediodía todo el mundo estaba fuera.

—¿Qué día es hoy? —pregunté.

Zanzara sacó la lengua y probó el aire.

—Yo diría que martes.

—No, me refiero al día del mes.

—Chico, si ni siquiera sé el mes en el que estamos.

Ragno lo interrumpió.

—La primavera debe de estar cerca. Los días se hacen cada vez más largos.

—¿Me he perdido las Navidades? —Por primera vez desde hacía mucho tiempo eché de menos mi casa.

Los muchachos se encogieron de hombros.

—¿Me he perdido a Papá Noel?

—¿Quién es ese?

—¿Cómo puedo salir de aquí?

Ragno señaló un camino escondido detrás de dos árboles de hoja perenne.

—¿Cómo puedo volver a casa?

Sus ojos se pusieron vidriosos, y se marcharon cogidos de la mano. Tenía ganas de llorar, pero no me salían las lágrimas. Soplaba un viento fuerte del oeste que empujaba nubes oscuras por el cielo. Acurrucado bajo las mantas, observé cómo cambiaba el día, a solas con mis problemas, hasta que los demás volvieron rápidamente a casa siguiendo la dirección del viento. No me prestaron mayor atención que la que uno concede a un bulto del suelo por delante del que pasa todos los días. Igel empezó a hacer una pequeña hoguera golpeando una piedra hasta que una chispa encendió la leña. Dos de las chicas, Kivi y Blomma, destaparon la despensa casi agotada y sacaron nuestra escasa comida; se pusieron a despellejar con cuidado una ardilla parcialmente congelada dándole golpes con un cuchillo muy afilado. Mota desmenuzó unas hierbas secas en nuestra vieja tetera y la llenó de agua cogida de un depósito. Chavisory asó unos piñones en una plancha lisa. Los chicos que no estaban cocinando se quitaron sus zapatos y botas y los cambiaron por el calzado del día anterior, que ya estaba seco y duro. Toda aquella rutina doméstica se llevó a cabo sin alboroto y con escasa conversación; se habían vuelto unos expertos en realizar los preparativos para la noche. Mientras la ardilla se cocinaba en un asador, Smaolach se acercó para echarme un vistazo y se sorprendió al descubrir que estaba despierto y alerta.

—Aniday, has vuelto de entre los muertos.

Me cogió la mano y me levantó de un tirón. Nos abrazamos, pero me estrujó tan fuerte que me hizo daño en los costados. Rodeándome el hombro con su brazo, me condujo hacia la hoguera, donde algunos elfos y hadas me recibieron con expresiones de asombro y alivio. Béka me lanzó una mirada despectiva y apática, y cuando saludé a Igel me contestó encogiéndose de hombros y siguió esperando a que le sirvieran cruzado de brazos. Empezamos a comer la ardilla y los piñones; la comida apenas alivió el apetito voraz de todos los presentes. Tras los primeros bocados llenos de fibras, aparté mi plato de hojalata. La luz del fuego hacía relucir la cara de todos, y la grasa de sus labios confería brillo a sus sonrisas.

Después de cenar, Luchóg me hizo un gesto para que me acercara a él y me susurró al oído que me tenía reservada una sorpresa. Nos fuimos del campamento, mientras los últimos rayos de luz rosada iluminaban nuestro camino. Sujetos entre dos grandes piedras había cuatro pequeños sobres.

—Cógelos —gruñó, mientras sostenía con los brazos la pesada piedra superior, y saqué rápidamente las cartas antes de que él soltara con un ruido sordo la piedra que hacía de tapa.

Luchóg se metió la mano dentro de la camisa para coger su bolsita y extrajo un pedazo de lápiz afilado, que me ofreció con decorosa modestia.

—Feliz Navidad, tesoro. Es algo para que empieces.

—Entonces, ¿hoy es Navidad?

Luchóg miró a su alrededor por si alguien estaba escuchando.

—No te la has perdido.

—Feliz Navidad —dije.

Abrí mis regalos rápidamente, estropeando sus preciosos sobres. Con el paso de los años, he perdido dos de las cuatro cartas, pero no eran tan valiosas. Una era el resguardo de una letra de hipoteca con su pago adjunto, y a petición de Luchóg, le di el talón para que lo usara como papel de liar para sus cigarrillos. La otra misiva perdida era una carta rabiosa dirigida al editor del periódico local en la que el remitente denunciaba a Harry Truman. Al estar lleno por la parte de delante y de detrás con una letra apretada que abarcaba de un margen a otro, el papel resultaba inútil. Las otras dos tenían mucho más espacio en blanco, y en una de ellas las líneas estaban tan separadas que se podía escribir entre ellas.

2 de febrero de 1950

Querido mío:

La otra noche significó tanto para mí que no entiendo por qué no me has llamado por teléfono ni me has escrito desde entonces. Estoy confundida. Me dijiste que me querías, y yo también te quiero, pero todavía no has contestado a mis tres últimas cartas y nadie coge el teléfono en tu casa ni tampoco en el trabajo. No acostumbro hacer lo que hicimos en el coche, pero accedí porque me dijiste que me querías y que estabas sufriendo mucho. Quiero que sepas que no soy esa clase de chica.

Soy una chica que te quiere y que espera que un caballero se comporte como tal.

Por favor, escríbeme o, mejor aún, llámame por teléfono. Estoy más confundida que furiosa, pero me enfadaré si no tengo noticias tuyas.

Te quiero, ¿lo sabes?

Besos,

Martha

En su momento aquella carta me pareció la expresión más sincera del amor verdadero que había visto jamás. Resultaba difícil de leer, pues Martha escribía con trazos muy ligados, pero afortunadamente tenía una letra grande que parecía de molde. La segunda carta me dejó más perplejo que la primera, pero su autor también había empleado únicamente tres cuartos de la cara delantera de una hoja.

3/2/50

Queridos padre y madre:

No tengo palabras para expresaros mi pesar y mis condolencias por la pérdida de nuestra querida Nana. Era una mujer buena y amable, y ahora está en un sitio mejor. Siento no poder ir a casa, pero no tengo suficiente dinero para el viaje. Así que no me queda más remedio que compartir mi sentido dolor por medio de esta carta insuficiente.

El invierno está teniendo un final frío y triste. La vida no es justa porque habéis perdido a Nana, y yo lo he perdido casi todo.

Vuestro hijo

Cuando las chicas del campamento se enteraron de la existencia de las dos cartas, insistieron en que las leyera en voz alta. No solo tenían curiosidad por su contenido, sino también por mi supuestos conocimientos, pues en el campamento casi nadie se molestaba ya en leer o escribir. Algunos no habían aprendido, y otros habían optado por olvidarlo. Nos sentamos formando un círculo alrededor del fuego, y las leí lo mejor que pude, pese a no acabar de entender todas las palabras ni de captar su significado.

—¿Qué pensáis de Querido mío? —preguntó Mota al grupo una vez que hube acabado.

—Es un canalla y un sinvergüenza —dijo Cebollas.

Kivi se echó hacia atrás sus rizos rubios y suspiró, con la cara brillante a la luz del fuego.

—No entiendo por qué Querido mío no contesta a Martha, pero eso no es nada comparado con los problemas de Vuestro hijo.

—Sí —intervino Chavisory—, a lo mejor Vuestro hijo debería casarse con Martha, y entonces los dos vivirían felices para siempre.

—Pues yo espero que Madre y Padre encuentren a Nana —añadió Blomma.

La desconcertante conversación prosiguió durante la noche. Ellos inventaban unas ficciones poéticas sobre el otro mundo. Los misterios de sus simpatías, preocupaciones y penas me dejaban perplejo, aunque las chicas albergaban una enorme empatía por asuntos que escapaban a nuestro conocimiento. Sin embargo, estaba ansioso porque se marcharan para poder practicar mi escritura. Pero las chicas se quedaron hasta que el fuego se redujo a unas brasas; luego se acurrucaron bajo las mantas, donde continuaron con su discusión, meditando sobre el destino de los autores de las cartas, sus problemas y sus lectores deseados. Tendría que esperar para utilizar las hojas. La noche se volvió gélida, y al poco rato los doce estábamos apiñados en medio de una maraña de miembros. Cuando el último de nosotros se movió bajo la estera, de repente recordé el día que acababa. «¡Feliz Navidad!», dije, pero mi felicitación fue recibida con mofa. «¡Cállate!» y «A dormir», me contestaron. Durante las largas horas previas al amanecer, un pie me dio en la barbilla, un codo me golpeó en la ingle y una rodilla me pegó en las costillas doloridas. En un rincón oscuro, una chica gimió cuando Béka se colocó encima de ella. Mientras soportaba su actividad intermitente, aguardé a que se hiciera de día, con las cartas sujetas contra el pecho.

El sol naciente se reflejaba contra el manto de altos cirros, tiñendo las nubes de una gama de colores que partía del matiz brillante del lado este y se desplegaba en suaves tonos pastel. Las ramas de los árboles dividían el cielo en fragmentos, como si de un caleidoscopio se tratase. Cuando salió el sol rojizo, los colores fueron variando hasta desaparecer todos en medio del azul y el blanco. Me levanté de la cama y disfruté de aquella luz que se volvió lo bastante intensa para poder dibujar y escribir. Saqué los papeles y el lápiz, me coloqué una piedra plana sobre el regazo y doblé el extracto de la hipoteca en cuatro fragmentos. Tracé una cruz siguiendo los pliegues e hice viñetas para cuatro dibujos. El lápiz resultaba extraño y al mismo tiempo familiar al agarrarlo. En la primera viñeta, retraté de memoria a mi padre y a mi madre, a mis dos hermanas pequeñas y a mí, todos de cuerpo entero y formando una hilera. Cuando reflexioné sobre mi obra, me di cuenta de que resultaban toscos y desiguales, y me decepcioné. En la siguiente viñeta, dibujé la carretera que atravesaba el bosque, con el ciervo, la mujer, el coche, y Smaolach y Luchóg en la misma perspectiva. La luz, por ejemplo, se reflejaba mediante dos líneas rectas que emanaban de un círculo del coche y se proyectaban hacia afuera en dirección a las esquinas del marco. El ciervo se parecía más a un perro, y deseé ardientemente que el lápiz amarillo tuviera una goma de borrar. En la tercera viñeta, dibujé un árbol de Navidad aplanado, suntuosamente decorado, con un montón de regalos esparcidos por el suelo. En la última, realicé el dibujo de un niño ahogándose. Rodeado de espirales, el muchacho se hundía por debajo de la línea ondulada.

Cuando le enseñé el papel a Smaolach por la tarde, me cogió de la mano y me hizo correr con él hasta escondernos detrás de un acebo que se extendía por todas partes. Miró a su alrededor en todas direcciones para asegurarse de que estábamos solos; entonces dobló el papel con cuidado y me lo devolvió.

—Tienes que tener más cuidado con lo que dibujas.

—¿Qué pasa?

—Si Igel se entera, entonces sabrás lo que pasa. Aniday, tienes que comprender que él no acepta ningún contacto con el otro lado, y aquella mujer…

—¿La del abrigo rojo?

—Él tiene miedo de que lo descubran. —Smaolach cogió el papel y me lo metió en el bolsillo del abrigo—. Hay cosas que es mejor guardarse para uno mismo —dijo, y me guiñó el ojo y se marchó silbando.

Escribir resultó más doloroso que dibujar. Ciertas letras —la B, la G, la R— me provocaban calambres en la mano. En aquellos retazos primerizos de escritura, a veces la T me salía inclinada, la S se me desviaba, la F se convertía sin querer en una E, y cometía otros errores que ahora me resultan divertidos al volver la vista atrás a aquella edad temprana, pero por aquel entonces mi escritura me provocaba mucha vergüenza y embarazo. Sin embargo, peor que el alfabeto resultaban las palabras propiamente dichas. Era incapaz de deletrear y no ponía ningún signo de puntuación. Mi vocabulario me irritaba, por no hablar de mi estilo, mi dicción, mi estructura oracional, así como la variedad, los adjetivos, los adverbios y otros elementos. El acto físico de escribir se hacía eterno. Tenía que formar las frases paso a paso y, una vez completas, no pasaban de una burda aproximación a lo que sentía o quería decir, una triste valla a través de un campo blanco. Aun así, persistí durante aquella mañana, poniendo por escrito todo lo que pude recordar con las palabras que tenía a mi disposición. Al mediodía, las dos caras del papel contenían el relato de mi secuestro y mis aventuras, así como los recuerdos más vagos de mi vida antes de llegar a aquel lugar. Me había olvidado de más cosas de las que recordaba: mi nombre, los nombres de mis hermanas, mi querida cama, mi colegio, mis libros, toda noción de lo que quería ser cuando fuera mayor. Todo lo que me sería restituido a su debido tiempo. Aunque, sin las cartas de Luchóg, me habría visto perdido para siempre. Una vez que escribí con letra prieta la última palabra en el único espacio disponible, fui a ver a Luchóg. Ahora que me había quedado sin papel, mi misión consistía en encontrar más.

7

A los diez años empecé a tocar delante de personas normales y corrientes. En agradecimiento a las monjas que me dejaban usar el piano del colegio, accedí a tocar como preludio de la función anual de Navidad. Mi música servía de acompañamiento a los padres cuando ocupaban sus asientos, mientras sus hijos se despojaban de sus abrigos y sus bufandas para ponerse sus disfraces de elfos y sabios. Mi profesor, el señor Martin, y yo preparamos un programa con composiciones de Bach, Strauss y Beethoven, que concluía con una parte de «Seis pequeñas piezas para piano» en honor a Arnold Schoenberg, que había fallecido el año anterior. Nos pareció que aquella última pieza «moderna», pese a no ser demasiado familiar para nuestro público, me permitía exhibir todo mi talento sin ser excesivamente ostentoso. El día antes de la función de Navidad, repasé el programa de treinta minutos después del colegio para las monjas, y la selección no despertó más que entrecejos fruncidos y semblantes ceñudos bajo sus tocas.

—Es maravilloso, Henry, realmente extraordinario —dijo la directora. Era la madre superiora de la banda de cuervos que manejaban el cotarro—. Pero la última pieza…

—¿La de Schoenberg?

—Sí, es muy interesante. —Se levantó delante de las hermanas y empezó a pasearse de un lado a otro, procurando actuar con tacto—. ¿Sabes alguna otra?

—¿Otra, madre?

—Algo más apropiado para la época, tal vez.

—¿Apropiado para la época, madre?

—Algo que pudiera conocer la gente.

—No entiendo.

Ella se volvió y se dirigió hacia mí.

—¿Sabes alguna canción de Navidad? ¿Un himno? ¿«Noche de paz», tal vez? ¿O «Escuchad el son triunfal», creo que es de Mendelssohn? Si puedes tocar a Beethoven, puedes tocar a Mendelssohn.

—¿Quiere villancicos?

—No, solo himnos. —Siguió caminando, alisándose el hábito—. Podrías tocar «Navidad, Navidad» o «Blanca Navidad».

—Esa es de *Quince días de placer* —intervino una monja—. Salen Bing Crosby, Fred Astaire y Marjorie Reynolds. Oh, pero tú eres demasiado joven.

—¿Habéis visto *Las campanas de Santa María*? —preguntó la profesora de tercero a sus compañeras—. No me digáis que no lo hacía bien.

—A mí me gustó mucho *Forja de hombres*; ya sabéis, la de Mickey Rooney.

La madre superiora las interrumpió agitando las cuentas de su rosario.

—Seguro que conoces unas cuantas canciones de Navidad.

Cariacontecido, me fui a casa por la noche y me aprendí aquellas canciones anodinas, practicando en un teclado recortado en papel que me había hecho mi padre. Al día siguiente por la tarde, en la función, reduje la mitad del programa original y añadí algunos villancicos al final. Mantuve la pieza de Schoenberg, que, huelga decir, obtuvo un fracaso. Toqué el material de Navidad y recibí una ovación atronadora. «Cretinos», dije entre dientes al tiempo que recibía sus halagos. Mientras me inclinaba repetidamente, mi desprecio por sus aplausos y silbidos aumentó. Pero de repente, al mirar el mar de caras, empecé a reconocer a mis padres y vecinos, todos felices y alegres, que me mostraban su sincero agradecimiento por el calor navideño generado por los compases ligeramente predecibles de sus viejas canciones favoritas. Ningún regalo es tan bien recibido como el que uno espera. Y, conforme se alargaba el aplauso, comencé a sentirme mareado y aturdido. Mi padre se puso en pie, con una sonrisa auténtica en la cara. Estuve a punto de desmayarme. Quería más.

Lo glorioso de aquella experiencia residía en el simple hecho de que mi talento musical era humano. En el bosque no había pianos. Y, a medida que mi magia disminuía lentamente, mis dotes artísticas aumentaban. Me sentía cada vez más alejado de los que me habían raptado durante cien años, y mi única esperanza y ruego era que me dejaran en paz. Desde la noche de mi primera actuación, parecía que me hubiera dividido en dos: una parte de mí seguía con el señor Martin y su énfasis en el canon de los clásicos, aporreando las piezas de los antiguos compositores como si golpease un martillo o haciendo que las teclas susurrasen sometidas a la presión más suave. La otra mitad se dedicaba a ampliar mi repertorio, pensando en lo que le podría gustar oír al público, como las baladas que sonaban por la radio y que mi madre adoraba. Me gustaban tanto las fugas de *El clave bien temperado* como «Heart and Soul», y ambas facetas discurrían perfectamente, pero el hecho de ser un adepto a la canción popular me permitía aceptar los encargos que me ofrecían de vez en cuando y tocar en los bailes del colegio y fiestas de cumpleaños. Al principio, el señor Martin protestó ante la degradación de mi talento, pero le conté un dramón sobre nuestra necesidad de dinero para pagar las clases. Inmediatamente redujo su tarifa a una cuarta parte. Con el dinero que ahorramos, los ingresos que yo recibía y el negocio cada vez más lucrativo de los huevos y los pollos que tenía mi madre, pudimos comprar un piano vertical de segunda mano para mi duodécimo cumpleaños.

—¿Qué es esto? —preguntó mi padre cuando volvió a casa el día que llegó el piano, con su hermoso mecanismo encajado en una carcasa de palisandro.

—Es un piano —contestó mi madre.

—Ya lo veo. ¿Cómo ha llegado hasta aquí?

—Lo han traído unos transportistas de pianos.

Él sacó un cigarrillo del paquete y lo encendió con un rápido movimiento.

—Ruthie, ya sé que alguien lo ha traído aquí. Pero ¿cómo es que está aquí?

—Es para Henry. Para que practique.

—No podemos permitirnos un piano.

—Lo hemos comprado nosotros. Henry y yo.

—Con el dinero que he ganado tocando —añadí yo.

—Y el de los pollos y los huevos.

—¿Lo habéis comprado?

—Nos lo recomendó el señor Martin. Para el cumpleaños de Henry.

—Bueno, pues feliz cumpleaños —dijo él, mientras salía de la habitación.

Tocaba en cuanto tenía ocasión. Durante los siguientes años pasé varias horas al día delante de las teclas, cautivado por la matemática de las notas. La música me embargaba como la corriente de un río que introdujera cada vez más mi parte consciente en lo más profundo de mi ser, como si no hubiera otro sonido en el mundo. Aquel verano hice crecer mis piernas unos centímetros más de lo necesario para llegar mejor a los pedales. En casa, en el colegio y en la ciudad, practicaba separando los dedos todo lo posible. Las yemas de mis dedos se volvieron tersas y extremadamente sensibles. Los hombros se me encorvaron hacia delante. Soñaba con una ola tras otra de escalas. Cuanto más perfeccionaba mi técnica y mis conocimientos, más comprendía el poder del fraseo musical en la vida cotidiana. El secreto radica en hacer que la gente escuche los ritmos tenues y aparentemente insignificantes entre notas, la ausencia de tonos entre tonos. Al formular esa cuestión con una lógica de una precisión implacable, uno puede tocar —o decir— cualquier cosa. La música me enseñó a controlarme.

Mi padre no podía soportar oírme practicar, tal vez porque se daba cuenta del dominio que había adquirido. Me dejaba en la habitación, se retiraba a los rincones más recónditos de la casa o buscaba una excusa para salir. Unas semanas después de que mamá y yo compramos el piano, volvió a casa con nuestra primera televisión, y una semana más tarde un hombre fue a instalarnos una antena en el tejado. Por las tardes mi padre veía *You Bet Your Life* y *The Jackie Gleason Show*, y me ordenaba que no hiciera ruido. Sin embargo, cada vez se limitaba a marcharse más a menudo.

—Me voy a dar una vuelta con el coche. —Ya tenía el sombrero puesto.

—Espero que no vayas a beber.

—A lo mejor paro a tomar una copa con los chicos.

—No tardes mucho.

Bien entrada la medianoche, llegaba tambaleándose, cantando o murmurando para sí, y se ponía a maldecir cuando pisaba uno de los juguetes de las niñas o se raspaba la espinilla con el taburete del piano al pasar. Todos los fines de semana trabajaba fuera cuando el tiempo lo permitía, cambiando los postigos, pintando la casa o reemplazando la alambrada del gallinero. Ejercía de padre cariñoso con Mary y Elizabeth, haciéndolas saltar sobre sus rodillas, alabando sus rizos y sus vestidos, deshaciéndose en halagos ante el último de sus rudimentarios dibujos o sus cabañas hechas con palitos de helados, o sentándose a la mesa para asistir a sus fiestas del té y actividades similares. Pero a mí me miraba con frialdad, y aunque no podía leer su pensamiento, sospecho que no compartía mi pasión por la música. Quizá tenía la sensación de que el arte me corrompía, de que me hacía ser menos niño. Cuando hablábamos, me castigaba por haber hecho alguna tarea con descuido o por haber sacado una nota inferior a un sobresaliente en un examen o un trabajo.

Un sábado, mientas me llevaba de la estación del tranvía a casa, hizo un esfuerzo por ser simpático y comprensivo. En la radio estaban retransmitiendo un partido de fútbol americano entre los Fighting Irish de Notre Dame y los Navy Midshipmen. Uno de los equipos marcó un *touchdown* espectacular.

—¿Qué te ha parecido eso? ¿Lo has oído?

Miré por la ventanilla, repiqueteando una melodía con la mano derecha en el apoyabrazos.

—¿Tampoco te gusta el fútbol? —preguntó.

—No lo sé. Está bien.

—¿Te gusta algún deporte? ¿El béisbol? ¿El baloncesto? ¿Te gustaría ir a cazar algún día?

No dije nada. La sola idea de estar a solas con Billy Day y una escopeta me asustaba. Además, en el bosque había demonios. Dejamos que se hiciera el silencio entre nosotros durante unos cuantos kilómetros.

—¿Cómo es que te pasas el día y la noche pensando solo en el piano?

—Me gusta la música. Y se me da bien.

—Es verdad, pero, sinceramente, ¿te has parado a pensar alguna vez que podrías probar a hacer otra cosa para variar? ¿Sabes que hay más cosas en esta vida que la música?

Si hubiera sido mi verdadero padre, me habría decepcionado para siempre. Aquel hombre no tenía visión, ni pasión por la vida, y daba gracias porque no estuviéramos realmente emparentados. El coche atravesó las sombras de unos árboles, y el cristal de la ventanilla se oscureció. Vi en mi reflejo la imagen duplicada del padre de Henry, pero yo tan solo parecía su descendiente. Hubo una vez en que tuve un padre de verdad. Podía oír su voz: *Ich erkenne dich! Du willst nur meinen Sohn!* Sus ojos se movían como locos tras sus gafas de búho, y de repente el recuerdo fantasma desapareció. Notaba que Billy Day me estaba mirando por el rabillo del ojo, preguntándose qué demonios pasaba. ¿Cómo le había salido un hijo así?

—Creo que me están empezando a gustar las chicas —dije.

Él sonrió y me revolvió el pelo. Encendió otro Camel, una señal certera de que estaba satisfecho con mi respuesta. El tema de mi masculinidad no volvió a mencionarse nunca más.

Se me había escapado una verdad fundamental. Las chicas estaban presentes en cualquier situación de la vida. Me fijaba en ellas en el colegio, me las comía con los ojos en la iglesia, tocaba para ellas en cada concierto. Las chicas llegaron como salidas de entre las sombras y nada volvió a ser lo mismo. Me enamoraba diez veces al día: una chica mayor, de unos veintitantos años, con un abrigo gris en una calle gris; la bibliotecaria de pelo negro que venía cada martes por la mañana a comprar una docena de huevos. Chicas con coletas que saltaban a la comba. Chicas con encantadores acentos. Chicas con escarpines y falda. En sexto, Tess Wodehouse intentando esconder su corrector dental tras sus sonrisas. Blondie, en los cómics; Cyd Charisse; Paulette Goddard; Marilyn Monroe. Cualquier mujer con curvas. Su atractivo no se limita a las apariencias, sino que se extiende al modo en que embellecen el mundo. Algunas mujeres se impulsan por medio de un giroscopio interno. Otras se deslizan por la vida como si se movieran sobre patines de hielo. Algunas mujeres reflejan en los ojos su vida atormentada, otras te rodean de la música de su risa. Las mujeres se convierten en la ropa que visten. Pelirrojas, rubias, morenas. Las adoraba a todas. ¿De dónde sacan unas pestañas tan largas las mujeres que coquetean con uno? Empezando por el repartidor de leche. O las chicas demasiado tímidas para pronunciar palabra.

Sin embargo, las mejores chicas eran aquellas a las que les gustaba la música. En casi todas mis actuaciones, podía escoger entre la multitud a las que estaban escuchando, a diferencia de las que estaban muertas de aburrimiento o simplemente desinteresadas. Las chicas que miraban hacia atrás me ponían nervioso, pero al menos escuchaban, al igual que las que tenían los ojos cerrados y la barbilla alzada, concentradas en mi interpretación. Otras chicas del público se limpiaban los dientes con las uñas, se hurgaban en las orejas con el dedo meñique, hacían crujir los nudillos, bostezaban sin taparse la boca, miraban a las otras chicas (o chicos), o consultaban el reloj. Después de las actuaciones, muchas de las personas del público se acercaban para hablar, estrecharme la mano o estar cerca de mí. Aquellos encuentros posteriores a las actuaciones eran de lo más gratificantes, y yo estaba encantado de recibir cumplidos y contestar preguntas el mayor tiempo posible mientras ponía de manifiesto el entusiasmo de las mujeres y las chicas.

Por suerte, los conciertos y los recitales eran escasos y estaban muy espaciados, y la demanda pública de mis interpretaciones de música clásica en fiestas y funciones disminuyó a medida que me acercaba a la pubertad. Muchos aficionados se habían mostrado interesados en el niño prodigio de diez años, pero la novedad se acabó cuando me convertí en un adolescente flacucho lleno de acné. Y, para ser sincero, yo estaba harto de los ejercicios de Hanon y Czerny y de la misma pieza insípida de Chopin en la que mi profesor insistía tanto un año tras otro. Al cambiar una vez más, descubrí que mis poderes menguaban a medida que mis hormonas entraban en ebullición. De la noche a la mañana había pasado de querer ser solo un niño a querer ser un adulto. En mitad de mi primer año en el instituto, tras meses de meditación y peleas con mi madre, caí en la cuenta de que había una forma de combinar mi pasión por la música y mi interés por las chicas: formar mi propio grupo.

8

Tengo algo para ti.

Los últimos días gélidos de invierno obligaron a todo el grupo a recluirse. El temporal de nieve y las temperaturas heladoras hicieron que resultara imposible salir del campamento. La mayoría de nosotros pasaba la noche y el día a cubierto en un estado de modorra causado por la combinación del frío y el hambre. Mota estaba junto a mí, sonriendo, con una sorpresa escondida detrás de la espalda. Una brisa agitó su largo pelo moreno por delante de su cara, y se lo apartó con un movimiento impaciente de la mano como si fuera una cortina.

—Despierta, dormilón, y mira lo que he encontrado.

Me levanté envolviéndome bien con la piel de ciervo para protegerme del frío. Ella sacó un sobre cuya blancura contrastaba con sus manos agrietadas. Cogí el sobre, lo abrí y saqué una tarjeta de felicitación con un dibujo de un gran corazón rojo en la parte delantera. Dejé caer el sobre al suelo distraídamente, y ella se inclinó enseguida a cogerlo.

—Mira, Aniday —dijo, mientras movía los dedos agarrotados a lo largo de las juntas para rasgar el cierre—. Si lo despliegas, puedes tener dos caras de papel. En la parte de delante solo está el sello y la dirección, y detrás tienes una hoja en blanco. —Me quitó la tarjeta de la mano—. ¿Lo ves?, puedes dibujar delante y detrás, y dentro también, alrededor de estas letras.

Mota se puso a saltar de puntillas en la nieve, probablemente tanto de la alegría como para protegerse del frío. Yo me había quedado sin habla. Ella normalmente era dura como una piedra, como si no pudiera soportar relacionarse con nosotros.

—De nada. Podrías ser más agradecido. He recorrido la nieve a pie para traerte esto mientras tú y todos esos bobos estabais calentitos, durmiendo todo el invierno.

—¿Cómo puedo agradecértelo?

—Dame calor.

Se acercó a mí, y abrí la piel de ciervo para que ella entrase. Mota se envolvió con ella y me espabiló con sus manos y sus extremidades heladas. Nos metimos debajo del montón de mantas junto al grupo durmiente y nos sumimos en un sueño profundo. A la mañana siguiente me desperté con la cabeza pegada a su pecho. Mota tenía un brazo a mi alrededor, y con la otra mano aferraba la tarjeta. Cuando se despertó, abrió sus ojos verde esmeralda parpadeando para saludar a la mañana. Lo primero que me pidió fue que leyera el mensaje que contenía la tarjeta:

Pero si entonces pienso en ti, camarada,
mis pérdidas se compensan, y cede mi amargura.

SHAKESPEARE, Soneto 30

No había ninguna otra firma, ni destinatario, y fueran cuales fueran los nombres que había escritos con tinta en el sobre, habían quedado emborronados con la nieve húmeda.

—¿Qué crees que significa?

—No lo sé —le dije—. ¿Quién es Shakespeare? —El nombre me resultaba vagamente familiar.

—Su amigo pone fin a todos sus problemas solo con pensar en él… o en ella.

El sol se elevó por encima de las copas de los árboles, caldeando nuestro tranquilo campamento. Las señales auditivas de derretimiento comenzaron a oírse: la nieve al caer de los abetos, los cristales de hielo al romperse, el deshielo y el goteo de los carámbanos. Quería estar solo con la tarjeta, y el lápiz me ardía en el bolsillo como si fuera una brasa.

—¿Qué vas a escribir?

—Quiero hacer un calendario, pero no sé cómo. ¿Sabes qué día es hoy?

—¿Qué más da un día que otro?

—¿No tienes curiosidad por saber qué día es hoy?

Mota se puso su abrigo y me mandó que hiciera lo mismo. Me llevó a través del claro hasta el punto más alto situado cerca del campamento: una sierra que recorría el lado noroeste; una travesía difícil por una empinada pendiente de esquisto. Cuando llegamos a la cima me dolían las piernas y estaba sin aliento. Ella taconeó con los pies y me dijo que me callara y escuchara. Nos quedamos quietos y aguardamos. Aparte del ruido de la nieve de las montañas al derretirse, todo estaba en silencio.

—¿Qué se supone que tengo que oír?

—Concéntrate —dijo ella.

Lo intenté, pero salvo el grito de un trepador de vez en cuando y el crujido de las ramas, mi oído no detectó nada. Me encogí de hombros.

—Esfuérzate más.

Escuché con tanta atención que me entró un terrible dolor de cabeza: percibí la respiración regular y relajada de Mota, los latidos de su corazón y una vibración rítmica y lejana que al principio sonaba como el raspazo de una lima pero que pronto adquirió un carácter más constante. Un zumbido de velocidad variable, una salpicadura tenue, algún que otro claxon, ruido de neumáticos sobre el asfalto, y caí en la cuenta de que estábamos escuchando el tráfico a lo lejos.

—Genial —le dije—. Coches.

—Presta atención. ¿Qué oyes?

Me estaba distrayendo, pero me concentré.

—¿Montones de coches? —aventuré.

—Exacto. —Ella sonrió—. Montones y montones de coches. El tráfico de la mañana.

Yo seguía sin comprender.

—La gente que va al trabajo. En la ciudad. Los autobuses de los colegios y los niños. Hay montones de coches por la mañana. Eso significa que es un día laboral, no un domingo. Los domingos son tranquilos y no pasan tantos coches.

Levantó un dedo al aire y a continuación se lo metió en la boca para probar su sabor.

—Creo que es lunes —dijo.

—He visto ese truco antes. ¿Cómo puedes saberlo?

—Todos esos coches echan humo, y las fábricas también. Pero los domingos no hay tantos coches en la carretera, y las fábricas están cerradas. Esos días apenas se nota sabor a humo. El lunes, un poco más. El viernes por la noche, el aire sabe como una bocanada de carbón. —Volvió a chuparse el dedo—. Decididamente es lunes. Déjame ver tu carta.

Le entregué la tarjeta y el sobre, y ella los inspeccionó y señaló el matasellos que había encima del sello.

—¿Te acuerdas de qué día es San Valentín?

—El 14 de febrero. —Me sentí orgulloso, como si hubiera dado la respuesta correcta en clase de matemáticas. Visualicé una imagen fugaz de una mujer, vestida de blanco y negro, escribiendo números en una pizarra.

—Eso es. ¿Ves esto? —Señaló la fecha del matasellos, dispuesta en forma de semicírculo: LUNES, 13 DE FEBRERO DE 1950—. Entonces fue cuando ese Shakespeare la metió en el buzón. Un lunes. Eso significa que el lunes por la mañana es cuando le pusieron el matasellos.

—Entonces, ¿hoy es San Valentín? Feliz día de San Valentín.

—No, Aniday. Tienes que interpretar las señales y encontrar la respuesta. Deducción. ¿Cómo va a ser hoy el día de San

Valentín si es lunes? ¿Cómo vamos a encontrar una carta el día antes de que se pierda? Si encontré la carta ayer, y hoy es lunes, ¿cómo va a ser hoy el día de San Valentín?

Estaba confundido y cansado. Me dolía la cabeza.

—El 13 de febrero fue el lunes pasado. Si esta tarjeta llevara perdida más de una semana, ahora estaría destrozada. Ayer la encontré y te la llevé. Y ayer fue un día tranquilo (no hubo muchos coches): un domingo. Hoy debe de ser el lunes siguiente.

Mota hizo que me cuestionara mi capacidad de razonamiento.

—Es sencillo. Hoy es lunes 20 de febrero de 1950. Sí que necesitas un calendario.

Alargó la mano para que le diera el lápiz, y se lo cedí encantado. En el dorso de la tarjeta dibujó siete casillas seguidas y las acompañó de rótulos: L–M–X–J–V–S–D, para los días de la semana. Acto seguido escribió con letra de imprenta todos los meses del año en una columna a un lado, y a continuación, en el lado opuesto, los numerales del 1 al 31. Mientras los escribía, me interrogó sobre el número exacto de días de cada mes, al tiempo que cantaba una canción familiar para ayudarme a recordarlos, pero no nos acordamos de los años bisiestos, lo que daría al traste con mi cálculo del tiempo. Mota sacó de su bolsillo tres círculos de metal para demostrar que, si quería mantenerme al corriente del tiempo, lo único que tenía que hacer era mover los discos al siguiente espacio del calendario cada mañana y acordarme de volver a empezar al final de cada semana y cada mes.

Mota solía mostrarme la respuesta obvia a cada problema, pues nadie más tenía su imaginación y creatividad. En esos momentos de lucidez, clavaba su mirada en mí y el temblor de su voz desaparecía. Un pelo se escapó de su mata dividiendo su rostro en dos. Se recogió la melena detrás de las orejas con sus dos manos ásperas y rojizas, sin dejar de sonreír mientras yo la observaba.

—Si alguna vez te olvidas, Aniday, ven a buscarme.

Se marchó por el bosque, atravesando la sierra y alejándose del campamento, y me dejó a solas con mi calendario. Divisé cómo su figura avanzaba entre los árboles hasta que se mezcló con el mundo natural. Cuando desapareció, lo único en lo que podía pensar era en la fecha: 20 de febrero de 1950. Había perdido mucho tiempo.

Mucho más abajo, los demás estaban durmiendo en el campamento bajo un montón de mantas apestosas y pieles. Escuchando el tráfico y siguiendo el ruido hasta su fuente, podía volver a estar entre las personas, y seguro que alguno de aquellos coches se detenía y me llevaba a casa. El conductor vería a un niño en el borde de la carretera y pararía en el arcén delante de mí. Yo esperaría a que la mujer del abrigo rojo viniera a salvarme. No me escaparía, sino que me quedaría allí esperando y procuraría no asustarla como la vez anterior. Ella se agacharía hasta situarse a la altura de mis ojos y se apartaría el pelo de la cara hacia atrás. «¿Quién eres?» Yo evocaría las caras de mis padres y mi hermana pequeña, le diría a la mujer de los ojos verde claro dónde vivía y cómo llegar a casa. Ella me mandaría que subiera al coche. Sentado a su lado, le contaría mi historia, y ella me pondría la mano en la cabeza y me diría que todo iba a ir bien. Cuando parásemos delante de mi casa, saltaría del coche. Mi madre estaría tendiendo la ropa lavada, y mi hermana se acercaría a mí caminando como un pato, con su vestido amarillo, y agitando los brazos. «He encontrado a su hijo», diría la mujer, y mi padre pararía montado en un camión de bomberos rojo. «Hemos estado mucho tiempo buscándote por todas partes.» Más tarde, después de comer pollo asado y galletas, volveríamos al bosque a rescatar a mis amigos Smaolach, Luchóg y Mota, que vivirían con nosotros e irían al colegio y volverían a casa sanos y salvos. Lo único que tenía que hacer era concentrarme y seguir los sonidos de la civilización. Miré al horizonte todo lo lejos que pude, pero no vi ninguna señal. Escuché, pero no oí nada. Intenté recordar, pero no logré acordarme de mi nombre.

Me guardé en el bolsillo los tres círculos, pasé la hoja del calendario y leí las palabras de Shakespeare en voz alta: «Pero si entonces pienso en ti, camarada…». La gente que dormía abajo, en el hoyo, eran mis camaradas. Saqué el lápiz y empecé a escribir todo lo que pude recordar. Han pasado muchos años desde entonces, y he escrito esta historia más de una vez, pero aquella fue la primera, a solas en la cima de la montaña. Los dedos se me agarrotaron con el frío. Mientras descendía al campamento, las mantas me incitaban con la promesa de ofrecerme sueños cálidos.

Poco después de que Mota me diera la tarjeta de San Valentín, otro obsequio cayó sobre mi regazo. Luchóg lo trajo de una de sus expediciones, y abrió su saco como si fuera Papá Noel ante el árbol de Navidad.

—Y esto, tesoro, es para ti. Todos tus deseos terrenales. Aquí hay suficiente espacio para hacer realidad todos tus sueños. El milagro entre milagros, y encima, seco. Papel.

Me entregó una libreta negra como la que usan los escolares en clase, con las hojas rayadas para garantizar una adecuada disposición de las palabras y las frases. En la portada aparecía el nombre de la escuela y el título LIBRETA PAUTADA PARA REDACCIONES. En la parte de atrás había una pequeña cuadrícula con una advertencia impresa: «En caso de ataque atómico, baja las persianas y túmbate debajo de tu pupitre. Mantén la calma». Dentro, el dueño de la libreta, Thomas McInnes, había escrito su nombre en la página de cortesía. Las hojas deterioradas estaban llenas de su caligrafía prácticamente indescifrable, y la tinta tenía un tono marrón herrumbroso. Por lo que pude ver, se trataba de un relato, o parte de un relato, porque en la última hoja la narración concluía en medio de una frase con el críptico mensaje «Véase el otro cuaderno» escrito en la cara interna de la contraportada. A lo largo de los años, intenté leerlo, pero el sentido del relato se me escapaba. Para mí, la belleza de aquella libreta residía en la falta de moderación de McInnes. Había escrito en una sola cara de las ochenta y ocho hojas. Volví la libreta al revés y empecé a escribir mi historia en la dirección contraria. Aunque ahora el diario está reducido a cenizas, puedo dar fe de su contenido básico: un diario naturalista que recogía mis observaciones sobre la vida en el bosque, acompañado de dibujos y objetos hallados; un diario de los mejores años de mi vida.

Mi crónica y el calendario me ayudaron a seguir el paso del tiempo, que adquirió una sencilla cadencia. Durante años mantuve la esperanza, pero nadie acudió a buscarme. El desconsuelo fluía como una corriente subterránea de tiempo, pero la desesperación iba y venía como la sombra de las nubes. Aquellos años estuvieron mezclados con la felicidad que me provocaban mis amigos y compañeros, y, a medida que envejecía por dentro, un vacío iba ahogando al niño.

La mayoría de los años las nieves cesaban a mediados de marzo, y unas semanas más tarde el hielo se derretía, brotaba la vegetación, los insectos eclosionaban, los pájaros regresaban, y los peces y las ranas estaban listos para ser capturados. La primavera inmediatamente nos devolvió la energía, y la duración cada vez mayor de la luz del sol resultaba acorde con nuestro interés por la exploración. Nos quitamos de encima nuestras pieles y mantas gastadas, y nos despojamos de nuestras chaquetas y zapatos. El primer día de calor de mayo, nueve de nosotros bajamos al río y nos lavamos el cuerpo hediondo, ahogamos los piojos que habitaban en nuestro pelo, y nos quitamos raspando la mugre y la escoria endurecida. Blomma había robado una pastilla de jabón de una gasolinera, y la gastamos con nuestro baño renovador hasta que solo quedó un pedacito. Unos cuerpos pálidos, sonrosados y limpios en una orilla cubierta de guijarros.

Los dientes de león florecían de la nada, las cebolletas reto-
ñaban en los prados, y nuestra Cebollas se atracaba de ellas.
Comía los bulbos y la hierba, que le manchaban de verde los
dientes y la boca, y apestaba de tal forma que hasta su piel adquiría un olor penetrante y agridulce. Luchóg y Smaolach des-
tilaban los dientes de león y elaboraban un potente brebaje. Mi
calendario me ayudó a seguir el ciclo de las bayas: las fresas brotaban en junio, y después los arándanos, las grosellas, las bayas de
saúco y el resto. En una parcela del bosque situada enfrente de la
sierra, Mota y yo encontramos un montón de frambuesas que
invadían la ladera de la montaña, y pasamos gran parte de un
día de julio recogiendo los frutos entre las zarzas. Las moras
eran las últimas en madurar, y cada vez que veo los primeros
ejemplares en nuestras cenas me entristezco, pues esas joyas negras anuncian el final del verano.

Aquellos de nosotros que comían insectos se regocijaban de
la abundancia de la estación cálida, aunque los bichos son in-
dudablemente un gusto adquirido. Cada uno de los elfos y las
hadas tenía sus placeres particulares y sus técnicas de caza pre-
feridas. Ragno solo comía moscas, que arrancaba de las telarañas. Béka era un glotón y cogía todo lo que se cruzase en su
camino, tanto si se arrastraba, como si volaba, se deslizaba o
serpenteaba. Buscaba colonias de termitas en un tronco podrido, grupos de babosas en el fango, o una res muerta llena de
gusanos, y se comía aquellas asquerosas criaturas crudas. Sentado pacientemente junto a una pequeña lumbre, atrapaba las
polillas en el aire con la lengua cuando se acercaban volando a
su cara. Chavisory era otra conocida comedora de bichos, pero
por lo menos los cocinaba. Yo podía tolerar los gusanos y las
hormigas reina que preparaba en una piedra caliente hasta que
reventaban, tostados y crujientes como el beicon. Las patas de
los grillos solían pegarse en los dientes, y las hormigas, si no estaban previamente asadas, te pellizcaban en la lengua y en la
garganta al tragarlas.

Jamás había matado a un ser vivo antes de vivir en el bosque, pero éramos cazadores-recolectores, y sin un poco de proteínas en la dieta de vez en cuando todos nos habríamos visto afectados. Cazábamos ardillas, topos, ratones, peces y pájaros, aunque robar los huevos del nido era demasiado complicado. Con cualquier animal más grande —como un ciervo muerto— hacíamos de carroñeros. No nos importaba que los animales llevaran mucho tiempo muertos. A finales de verano y comienzos de otoño, en concreto, la tribu cenó la carne de una desafortunada criatura cocinada en un asador. Nada supera a un conejo bajo una noche estrellada. Pero, como diría Mota, todo idilio sucumbe al deseo.

Un episodio que tuvo lugar en mi cuarto año en el bosque destaca por encima del resto. Mota y yo nos habíamos desviado del campamento, y ella me mostró el camino hacia una arboleda donde las abejas tenían escondida su colmena. Nos detuvimos ante un viejo cornejo gris.

—Trepa hasta allí, Aniday, y mete la mano dentro. Encontrarás el néctar más dulce que puedas imaginar.

Tal como me ordenó, trepé por el tronco, a pesar del zumbido de las abejas, y me acerqué al hueco. Desde donde me encontraba agarrado a las ramas, podía ver la cara girada hacia arriba de Mota, con los ojos brillantes de expectación.

—¡Adelante! —gritó desde abajo—. Ten cuidado. No las hagas enfadar.

La primera picadura me sorprendió como si me hubieran dado un pinchazo, y la segunda y la tercera me causaron dolor, pero estaba decidido. Olí la miel antes de tocarla, y la toqué antes de verla. Con las manos y las muñecas hinchadas de veneno, y la cara y la piel descubierta enrojecidas, me caí de la rama al suelo con las manos llenas de panales. Ella me miró con preocupación y gratitud. Huimos del furioso enjambre y nos zafamos de él en una ladera inclinada hacia el sol. Tumbados en la hierba larga y nueva, chupamos hasta la última gota de miel y nos comimos los panales cerosos hasta que los labios, la barbilla y las manos se nos quedaron pegajosos. Embriagados de la sustancia, y con el estómago pesado del néctar, nos deleitamos con aquel dulce dolor. Después de limpiarnos la miel lamiéndola, ella empezó a quitarme los aguijones que me quedaban en la cara y las manos, sonriendo ante cada una de mis muecas de dolor. Cuando Mota me hubo quitado el último pincho de la mano, le dio la vuelta y me besó la palma.

—Menudo idiota estás hecho, Aniday.

Pero sus ojos contradecían sus palabras, y esbozó una sonrisa tan fugaz como un relámpago hendiendo el cielo de verano.

9

scucha esto.

Mi amigo Oscar ponía un disco en el plato y bajaba la aguja con cuidado. El vinilo emitía un estallido y un susurro; luego empezaba la melodía, acompañada por el coro rítmico a cuatro voces: «Earth Angel», de The Penguins, o «Gee», de The Crows. Y él se recostaba en el borde de la cama, cerraba los ojos y separaba las distintas voces de la armonía, primero cantando con voz de tenor y así sucesivamente hasta cantar con voz de bajo. O ponía un nuevo riff de jazz interpretado por Miles Davis o quizá Dave Brubeck y tarareaba el contrapunto, aguzando el oído para escuchar el piano casi inaudible bajo los instrumentos de metal. Durante toda la época del instituto pasamos horas en su habitación, escuchando su vasta y ecléctica colección de discos y discutiendo sobre los aspectos más sutiles de la composición. La pasión de Oscar Love por la música dejó mis ambiciones en la sombra. En el instituto lo apodaban «El negro blanco», pues era totalmente ajeno al resto de la gente, totalmente sofisticado, siempre en su mundo. Oscar era tan independiente que me hacía sentir normal comparado con él. Y, aunque era un año mayor que yo, me acogió en su vida. Mi padre creía que Oscar era más salvaje que Marlon Brando, pero mi madre era capaz de ver debajo de su fachada y lo quería como a un hijo. Él fue la primera persona a la que le propuse formar un grupo.

Oscar permaneció conmigo desde el comienzo de la banda The Henry Day Five, pasando por todas sus versiones: The Henry Day Four, The Four Horsemen, Henry and the Daylights, The Daydreamers y, por último, simplemente Henry Day. Por desgracia, éramos incapaces de mantener el mismo grupo unido durante más de unos cuantos meses cada vez: nuestro primer batería abandonó el instituto y se alistó en el cuerpo de marines; nuestro mejor guitarrista se mudó cuando su padre fue destinado a Davenport, en Iowa. La mayoría de los chicos renunciaban porque no daban la talla como músicos. Solo Oscar y su clarinete se mantenían. Permanecimos juntos por dos motivos: en primer lugar, él podía tocar estupendamente cualquier instrumento de viento, sobre todo su querido clarinete; y, en segundo, tenía edad para conducir y contaba con su propio coche, un prístino Bel Air rojo y blanco del 54. Tocábamos en toda clase de acontecimientos, desde bailes de instituto a bodas, y alguna que otra noche en un club. Como la única discriminación que hacíamos respondía a nuestro oído y no a ninguna idea preconcebida de lo que era moderno, podíamos tocar cualquier tipo de música para cualquier público.

Después de una interpretación de jazz en la que sorprendimos especialmente al público, Oscar nos llevó a casa, con la radio a todo volumen y los chicos de muy buen humor. Dejó a los demás, y a altas horas de aquella noche de verano aparcamos delante de la casa de mis padres. Las polillas revoloteaban como locas alrededor de los faros, y la canción rítmica de un grillo subrayaba el silencio. Las estrellas y la media luna salpicaban el cielo lánguido. Salimos y nos sentamos en el capó del Bel Air, mirando a la oscuridad, sin ganas de que la noche acabara.

—Tío, hemos tocado de muerte —dijo él—. Los hemos dejado alucinados. ¿Te fijaste en aquel tío cuando tocamos «Hey Now»? Parecía que no hubiera oído algo así en su vida.

—Estoy agotado, tío.

—Has estado genial.

—Tú tampoco lo has hecho mal.

Me retrepé en el coche para evitar resbalarme por el capó. Los pies no me llegaban al suelo, de modo que me puse a balancearlos al ritmo de una melodía que sonaba en mi cabeza. Oscar cogió el cigarrillo que se había escondido detrás de la oreja, lo encendió dando un golpe seco a su mechero y expulsó unos anillos de humo al cielo nocturno, cada uno de los cuales destruyó a su antecesor.

—¿Dónde aprendiste a tocar, Day? Todavía eres un crío. Solo tienes quince años, ¿no?

—Practicando, tío, practicando.

Él dejó de contemplar las estrellas y se volvió para mirarme a la cara.

—Puedes practicar todo lo que quieras. La práctica no enseña a tocar con sentimiento.

—Estos últimos años he estado recibiendo clases. En la ciudad. Me las da un tipo llamado Martin que tocaba con la Filarmónica. Los clásicos y todo lo demás. Ayuda a entender más fácilmente la música.

—Entiendo. —Me ofreció el cigarrillo, y le di una profunda calada, consciente de que lo había elaborado con marihuana.

—Pero a veces me siento como si estuviera dividido en dos. Mi madre y mi padre quieren que siga yendo a clases con el señor Martín. Ya sabes, para tocar con una orquesta o como solista.

—Como Liberace. —Oscar soltó una risita.

—Cállate.

—Marica.

—Cállate. —Le di un puñetazo en el hombro.

—Tranquilo, tío. —Se frotó el brazo—. Puedes hacer lo que quieras. Yo soy bueno, pero tú eres una maravilla. Es como si llevaras tocando toda la vida o hubieras nacido así.

Tal vez fue la hierba la que me hizo decirlo, o tal vez la combinación de la noche veraniega, el subidón posterior a la actuación o el hecho de que Oscar fuera mi primer amigo de verdad. O tal vez me moría de ganas de contárselo a alguien, fuera quien fuese.

—Tengo que hacerte una confesión, Oscar. Yo no soy Henry Day, sino un trasgo que estuvo viviendo en el bosque muchísimo tiempo.

Él se rió tan fuerte que le salió un chorrillo de humo de los orificios nasales.

—En serio, tío, cogimos al verdadero Henry Day, lo secuestramos y yo me transformé en él. Nos cambiamos el uno por el otro, pero nadie lo sabe. Yo estoy viviendo su vida, y supongo que él la mía. Hubo un tiempo en que fui otra persona, antes de convertirme en suplantador. Era un niño de Alemania o de otro sitio donde hablan alemán. No me acuerdo, pero a veces recuerdo cosas. Y allí, hace mucho tiempo, tocaba el piano, hasta que los suplantadores vinieron y me cogieron. Y ahora vuelvo a estar entre los humanos, y casi no me acuerdo del pasado. Es como si una parte de mí fuera Henry Day y otra la persona que era antes. Y por aquel entonces debía de ser buen músico, porque esa es la única explicación.

—Muy bueno, tío. Entonces, ¿dónde está el verdadero Henry?

—En algún sitio del bosque. O muerto, quizá. Podría estar muerto; a veces pasa. Pero seguramente está escondido en el bosque.

—¿Así que ahora mismo podría estar mirándonos? —Saltó del coche y se puso a susurrar en la oscuridad—. Henry, ¿estás ahí?

—Cállate, tío. Es posible. Pero les da miedo la gente.

—¿A quién?

—A los suplantadores. Por eso no puedes verlos.

—¿Y por qué les damos miedo? Deberíamos ser nosotros los que les tuviéramos miedo a ellos.

94

—Antes era así, pero la gente dejó de creer en los mitos y los cuentos de hadas.

—Pero ¿y si Henry anda ahí fuera, mirándonos, deseando recuperar su cuerpo, y está acercándose para cogerte? —Y alargó el brazo rápidamente y me agarró el tobillo.

Solté un grito y me avergoncé de haberme dejado engañar por una broma tan simple. Oscar se tumbó en el capó del coche, riéndose de mí.

—Has visto demasiadas películas de terror, tío.

—No, la verdad es que... —Le pegué en el brazo.

—Y tienes vainas en el sótano, ¿verdad?

Me entraron ganas de darle otro puñetazo, pero entonces me di cuenta de lo ridícula que parecía mi historia y también me eché a reír. En caso de recordar aquella noche, Oscar nunca volvió a sacar el tema a colación; a lo mejor creía que yo estaba alucinando. Se marchó con el coche, carcajeándose, y me sentí vacío después de haber contado la verdad. Había suplantado a Henry Day con tanto éxito que nadie sospechaba la verdad. Hasta mi padre, un escéptico nato, creía en mí, o al menos mantenía sus dudas escondidas en lo más profundo de su alma.

La planta baja de nuestra casa estaba oscura y silenciosa como una cueva. Arriba todo el mundo dormía sonoramente. Encendí la luz de la cocina y y me serví un vaso de agua. Atraídas por el brillo, las polillas se acercaban aleteando y se estrellaban contra la mosquitera de la ventana. Subían y bajaban emitiendo un sonido amenazador y funesto. Apagué las luces, y se fueron volando. Busqué en la oscuridad una sombra que se moviese, permanecí atento por si oía pasos entre los árboles, pero todo se encontraba en calma. Subí al piso de arriba sigilosamente para echar un vistazo a mis hermanas.

Cuando Mary y Elizabeth eran más pequeñas, a menudo temía que los trasgos las atraparan y dejaran en su lugar a dos suplantadoras. Conocía sus costumbres, sus trucos y sus engaños, y también sabía que podían atacar a la misma familia dos veces, e incluso tres. Se dice que, no muy lejos de allí, en torno a 1770, los siete hijos de la familia Church fueron robados y sustituidos por suplantadores, uno a uno, todos a la edad de siete años, hasta que no quedaron vástagos reales de los Church, sino solo simulacros, y los pobres padres con una prole ajena son dignos de lástima. Mis hermanas eran igual de susceptibles de ser secuestradas, y yo estaba atento por si se producían cambios reveladores en su conducta o su aspecto —un atractivo repentino, cierto desapego de la vida— que pusieran de manifiesto una posible suplantación.

Advertí a las gemelas que no se acercaran al bosque ni a ningún sitio oscuro.

—Hay serpientes, osos y gatos monteses peligrosos acechando cerca de nuestra casa. No habléis con extraños. ¿Para qué salir —les dije una vez— cuando podéis ver algo entretenido e interesante en la televisión?

—Pero me gusta explorar —dijo Elizabeth.

—¿Cómo vamos a encontrar el camino de vuelta a casa si nunca salimos? —añadió Mary.

—¿Habéis visto alguna vez una serpiente cascabel? Pues yo sí, y también víboras cobrizas y serpientes de agua. Con una sola picadura, te quedas paralizado, las piernas se te ponen moradas y te mueres. ¿Creéis que podéis correr más que un oso o escapar de él subiendo a un árbol? Los osos trepan mejor que los gatos, y pueden agarrarte por la pierna y tragarte de golpe. ¿Habéis visto alguna vez un mapache echando espumarajos?

—¡Nunca consigo ver nada! —gritó Elizabeth.

—¿Cómo vamos a evitar el peligro si no sabemos lo que es? —preguntó Mary.

—Está ahí fuera. Si salierais, podríais tropezar con un tronco viejo y romperos la pierna, y nadie os encontraría. O podríais quedar atrapadas en medio de una ventisca, con el viento soplando en todas direcciones, y no ser capaces de encontrar la puerta de casa. Y a la mañana siguiente os encontrarían congeladas como un helado, a tres metros escasos de casa.

—¡Basta! —gritaron al unísono, y se fueron a ver *Howdy Doody* o *Romper Room*.

Sin embargo, yo sabía que cuando estaba en el instituto o ensayando con el grupo, ellas hacían caso omiso de mis advertencias. Volvían a casa con manchas de hierba en las rodillas y el trasero, marcas en la piel, ramitas en los rizos, ranas metidas en los petos, y el olor del peligro en el aliento.

Pero esa noche dormían como corderitos, y dos puertas más al fondo se oían los ronquidos de mis padres. Mi padre gritó mi nombre en sueños, pero no me atreví a contestar a tan altas horas de la noche. Un silencio sobrenatural se hizo en la casa. Había revelado mi más oscuro secreto y no había pasado nada, de modo que me fui a la cama, sintiéndome a salvo como siempre.

Dicen que el primer amor nunca se olvida, pero lamento tener que confesar que no recuerdo el nombre ni gran cosa más sobre el mío, aparte de que era la primera chica que veía desnuda. Por el bien del relato, la llamaré Sally. A lo mejor era su nombre real. Después del verano en que me confesé a Oscar, reanudé las clases con el señor Martin, y allí estaba ella. Se había marchado al final del curso, y volvió siendo una criatura distinta: alguien deseable, una obsesión. Me considero tan culpable de sentir deseo como cualquier persona, pero fue ella la que me eligió a mí. Yo acepté su afecto con gratitud sin dudarlo. Hacía meses que me fijaba en sus curvas, antes de que ella se armase de valor para dirigirme la palabra en el recital de invierno. Estábamos juntos entre bastidores, vestidos con nuestra ropa de etiqueta, soportando la espera hasta que llegase nuestro turno de tocar el piano. Los niños más pequeños iban primero, ya que es mejor servir semejante suplicio como aperitivo.

—¿Dónde aprendiste a tocar? —susurró Sally mientras sonaba un minueto de dolorosa lentitud.

—Aquí mismo. Quiero decir, con el señor Martin.

—Tocas de maravilla.

Sonrió y, alentado por su comentario, ofrecí mi recital más inspirado. Durante las semanas y los meses que siguieron, llegamos a conocernos poco a poco. Ella se quedaba en el estudio escuchando cómo yo interpretaba la misma pieza una y otra vez, mientras el señor Martin susurraba bruscamente: «Adagio, adagio». Acordamos que comeríamos juntos los sábados. Con nuestros sándwiches extendidos sobre papel encerado, charlábamos sobre las clases del día. Normalmente, yo llevaba algunos dólares de mis actuaciones, de modo que podíamos ir al cine o tomar un helado o un refresco. Nuestras conversaciones se centraban en los temas de los que hablan los chicos de quince años: el instituto, los amigos, nuestros increíbles padres y, en nuestro caso, el piano. O, mejor dicho, yo hablaba de música: compositores, discos, el señor Martin, las afinidades del jazz con los clásicos, y toda clase de teorías de mi cosecha. No se trataba de una conversación, sino más bien de un monólogo. Yo no sabía cómo escuchar, cómo sacarle las palabras o cómo callarme y disfrutar de su compañía. Puede que ella fuera una persona encantadora.

Cuando el sol empezaba a calentar el aire primaveral, dábamos un paseo hasta el parque, un lugar que normalmente evitaba a causa de su parecido con el bosque. Pero los narcisos estaban en flor, y resultaba muy romántico. La fuente de la ciudad estaba encendida, otra señal de la primavera, y nos quedábamos sentados en la orilla, contemplando la cascada durante un largo rato. No sabía cómo hacer lo que quería hacer, cómo pedirlo, qué decir, ni siquiera de qué forma abordar el tema. Sally me salvó.

—Henry… —dijo—. Henry, llevamos más de tres meses dando paseos, comiendo juntos y yendo al cine, y durante todo ese tiempo me he preguntado si te gusto.

—Claro que sí.

—Pues si te gusto, como dices, ¿cómo es que nunca intentas cogerme la mano?

Le cogí la mano y me sorprendí del calor de sus dedos, del sudor de su palma.

—¿Y cómo es que nunca has intentado besarme?

Por primera vez, la miré directamente a los ojos. Parecía que ella estuviera tratando de expresar una cuestión metafísica. Sin saber cómo hacerlo, la besé de forma muy precipitada, y ahora me lamento de no haberme demorado un poco, aunque solo fuera para recordar la sensación. Ella deslizó los dedos por mi pelo untado con brillantina, lo que me produjo una sensación inesperada, y yo la imité, pero no tenía ni idea de qué hacer a continuación. Si de repente ella no hubiera reparado en la necesidad de tomar un taxi, es posible que siguiéramos allí, mirándonos a los ojos como tontos. En el camino de vuelta al punto de encuentro con mi padre, analicé mis emociones. Aunque en aquel momento de mi vida humana «quería» a mi familia, nunca había «querido» a un extraño. Se trata de un tremendo riesgo voluntario. La emoción se ve confundida por el deseo. Yo contaba las horas entre sábado y sábado, ansioso por verla.

Afortunadamente, ella tomó la iniciativa. Mientras estábamos besuqueándonos en la oscura galería del Penn Theater, me cogió la mano y la posó en su pecho, y todo su cuerpo se estremeció ante el contacto. Era ella la que lo sugería todo, a la que se le ocurrió que nos mordisqueásemos la oreja, la que me frotó el muslo por primera vez. Ya no hablábamos casi nunca cuando estábamos juntos, y yo no sabía lo que estaba tramando Sally o si en realidad estaba pensando en lo más mínimo. No es de extrañar que quisiera a aquella chica, fuera cual fuese su nombre, y cuando propuso que yo fingiera una enfermedad para librarme de la clase del señor Martin, accedí encantado.

Tomamos un taxi hasta la casa de sus padres en el lado sur. Al subir la colina hasta la casa bajo el sol radiante, empecé a sudar, pero Sally, que estaba acostumbrada a la caminata, subió a la acera de un salto y me tomó el pelo por no ser capaz de alcanzarla. Su casa era pequeña y estaba pegada a un lado de una roca. Me aseguró que sus padres iban a pasar todo el día en el campo.

—Tenemos la casa para nosotros. ¿Te apetece una limonada?

Ella podría haber llevado puesto un delantal, y yo haber estado fumando una pipa. Volvió con las bebidas y se sentó en el sofá. Me bebí la mía de un solo trago y me senté en la butaca del padre. Nos quedamos sentados; esperamos. En mi imaginación, oí un ruido de platillos.

—¿Por qué no te sientas a mi lado, Henry?

Como un cachorro obediente, me acerqué a ella corriendo, meneando la cola y con la lengua colgando. Entrelazamos los dedos. Sonreí. Ella sonrió. Nos dimos un largo beso; ¿cuánto puede llegar a durar un beso? Mi mano desencadenó un deseo salvaje contenido al tocarle el vientre desnudo bajo la blusa. Empecé a subir trazando círculos. Ella me agarró la muñeca.

—Henry, Henry, esto es demasiado.

Sally se puso a jadear y se abanicó con las manos. Me aparté, fruncí los labios y resoplé. ¿Cómo podía haber malinterpretado sus señales?

Sally se desvistió tan rápido que casi no me di cuenta de cómo lo hizo. Su blusa y su sostén, su falda, su combinación, sus calcetines y su ropa interior se desprendieron como si hubiera apretado un botón. En ningún momento dejó de mirarme descaradamente, sonriendo de forma beatífica. Naturalmente, yo había visto cuadros en el museo, fotos de Bettie Page y postales francesas, pero las imágenes carecían de amplitud y profundidad, y el arte no es lo mismo que la vida. Una parte de mí se excitó, ansioso como estaba por posar las manos en su piel, pero la mera posibilidad me refrenaba. Di un paso en dirección a ella.

—No, no, no. Yo te he enseñado mi cuerpo; ahora tú tienes que enseñarme el tuyo.

Desde que había estado en el estanque de niño no me había quitado la ropa delante de nadie, y mucho menos de un extraño, y la idea me daba vergüenza. Pero es difícil negarse cuando una chica desnuda lo pide. De modo que me desvestí, sin dejar de mirar cómo ella me miraba. Me lo había quitado todo excepto los calzoncillos cuando reparé en que ella tenía un pequeño triángulo de vello en la entrepierna, mientras que yo no tenía el más mínimo pelo. Con la esperanza de que aquel fuera un rasgo característico del género femenino, me bajé los calzoncillos, y su cara adoptó una expresión de horror y desaliento. Soltó un grito ahogado de sorpresa y se tapó la boca. Me miré y volví a mirarla, totalmente perplejo.

—Dios mío, Henry —dijo—, pareces un niño.

Me cubrí.

—Es la más pequeña que he visto en mi vida.

Recogí la ropa del suelo con ira.

—Lo siento, pero pareces mi primo de ocho años. —Sally empezó a coger su ropa—. Henry, no te enfades.

Pero estaba enfadado, no tanto con ella como conmigo mismo. Lo supe desde el momento en que ella mencionó lo que yo había olvidado. En muchos aspectos, parecía un chico de quince años, pero había descuidado una de las partes más importantes. Mientras me vestía, humillado, pensé en todo el dolor y el sufrimiento de los últimos años. Me había arrancado los dientes de leche, había alargado y estirado mis huesos, mis músculos y mi piel para entrar en la adolescencia. Pero me había olvidado de la pubertad. Ella me pidió que me quedara, se disculpó por reírse de mí e incluso dijo que el tamaño no importaba, que en realidad era mono, pero ninguna de sus palabras podría haber aliviado mi vergüenza. No volví a dirigirle la palabra, salvo los saludos de rigor. Ella desapareció de mi vida, como si se hubiera escabullido, pero me pregunto si llegó a perdonarme o se olvidó de aquella tarde.

El estiramiento solucionó mi problema, pero el ejercicio

me provocó dolor y tuvo inesperadas consecuencias. La primera fue una curiosa sensación que generalmente siempre acababa de la misma forma, pero descubrí que imaginándome a Sally o a cualquier otra criatura atractiva, la conclusión era inevitable. Sin embargo, al pensar en cosas desagradables —el bosque, el béisbol, los arpegios—, podía posponer el desenlace, o evitarlo por completo. La segunda consecuencia es algo más difícil de describir. Tal vez porque el chirrido de los muelles del colchón estaba empezando a molestar a mi padre, una noche irrumpió en mi cuarto y me pilló con las manos en la masa, por así decirlo, aunque estaba totalmente tapado. Al verme puso los ojos en blanco mirando hacia el techo.

—Henry, ¿qué estás haciendo?

Me detuve. Había una inocente explicación para aquello que no podía revelar.

—No creas que no lo sé.

«¿Saber qué?», quise preguntarle.

—Te quedarás ciego si sigues haciéndolo.

Parpadeé.

Salió de la habitación, y me di la vuelta y pegué la cara a la almohada fresca. Mis poderes estaban disminuyendo con el paso del tiempo. La visión de largo alcance, la audición a distancia, la velocidad de los pies; todo ello había desaparecido prácticamente, y mi capacidad para manipular mi aspecto se había deteriorado. Cada vez más, me estaba convirtiendo en el humano que había querido ser; pero, en lugar de alegrarme de la situación, me hundí en el colchón y me escondí bajo las sábanas. Di un puñetazo a la almohada y me dediqué a remover las mantas en un vano intento por ponerme cómodo. Toda aspiración de obtener placer remitió junto con mi erección. En lugar de placer, sentí una profunda soledad. Me sentía atrapado en una eterna infancia, condenado a vivir bajo su control, teniendo que aguantar cada día una docena de miradas ceñudas y suspicaces de mis falsos padres. En el bosque, había tenido que esperar mi turno como suplantador, pero los años habían pasado como si fueran días. Con la ansiedad de la adolescencia, los días parecían años. Y las noches podían ser interminables.

Varias horas más tarde, me desperté sudoroso y aparté las mantas a toda prisa. Al ir hacia la ventana para dejar que entrara el aire fresco, divisé en el césped la brasa roja de un cigarrillo, y distinguí la silueta oscura de mi padre, mirando hacia el bosque tenebroso, como si estuviera esperando a que alguien saliera de las sombras entre los árboles. Cuando se giró para entrar de nuevo, alzó la vista hacia mi habitación y me vio enmarcado por el cristal de la ventana, observándolo, pero jamás dijo una palabra sobre el tema.

10

La luna llena formaba un halo detrás de la cabeza de Igel y me recordaba la imagen de los santos y los iconos de la iglesia, de los que apenas me acordaba. A su lado se hallaba Luchóg. Los dos estaban vestidos de viaje con chaquetas y zapatos para protegerse de la helada.

—Aniday, levántate y vístete. Esta mañana vas a venir con nosotros.

—¿Mañana? —Me froté los ojos para despejarme—. Pero si estamos en plena noche.

—El sol saldrá dentro de nada. Más vale que te des prisa —me aconsejó Luchóg.

Avanzamos sigilosamente por los caminos escondidos del bosque, saltando como conejos, abriéndonos paso con dificultad entre las zarzas y recorrimos el terreno a gran velocidad y sin pausa. Las nubes pasaban por debajo de la luna; al principio ocultaban el paisaje, y luego permitieron verlo. El camino se cruzaba con carreteras vacías, y nuestros pies sonaban sobre el pavimento. Atravesamos como flechas espacios abiertos, un campo de tallos de maíz que susurraban y murmuraban a medida que nos movíamos entre las hileras, y pasamos por delante de un granero que se recortaba de forma imponente contra el cielo oscuro y una casa de labranza amarilla a la luz tenue de la luna. En el establo, una vaca mugió ante nuestra fugaz presencia. Un perro ladró una vez. Más allá de la granja había otro terreno con árboles, otra carretera, y a continuación cruzamos un arroyo por un puente de vertiginosa altura. Una vez al otro lado, Igel nos metió en una zanja que avanzaba en paralelo a la carretera, y nos cobijamos en ella agachándonos. El cielo empezó a aclararse hasta adquirir un intenso tono violeta. Se oyó toser un motor, y al poco rato un camión de la leche pasó por la carretera que teníamos encima.

—Hemos salido demasiado tarde —dijo Igel—. Ahora tendrá que tener más cuidado. Aniday, esta mañana comprobaremos lo que has aprendido estando con nosotros.

Al mirar la carretera, vi que el camión de la leche paraba ante un inhóspito chalet de las afueras del pueblo. Al lado había una pequeña tienda con una bomba de gasolina en la parte de delante. El lechero, vestido todo de blanco, bajó del camión y cargó con la cesta hasta la puerta lateral; volvió rápidamente con dos botellas vacías que tintineaban contra el alambre de la cesta. Absorto en la contemplación de la escena, casi me olvidé de seguir a mis compañeros, que habían empezado a avanzar. Cuando los alcancé en una alcantarilla situada a menos de diez metros de la gasolinera, estaban susurrando y señalando en actitud conspiratoria. Su objeto de deseo empezó a cobrar forma a la luz cada vez más intensa. Encima de la bomba de gasolina, una taza de café relucía como un faro blanco.

—Ve a coger esa taza —ordenó Igel—. No te dejes ver.

El sol naciente borró los tonos más oscuros de la noche; si mostraba la más mínima vacilación, me arriesgaría a que me descubrieran. Atravesar a toda velocidad la hierba y el pavimento, coger la taza y volver corriendo a nuestro escondite era una tarea sencilla. El miedo me retenía.

—Quítate los zapatos —recomendó Igel—. Así no te oirán.

Me los quité y corrí hasta la bomba de gasolina, con su caballo de alas rojas saltando hacia el cielo, agarré la taza y me giré para marcharme, cuando un ruido inesperado me hizo pararme en seco. Un sonido de cristales entrechocando. Me imaginé al dueño de la gasolinera metiendo la mano en el recipiente de la leche, detectando un movimiento peculiar en la bomba de gasolina y chillando para detenerme. Pero nada de aquello ocurrió. Una puerta con mosquitera chirrió y se cerró de golpe. Tragué saliva y regresé trotando con mis compañeros; les mostré la taza en actitud triunfal.

—Bien hecho, tesoro.

—Mientras tú te entretenías, yo he ido a coger la leche.

La botella ya estaba abierta. Sin derramar la capa de un centímetro de nata, Igel me sirvió primero a mí, y nos bebimos los dos litros como tres borrachos, brindando por el alba. La leche fría se asentó en mi estómago, me hinchó la barriga e hizo que me entrara sueño y me pasase la mañana dormitando con mis compañeros ladrones en la zanja.

Al mediodía nos despertamos de nuestro sopor y nos acercamos al pueblo con pasos acompasados, escondiéndonos entre las sombras y deteniéndonos ante el menor indicio de presencia humana. Solo parábamos en sitios que parecían vacíos, en casas en las que no había nadie, y nos dedicábamos a curiosear, fisgar y cazar. Los tres trepamos un muro bajo de piedra y robamos montones de fruta de un peral. Cada bocado era una dulce tentación, y probamos mucho más de lo que podíamos comer. Lamenté tener que renunciar a las peras, pero arrojamos la mayoría en el huerto tirándolas por encima del muro para que se pudriesen al sol. Cada uno cogió una camisa limpia de un tendedero en el que había ropa secándose, y birlé un suéter blanco para Mota. Luchóg se metió en el bolsillo un calcetín de un par que había colgado.

—Es la tradición. —Sonrió como el gato de Cheshire—. El misterio del calcetín perdido de cada día de colada.

Cuando empezó a oscurecer poco a poco, los niños aparecieron con sus libros y mochilas, y una hora o dos más tarde llegaron los padres en sus grandes automóviles. Esperamos a que se pusiera el sol, y después, las luces se encendieron y se apagaron. Las familias se desearon buenas noches, y las casas se sumieron de repente en la oscuridad como burbujas que estallasen unas detrás de otras. Aquí y allá se veía alguna lámpara encendida que revelaba la presencia de un alma solitaria que leía hasta pasada la medianoche o de un insomne que deambulaba, o de un soltero olvidadizo. Como un general en el campo de batalla, Igel examinó aquellas señales del tiempo antes de que saliéramos a las calles.

Hacía años que no miraba el escaparate de la juguetería ni palpaba la superficie áspera de las esquinas de ladrillo. El pueblo parecía de otro mundo, y, sin embargo, era incapaz de lanzar una sola mirada sin experimentar un torrente de asociaciones y recuerdos. En las puertas de la iglesia católica oí a un coro fantasma cantando en latín. El tubo multicolor que había delante de la barbería me hizo rememorar los olores a loción y los tijeretazos. Los buzones de la esquina me recordaron las tarjetas del día de San Valentín y las felicitaciones de cumpleaños. Mi colegio me hizo evocar la imagen de los niños saliendo en tropel por las puertas de dos hojas. No obstante, pese a lo familiares que me resultaban, las calles me desconcertaban con sus esquinas bien proporcionadas y sus líneas rectas, el peso muerto de los muros, los claros límites de las ventanas. La arquitectura repetitiva se me echaba encima como un laberinto tapiado. Los letreros, las palabras y las recomendaciones —STOP; COMA AQUÍ; LAVADO EN UN DÍA; PORQUE USTED SE MERECE UN TELEVISOR EN COLOR— no aclaraban ningún misterio, sino que me dejaban indiferente tras leer sus mensajes. Finalmente, llegamos a nuestro objetivo.

Luchóg trepó a una ventana y se metió sigilosamente por un hueco que parecía demasiado pequeño y estrecho. Desapareció como un ratón al colarse por debajo de una puerta. Mientras esperábamos en el callejón, Igel y yo permanecimos atentos hasta que él oyó el ruido tenue de la cerradura de la puerta principal; subimos la escalera hasta el supermercado. Al abrir la puerta, Luchóg nos dedicó una sonrisa lánguida, e Igel le revolvió el pelo. Avanzamos en silencio junto a la hilera de productos, pasamos por delante de los envases de Ovaltine y Bosco, las resplandecientes cajas de cereales, la fruta, el pescado y la carne. Cada nuevo comestible que encontrábamos me tentaba, pero Igel no permitía ningún retraso, y me ordenó en un susurro: «Ven aquí ahora mismo». Se agacharon junto a unas bolsas de la hilera del fondo, e Igel abrió una rasgándola de un tajo con la uña puntiaguda de su pulgar. Se lamió la punta del dedo, la metió en el polvo y a continuación lo probó.

—Bah... harina.

Avanzó unos pasos y repitió la operación.

—Peor... azúcar.

—Eso te va a matar —dijo Luchóg.

—Perdón —los interrumpí—, pero sé leer. ¿Qué estáis buscando?

Luchóg me miró como si aquella pregunta fuera lo más absurdo que hubiera oído en su vida.

—Sal, tío, sal.

Señalé el estante inferior y advertí que cualquiera podría reconocer el dibujo de la niña bajo el paraguas que dejaba a su paso un reguero de sal. Llenamos nuestras mochilas todo lo que pudimos y salimos de la tienda por la puerta principal; una desalentadora partida, considerando la variedad que había dentro. Nuestra carga hizo que el viaje de vuelta a casa resultara más largo y arduo, y no llegamos al campamento hasta el amanecer. La sal, como más tarde descubriría, se usaba para conservar la carne y el pescado para los meses de vacas flacas, pero en ese momento me sentía como si hubiéramos surcado los mares en busca de un tesoro y hubiéramos tomado tierra con un cofre lleno de arena.

Cuando le entregué el suéter nuevo a Mota, abrió los ojos como platos de sorpresa y regocijo. Se quitó rápidamente el jersey que llevaba desde hacía meses, se puso el suéter por la cabeza y metió los brazos como si fueran dos anguilas. La visión fugaz de su piel desnuda me perturbó, y aparté la vista. Se sentó en una manta, recogió las piernas debajo del trasero y me mandó que me sentara a su lado.

—Háblame, gran cazador, de tu visita al viejo mundo. Relata tus infortunios y hazañas. Cuéntanos un cuento.

—No hay mucho que contar. Fuimos a la tienda a conseguir sal. Pero vi un colegio y una iglesia, y robamos una botella de leche. —Metí la mano en el bolsillo y saqué una pera blanda y demasiado madura—. También te he traído esto.

Ella dejó la pera en el suelo.

—Cuéntame más. ¿Qué otras cosas viste? ¿Cómo te sentiste?

—Como si estuviera recordando y olvidando al mismo tiempo. Cuando me ponía debajo de una farola, aparecía mi sombra, a veces varias sombras, pero cuando salía del círculo, todas desaparecían.

—Has visto sombras antes. Cuanto más brillante es la luz, más oscuras son las sombras.

—Es una luz extraña, y el mundo está lleno de líneas rectas y bordes. Las esquinas de los muros parecían afiladas como cuchillos. Es irreal y da un poco de miedo.

—Solo son imaginaciones tuyas. Escribe tus impresiones en tu libro. —Mota se puso a toquetear el dobladillo del suéter—. Y hablando de libros, ¿viste la biblioteca?

—¿Biblioteca?

—Donde guardan los libros, Aniday. ¿No viste la biblioteca?

—Me había olvidado por completo de ella. —Pero, conforme hablábamos, me acordé de los estantes de libros gastados, la bibliotecaria que hacía callar a la gente, los hombres silenciosos y las mujeres concentradas inclinados hacia delante, leyendo. Mi madre me había llevado allí. Mi madre—. Solía ir allí, Mota. Me dejaban llevar libros a casa y devolverlos cuando los había acabado. Tenía un carnet y escribía mi nombre en una ficha en la parte de atrás del libro.

—Lo recuerdas.

—Pero no me acuerdo apenas de lo que escribía. No escribía «Aniday».

Ella cogió la pera y la examinó en busca de zonas blandas.

—Tráeme un cuchillo, Aniday, y la cortaré por la mitad. Y, si te portas bien, te llevaré a la biblioteca a ver los libros.

En lugar de partir en plena noche como la otra vez, salimos del campamento al mediodía un día fresco y despejado de octubre sin tan siquiera despedirnos. Luchóg, Mota y yo seguimos el mismo camino hacia el pueblo, pero nos tomamos nuestro tiempo, como si paseásemos por el parque, sin ganas de llegar a las calles hasta el atardecer. Una ancha carretera separaba el bosque, y tuvimos que esperar a que el tráfico se interrumpiera un rato. Yo escudriñaba los coches por si casualmente pasaba la mujer del abrigo rojo, pero nuestro punto de observación estaba demasiado lejos de la carretera para distinguir a cualquiera de los conductores.

En la gasolinera de las afueras del pueblo, dos niños daban vueltas alrededor de la bomba de gasolina montados en sus bicicletas, trazando arcos lentamente, disfrutando de los últimos momentos de diversión del día. Su madre los llamó a cenar; pero, antes de que pudiera verle la cara, desapareció detrás de una puerta que se cerró. Encabezados por Luchóg, cruzamos la carretera en fila. Cuando estábamos en medio del asfalto, se detuvo y aguzó el oído hacia el oeste. Yo no oí nada, pero noté en los huesos que el peligro se aproximaba rápidamente como una tormenta de verano. Tras un momento de indecisión, perdimos nuestra ventaja. Antes de que Mota me cogiera la mano y gritara «¡Corre!», ya teníamos casi encima a unos perros salidos de la oscuridad.

Lanzando mordiscos, los dos animales se separaron para darnos caza en medio de un tumulto de ladridos y gruñidos. El perro más grande, un musculoso pastor, fue tras Luchóg mientras él corría en dirección al pueblo. Mota y yo volvimos a toda velocidad hacia el bosque, perseguidos por un perro de caza que no dejaba de gañir. Cuando llegamos a los árboles, Mota tiró de mí hacia arriba y, antes de que pudiera darme cuenta de que estaba trepando por un sicomoro, me encontraba a casi dos metros del suelo. Mota se giró y se situó de cara al perro, que se abalanzó sobre ella, pero se hizo a un lado, agarró al animal por el pescuezo y lo arrojó a los arbustos. El perro empezó a aullar en el aire, partió unas ramas al caer y se puso en pie con dificultad, en medio de un gran dolor y confusión. Al mirar hacia atrás a la chica, metió el rabo entre las patas y se escabulló.

Avanzando carretera abajo desde la otra dirección, el pastor alemán trotaba al lado de Luchóg como si fuera su mascota de toda la vida. Se detuvieron al mismo tiempo delante de nosotros, y el perro meneó la cola y lamió los dedos de Luchóg.

—¿Te acuerdas del último suplantador, Mota? ¿El niño alemán?

—No deberías mencionar…

—Me ha sido muy útil con este condenado canino. Estaba corriendo para salvarme cuando me acordé de aquella vieja nana que nuestro amigo solía cantar.

—¿«Guten Abend»?

Empezó a cantar: *Guten Abend, gut' Nacht, mit Rosen bedacht*, y el perro se puso a gemir. Luchóg acarició al pastor entre las orejas.

—Resulta que la música doma a las fieras.

—Amansa —dijo ella—. Se dice «La música amansa a las fieras».

—No se lo digas a él —exclamó Luchóg—. *Auf Wiedersehen, Schatzi*. Vete a casa. —El perro se marchó trotando.

—Qué susto —dije.

Luchóg empezó a liar un cigarrillo aparentando despreocupación.

—Podría haber sido peor. Podrían haber sido personas.

—Si nos encontramos a alguien, hazte el tonto —indicó

III

Mota—. Creerán que somos una pandilla de niños y nos dirán que nos vayamos a casa. Asiente con la cabeza cuando yo hable y no abras la boca.

Miré a mi alrededor las calles vacías, con la ligera esperanza de que nos encontráramos a alguien, pero todo el mundo parecía estar en sus casas, cenando, bañando a los niños, preparándose para ir a la cama. En muchas viviendas, un fulgor azulado sobrenatural emanaba de su interior.

La biblioteca se extendía majestuosamente en medio de un bloque bordeado de árboles. Mota se movía como si hubiera ido allí muchas veces, y el problema de las puertas cerradas se salvó sin problemas. Luchóg nos hizo rodear el edificio hasta una escalera de la parte trasera y señaló un hueco donde el hormigón se había separado del muro principal.

—No creo que yo quepa por ahí. Tengo la cabeza demasiado grande, y no estoy tan flaco.

—Luchóg es un ratón —dijo Mota—. Mira y aprende.

Él me contó el secreto para ablandar los huesos. Lo principal es pensar como un ratón o un murciélago, simplemente tomar conciencia de la flexibilidad de uno mismo.

—Al principio te dolerá, chico, como todas las cosas buenas, pero no tiene ningún misterio. Es cuestión de fe. Y de práctica.

Luchóg desapareció por la rendija, y Mota lo siguió lanzando un largo suspiro. Introducirse en aquel espacio estrecho fue más doloroso de lo que puedo expresar. Las rozaduras de mis sienes tardaron semanas en curarse. Una vez que logré ablandarme, tuve que acordarme de mantener los músculos tensos un rato o me arriesgaba a que un brazo o una pierna se me quedasen sin fuerza. Pero Luchóg tenía razón: con práctica, la compresión se realizaba de forma natural.

Debajo de la biblioteca había un espacio inquietante situado entre plantas que se hallaba a oscuras, de modo que cuando Mota prendió una cerilla, la llama brilló de forma esperanzadora. Acercó la llama a la mecha de una vela, y con la vela encendió una lámpara a prueba de viento que olía a moho y a queroseno. Cada sucesiva fuente de luz permitía ver más nítidamente las dimensiones y características de la estancia. La parte trasera del edificio había sido construida sobre una ligera pendiente, de tal forma que el suelo se inclinaba desde la entrada por la que habíamos penetrado, donde uno podía estar bastante cómodo de pie, y se elevaba en dirección al muro opuesto, donde uno solo podía permanecer sentado. No sé cuántas veces me di con la cabeza en el techo en la parte del fondo. Aquella habitación había sido construida por casualidad; una especie de hueco bajo una nueva ampliación del antiguo edificio de la biblioteca. Como no reposaba en los mismos cimientos, en verano hacía más calor que en el exterior, y en invierno hacía un frío gélido. A la luz de la lámpara pude ver que alguien le había dado unos toques hogareños: un par de alfombras, unos cuantos vasos y, en el rincón del noroeste, una especie de butaca confeccionada con mantas recuperadas. Luchóg empezó a hurgar en su bolsita del tabaco, y Mota le ordenó que saliera si quería fumar. Él se deslizó por la rendija gruñendo.

—Bueno, ¿qué te parece, Aniday? Un poco rústico, pero aun así… es la civilización.

—Es impresionante.

—Todavía no has visto la mejor parte. El motivo por el que te he traído aquí.

Mota me indicó con un gesto que la siguiera, y subimos a toda prisa la pendiente hacia la pared del fondo. Levantó la mano, giró un pomo y un panel bajó del techo. En un abrir y cerrar de ojos, se metió por el agujero y desapareció. Yo me arrodillé y esperé a que regresara mirando por el espacio vacío. De repente, su cara apareció en el marco.

—¿Vienes o no? —susurró.

La seguí hasta la biblioteca. La débil luz del cuarto de abajo se atenuó en la sala, pero aun así pude distinguir —y el corazón me dio un vuelco ante la visión— hilera tras hilera, estante sobre estante, desde el suelo hasta el techo, una ciudad de libros. Mota se volvió hacia mí y preguntó:

—Bueno, ¿qué vamos a leer primero?

11

el final, cuando llegó, resultó tan oportuno como conveniente. No solo había aprendido todo lo que el señor Martin podía ofrecer, sino que estaba harto de todo: la práctica, el repertorio, la disciplina y el tedio de las ochenta y ocho teclas. Lo cierto es que, aunque soy un pianista muy bueno, magnífico incluso, nunca fui sublime. Sí, era de lejos el mejor de nuestra aldea, sin duda de nuestro rincón del estado, tal vez el mejor de una frontera a la otra, pero no pasaba de eso. Me faltaba la pasión, el fuego ardiente, para ser un pianista de talla mundial. Al mirar hacia el futuro, la alternativa resultaba espantosa. ¿Acabar como el viejo señor Martin, enseñando a otros después de haber tenido una carrera de segunda? Prefería tocar en un burdel.

Una mañana, en el desayuno, empecé con la siguiente táctica:

—Mamá, creo que ya no voy a mejorar más.

—¿En qué? —preguntó ella, mientras batía unos huevos.

—En el piano, en la música. Creo que ya no puedo llegar más lejos.

Ella vertió la mezcla en una sartén pequeña; los huevos empezaron a chisporrotear al entrar en contacto con la mantequilla y el hierro caliente, y los removió sin decir nada. Me sirvió un plato de huevos y una tostada, y los comí en silencio. Con una taza de café en la mano, mi madre se sentó a la mesa enfrente de mí.

—Henry —dijo en voz baja, reclamando mi atención—, ¿te acuerdas del día que escapaste de casa cuando eras un niño?

No me acordaba, pero asentí con la cabeza entre bocado y bocado.

—Era un día radiante y hacía un calor del demonio. Yo quería darme un baño para refrescarme. El calor es algo a lo que no me acostumbro. Te pedí que cuidaras de Mary y Elizabeth, y desapareciste en el bosque. ¿Te acuerdas?

Era imposible que me acordara, pero asentí con la cabeza mientras bebía el último trago de zumo de naranja.

—Metí a las niñas en la cuna y volví abajo, pero te habías marchado. —Sus ojos se inundaron de lágrimas al relatar la experiencia—. Miramos aquí y allá, pero no te encontramos. Al pasar las horas, llamé a tu padre para que viniera a casa, y luego telefoneamos a la policía y a los bomberos y estuvimos buscándote durante horas, llamándote a gritos en plena noche. —Miraba más allá de mí, como si estuviera reviviendo la experiencia mentalmente.

—¿Quedan más huevos, mamá?

Ella señaló con la cuchara en dirección a la cocina, y me serví yo mismo.

—Cuando oscureció, empecé a temer por ti. ¿Quién sabe lo que hay en ese bosque? Una vez conocí a una mujer en Donegal a la que le habían robado su bebé. Había salido a coger moras un día soleado y había dejado al niño durmiendo en una manta y, al volver, el bebé había desaparecido. Nunca encontraron al pobrecillo; ni rastro de él. Lo único que quedó fue una marca en la hierba.

Sazoné los huevos con pimienta y les metí mano.

—Creía que te habías perdido y querías volver con tu madre, y no podía encontrarte; recé a Dios para que volvieras a casa. Cuando te encontraron, fue como una segunda oportunidad. Renunciar sería desperdiciar tu segunda oportunidad, tu don divino. Es una bendición, y deberías usar tu talento.

—Llego tarde al instituto.

Rebañé el plato con un pedazo de pan, besé a mi madre en la cabeza y salí de casa. Antes de bajar la escalera, me arrepentí de no haber sido más contundente. La mayor parte de mi vida ha estado regida por la indecisión, y doy gracias cuando el destino interviene y me permite evitar tener que escoger y hacerme responsable de mis acciones.

Cuando llegó el recital de invierno de ese año, la simple visión y el sonido del piano me revolvían el estómago. No podía decepcionar a mis padres abandonando de repente al señor Martin, de modo que fingí que todo iba bien. Llegamos pronto a la sala de conciertos, y dejé a mi familia en la puerta para que buscasen sus asientos mientras yo andaba con cara mustia entre bastidores. El alboroto que rodeaba los recitales no había cambiado. Entre bastidores, los estudiantes se apiñaban preparándose mentalmente para su turno, practicando la digitación sobre cualquier superficie lisa. El señor Martin se paseaba entre nosotros, contando cabezas, tranquilizando a los chicos con pánico escénico, los incompetentes y los reacios.

—Eres mi alumno aventajado —dijo—. El mejor al que he enseñado nunca. El único pianista real de todo el grupo. Haz que lloren, Henry.

Y, tras decir aquello, me colocó un clavel en la solapa. Se giró y abrió el telón, dejando entrar el resplandor de las candilejas, para dar la bienvenida a la concurrencia. Mi interpretación era el gran final, de modo que tenía tiempo para escabullirme por la parte de atrás y fumar un Camel que había birlado del paquete de mi padre. Hacía una noche de invierno despejada y fría. Una rata, sorprendida por mi presencia en el callejón, se paró y se quedó mirándome. Enseñé los dientes a aquella alimaña, me puse a silbar y a mirarla coléricamente, pero no la asusté. Hubo un tiempo en que aterraba a aquellas criaturas.

Aquella noche gélida me sentía plenamente humano y animado al pensar en el cálido teatro. Decidí que, si aquella iba a ser mi actuación de despedida, iba a ofrecerles algo por lo que me recordasen. Me moví como un látigo, golpeando las teclas, emitiendo un sonido atronador, flotando, ejerciendo la presión exacta sobre todas las notas parciales. Algunos miembros del público empezaron a levantarse de sus asientos para aplaudir antes de que las cuerdas del piano dejasen de sonar. Cautivados, me colmaron de vítores hasta tal punto que casi me olvidé de lo mucho que detestaba todo aquello. Entre bambalinas, el señor Martin fue el primero en saludarme con lágrimas en los ojos, gritando «¡Bravo!», seguido del resto de los estudiantes, la mitad de los cuales apenas disimulaban su resentimiento, y la otra mitad consumidos por la envidia, reconociendo gentilmente, aunque con reticencia, que había eclipsado sus actuaciones. Luego entraron los padres, hermanos, amigos, vecinos y diversos aficionados a la música. Se arremolinaron en torno a los intérpretes, pero yo atraje a la mayor cantidad de gente, y no reparé en la mujer del abrigo rojo hasta que la mayoría de los admiradores desapareció.

Mi madre estaba limpiándome la mejilla de pintalabios con un pañuelo mojado cuando la mujer entró en mi campo visual periférico. Parecía normal y agradable, de unos cuarenta años. Su cabello castaño oscuro enmarcaba un rostro inteligente, pero me desconcertó la forma en que sus ojos verde claro se hallaban clavados en mí. Me miró fijamente, me escudriñó, me examinó y me evaluó, como si estuviera desentrañando un misterio oculto. Era una completa extraña para mí.

—Disculpa —dijo—. ¿Eres Andrew Day?

—Henry Day —la corregí.

—Eso, Henry. Tocas de maravilla.

—Gracias. —Miré hacia atrás en dirección a mis padres, quienes indicaron que estaban listos para marcharse.

Tal vez ella vio mi perfil, o quizá el simple acto de girarme desencadenó algo en su cerebro; el caso es que soltó un grito ahogado de sorpresa y se llevó la mano a la boca.

—Eres él —dijo—. Eres el niño.

La miré con los ojos entornados y sonreí.

—Eres el niño que vi en el bosque aquella noche. En la carretera. Con el ciervo. —Empezó a levantar la voz—. ¿No te acuerdas? Te vi en la carretera con aquellos otros niños. Debió de ser hace ocho o nueve años. Te has hecho mayor, pero eres aquel niño, sin duda. Estaba preocupada por ti.

—No sé de qué está hablando, señora. —Me volví para marcharme, pero ella me cogió del brazo.

—Eres tú. Me golpeé la cabeza con el salpicadero cuando atropellé al ciervo, y al principio creí que lo había soñado. Saliste del bosque...

Grité un sonido que hizo callar a los presentes; un chillido salvaje que asustó a todo el mundo, incluido a mí mismo. No sabía que todavía conservara la capacidad para emitir aquellos sonidos inhumanos. Mi madre intervino.

—Suelte a mi hijo —le dijo—. Le está haciendo daño en el brazo.

—Mire, señora —dije—. No la conozco.

Mi padre se situó en medio del triángulo.

—¿De qué va todo esto?

A la mujer se le encendieron los ojos.

—He visto a su hijo antes. Una noche volvía del campo en coche, y un ciervo saltó a la carretera delante de mi coche. Di un volantazo para esquivarlo, pero lo golpeé con el parachoques. No sabía qué hacer, así que salí del coche para ver si podía ayudarlo.

Desvió su atención de mi padre y empezó a dirigirse a mí.

—Y entonces este chico salió del bosque; tenía unos siete u ocho años. Su hijo. Y me asustó más que el ciervo. Como caído del cielo, se acercó al ciervo como si fuera lo más natural del mundo; entonces se inclinó sobre la boca o la nariz del animal o como se llame. Sé que cuesta creerlo, pero le puso la mano en el morro y respiró. Fue mágico. El ciervo se dio la vuelta y se puso de lado, estiró las patas, se levantó y se marchó de un salto. Es lo más increíble que me ha pasado en la vida.

Entonces comprendí que ella había experimentado un encuentro. Pero sabía que no la había visto antes, y mientras que algunos suplantadores están dispuestos a insuflar vida a los animales salvajes, yo nunca he tomado parte en semejante estupidez.

—Pude ver perfectamente al niño con la luz de los faros —dijo—, aunque no tanto a sus amigos del bosque. Eras tú. ¿Quién eres realmente?

—No la conozco.

Mi madre, impresionada por su relato, propuso una coartada.

—No pudo ser Henry. Mire, él huyó de casa cuando tenía siete años, y durante los siguientes años no lo perdí de vista. Nunca salió solo de noche.

La intensidad de la voz de la mujer se desvaneció, y sus ojos buscaron alguna señal de confianza.

—Él me miró, y cuando le pregunté cómo se llamaba escapó. Desde esa noche me he preguntado…

Entonces mi padre habló en un tono dulce que rara vez empleaba.

—Lo siento, pero debe de haberse equivocado. Todos tenemos un doble en el mundo. A lo mejor vio a alguien que se parecía un poco a mi hijo. Lamento sus problemas.

Ella lo miró a los ojos en busca de algún gesto de afirmación, pero él únicamente le ofreció el consuelo de su porte sereno. Cogió el abrigo rojo del brazo de la mujer y lo sujetó extendiéndolo. Ella se lo puso y se marchó de la estancia sin pronunciar palabra ni mirar hacia atrás. La desconocida dejó a su paso un rastro de ira e inquietud.

—¿La has visto alguna vez? —preguntó mi madre—. Menuda historia. Y pensar que ha tenido el valor de contarla.

Por el rabillo del ojo, vi que mi padre me estaba observando, y la sensación me puso nervioso.

—¿Podemos irnos ya? ¿Podemos salir de aquí?

Una vez que los tres estuvimos en el coche fuera de la ciudad, anuncié mi decisión.

—No voy a volver. Se acabaron los recitales, las clases y los extraños con historias absurdas. Lo dejo.

Por un momento, creí que mi padre iba a salir de la carretera. Encendió un cigarrillo y dejó que mi madre se ocupara de la conversación.

—Henry, ya sabes lo que pienso del tema...

—¿Oíste lo que dijo esa señora? —terció Mary—. Creía que vivías en el bosque.

—Si ni siquiera te gusta estar cerca de un árbol. —Elizabeth se rió.

—No se trata de lo que tú piensas, mamá, sino de lo que yo pienso.

Mi padre miraba fijamente la línea blanca del medio de la carretera.

—Eres un chico sensible —continuó mi madre—. Pero no puedes dejar que una mujer te arruine la vida con su historia. No irás a decirme que vas a renunciar a ocho años de trabajo por culpa de un cuento de hadas.

—No es por la mujer del abrigo rojo. Ya he tenido suficiente. He llegado todo lo lejos que puedo.

—Billy, ¿por qué no dices algo?

—Papá, estoy cansado. Estoy harto de practicar, practicar y practicar. Y cansado de desperdiciar los sábados. Creo que debería tener voz y voto en lo que respecta a mi vida.

Él respiró hondo y se puso a tamborilear con los dedos en el volante. El resto de los miembros de la familia Day captó la señal. Silencio hasta llegar a casa. Esa noche los oí hablar, y distinguí los altibajos de un sonoro enfrentamiento, pero había perdido mi capacidad para escuchar a distancia. De vez en cuando oía que él soltaba un «maldita sea» o un «puñetero», y es posible que ella llorara —supongo que sí—, pero nada más.

Cerca de medianoche, mi padre salió de casa como un huracán, y el sonido del coche al arrancar dejó un rastro de desolación. Bajé a ver si mi madre había sobrevivido al suplicio y la encontré sentada tranquilamente en la cocina, con una caja de zapatos abierta delante de ella.

—Henry, es tarde. —Ató un fajo de cartas con una cinta y lo dejó en la caja—. Tu padre solía escribir una vez a la semana cuando estaba en el norte de África.

Yo sabía la historia de memoria, pero ella volvió a relatarla. Embarazada, con diecinueve años, la misma edad que su marido, que se encontraba en la guerra allende los mares, mi madre vivía con sus padres. Cuando Henry nació seguía sola, y yo tenía ahora casi la misma edad que ella cuando había pasado por todo aquel calvario. Aunque, si tenía en cuenta mi vida como trasgo, era lo bastante viejo para ser su abuelo. Aquellos años salvajes habían penetrado en su corazón.

—Cuando uno es joven cree que la vida es fácil y que puede soportarlo todo porque las emociones son muy intensas. Cuando uno está arriba, está en el cielo, y cuando está abajo, está en el fondo del pozo. Y aunque he envejecido…

Tenía treinta y cinco años según mis cálculos.

—Eso no significa que me haya olvidado de lo que es ser joven. Por supuesto, eres tú el que tienes que decidir lo que quieres hacer con tu vida. Yo tenía muchas esperanzas puestas en ti como pianista, Henry, pero puedes ser lo que desees. Si no tienes fe en ello, lo entenderé.

—¿Te apetece una taza de té, mamá?

—Me encantaría.

Dos semanas después, la tarde del día de Nochebuena, Oscar Love y yo fuimos a la ciudad a celebrar mi recién adquirida independencia. Desde el episodio con Sally, había tenido unas cuantas dudas sobre mi capacidad para mantener relaciones sexuales, de modo que para mí aquel viaje no estaba exento de temor. Cuando vivía en el bosque, solo uno de aquellos monstruos podía lograrlo. Lo habían capturado demasiado entrado en la infancia, en el punto álgido de la pubertad, y no daba más que problemas a las pobres hembras. El resto de nosotros no estábamos físicamente preparados para realizar el acto.

Pero esa noche estaba listo para experimentar el sexo. Oscar y yo vaciamos una botella de vino barato. Estimulados de aquel modo, nos acercamos a la casa al anochecer cuando las chicas estaban abriendo el negocio. Me gustaría decir que la pérdida de mi virginidad fue al mismo tiempo exótica y erótica, pero lo cierto es que fue principalmente oscura, ruda y mucho más rápida de lo que había esperado. Ella era de tez blanca y había dejado atrás sus días de esplendor. Llevaba el pelo rubio platino como señuelo y reclamo, y entre las diversas normas que imponía para la duración del acto estaba la prohibición de los besos. Al ver que yo mostraba indecisión respecto al lugar y el modo de realizar el acto, me agarró con la mano y me colocó en posición de un empujón. Poco después, lo único que me quedaba por hacer era vestirme, pagar la cuenta y desearle feliz Navidad.

Cuando se hizo de día y aparecieron los regalos en el árbol y la familia con sus pijamas y sus batas, sentí que me encaminaba hacia una vida completamente nueva. Mamá y las gemelas no se percataron de ningún cambio mientras realizaban sus tareas alegremente, mostrándose afectuosas y consideradas entre ellas. Por otra parte, es posible que mi padre sospechara mi disipación de la noche anterior. Esa madrugada, cuando había llegado a casa en torno a las dos, la sala de estar olía a cigarrillos, como si él me hubiera estado esperando levantado y no se hubiera ido a la cama hasta que Oscar había aparcado en la entrada. A lo largo de aquellas aburridas vacaciones, mi padre estuvo moviéndose por la casa como se mueve un oso por su territorio cuando huele la presencia de otro macho. No dijo nada, pero me echaba miradas de reojo, actuaba con brusquedad y lanzaba algún que otro gruñido. Durante el resto del tiempo que pasábamos juntos no nos llevábamos bien. Me quedaba un año y medio en el instituto antes de poder ir a la universidad, de modo que nos evitábamos el uno al otro, sin apenas cruzarnos palabra en nuestros raros encuentros. Él me trataba como a un extraño la mitad del tiempo.

Recuerdo dos ocasiones en las que salió de su mundo privado, y ambas resultaron inquietantes. Unos meses después de la escena en el recital de invierno, sacó a colación el tema de la mujer del abrigo rojo y su extraña historia. Estábamos derribando el gallinero de mi madre, que había vendido las aves y se había deshecho del negocio de los huevos y los pollos tras haber obtenido unos cuantiosos beneficios. Mi padre formulaba las preguntas en los descansos, cuando no utilizaba la palanca, ni hacía chirriar los clavos, ni arrancaba tablas.

—Entonces, ¿te acuerdas de aquella señora y de la historia que contó sobre el niño y el ciervo? —Arrancó otro tablón del armazón—. ¿Qué piensas de aquello? ¿Crees que algo así podría pasar?

—Me pareció increíble, pero supongo que pudo haber pasado. La mujer parecía muy segura de sí misma.

Él sacó otro clavo gruñendo del esfuerzo.

—Entonces, ¿podría ser verdad? ¿Y cómo explicas que creyera que habías sido tú?

—No he dicho que fuera verdad. Ella parecía convencida de que había pasado, pero es poco probable, ¿no? Y de todas formas, suponiendo que algo así le hubiera pasado, se equivocaba respecto a mí. Yo no estuve allí.

—A lo mejor fue alguien que se parecía a ti. —Apoyó su peso, y el resto de la pared cayó con gran estrépito, dejando únicamente el austero armazón recortado contra el cielo.

—Es una posibilidad —dije—. Yo le recordé a alguien que había visto una vez. ¿No le dijiste que todos tenemos un doble en el mundo? A lo mejor ella vio a mi gemelo malvado.

Él clavó la mirada en el armazón.

—Esto se vendrá abajo con unas buenas patadas. —Derribó el armazón, lo cargó en la parte trasera de una camioneta y se marchó.

La segunda ocasión tuvo lugar aproximadamente un año más tarde. Su voz me despertó al amanecer, y seguí el sonido desde mi dormitorio hasta la puerta de atrás. Una neblina vaporosa se elevaba del césped, y él se encontraba de pie de espaldas a mí, en medio de la hierba mojada, gritando mi nombre en dirección a una hilera de abetos. Una oscura estela de pasos conducía al bosque a tres metros de él. Estaba clavado en el lugar, como si hubiera asustado a un animal salvaje que se hubiera escapado. Pero no vi ningún animal. Cuando me acerqué, sus gritos ásperos flotaban todavía en el aire. Entonces cayó de rodillas, inclinó la cabeza hacia el suelo y rompió a llorar en silencio. Entré de nuevo en la casa sigilosamente, y fingí que leía la página de deportes cuando él entró. Mi padre se quedó mirando encorvado sobre el periódico, mientras yo rodeaba una taza de café con mis largos dedos. El cinturón mojado de su bata se arrastraba por el suelo como una cadena. Empapado, despeinado y sin afeitar, parecía mucho mayor, pero tal vez no me había fijado antes en cómo había envejecido. Las manos le temblaban como a un paralítico, y cogió un Camel del bolsillo. El cigarrillo estaba demasiado mojado para encenderse a pesar de sus repetidos intentos, de modo que estrujó todo el paquete y lo arrojó al cubo de la basura. Dejé la taza de café delante de él, y mi padre miró el humo que desprendía como si le hubiera ofrecido veneno.

—Papá, ¿te encuentras bien? Estás hecho un desastre.

—Tú. —Me apuntó con el dedo como si fuera una pistola, pero no dijo nada más. La palabra se quedó en el aire, y creo que no volví a oírle llamarme «Henry».

12

ntramos en la iglesia a robar velas. Incluso a altas horas de la noche, el edificio de pizarra y cristal destacaba en la calle principal. Rodeada de una valla de hierro, la iglesia había sido construida en forma de cruz e, independientemente del modo en que uno se acercase a ella, los símbolos resultaban inevitables. Unas enormes puertas de madera de castaño en lo alto de una docena de escalones, mosaicos de la Biblia en ventanales con vidrios de colores que reflejaban la luz de la luna, antepechos que ocultaban los ángeles que acechaban cerca del tejado; todo el edificio se alzaba como un barco que amenazase con hundirnos a medida que nos aproximábamos. Smaolach, Mota y yo atravesamos sigilosamente el cementerio contiguo en dirección a la sección este de la iglesia y entramos rápidamente por una puerta lateral que los sacerdotes dejaban abierta. Las largas filas de bancos y el techo abovedado creaban un espacio que resultaba opresivo a oscuras; su vacío poseía peso y solidez. Sin embargo, cuando nuestros ojos se acostumbraron al entorno, la iglesia dejó de parecer tan asfixiante. El tamaño amenazante disminuyó, y los altos muros y el techo en forma de arco se extendieron como si desearan abrazarnos. Nos separamos; Smaolach y Mota fueron en busca de las velas más grandes de la sacristía situada a la derecha, y yo me dirigí en busca de las velas votivas más pequeñas que había en un nicho al otro lado del altar. Una presencia fugaz pareció seguirme a lo largo del comulgatorio, y me invadió el temor. En un soporte de hierro forjado reposaban docenas de velas como filas de soldados en vasos de cristal. Los peniques del depósito de monedas tintinearon cuando di un golpecito con las uñas en su superficie de metal, y vi que los espacios vacíos estaban sembrados de cerillas. Rasqué una cerilla nueva contra la lámina áspera, y una pequeña llama brotó como un chasquido de dedos. Inmediatamente me arrepentí de haberlo hecho, pues cuando alcé la vista contemplé la cara de una mujer mirándome. Apagué la luz agitando la cerilla y me agaché bajo el comulgatorio, deseando ser invisible.

El pánico y el miedo desaparecieron tan rápido como habían acudido a mí; lo que ahora me sorprende es la intensidad con que esa sensación puede fluir por el cerebro en tan breve espacio de tiempo. Cuando vi los ojos de la mujer mirándome, empecé a recordar: la mujer de rojo, mis compañeros de clase, la gente del pueblo, la gente de la iglesia, Navidad, Semana Santa, Halloween, el secuestro, el ahogo, las oraciones, la Virgen María, y mis hermanas, mi padre y mi madre. Casi había resuelto el enigma de mi identidad. Pero en un abrir y cerrar de ojos los recuerdos desaparecieron, y con ellos, mi verdadera historia. Parecía como si los ojos de la estatua parpadeasen a la luz de la cerilla. Miré el enigmático rostro de la Virgen María, idealizada por un anónimo escultor, objeto de indecible adoración, devoción, fantasía y súplica. Mientras me llenaba los bolsillos de velas, sentí remordimientos.

Las grandes puertas de madera de la entrada se abrieron con un crujido detrás de mí cuando entró un penitente o un sacerdote. Salimos zumbando por la puerta lateral y serpenteamos entre las lápidas. A pesar de que allí había enterrados cadáveres, el cementerio no resultaba la mitad de aterrador que la iglesia. Me detuve ante una lápida, pasé los dedos por encima de sus letras grabadas y sentí la tentación de encender una cerilla para leer el nombre. Luchóg y Mota saltaron por encima de la verja de hierro, de modo que me apresuré para alcanzarlos y los perseguí por el pueblo, hasta que todos nos pusimos a salvo debajo de la biblioteca. Cada peligro nos excitaba, y nos quedamos sentados en nuestras mantas riéndonos nerviosamente como niños. Encendimos suficientes velas para iluminar nuestro refugio. Smaolach fue gateando hasta un rincón oscuro y se acurrucó como un zorro, ocultando la nariz debajo del brazo. Mota y yo buscamos el resplandor, nos colocamos el uno al lado del otro con nuestros últimos libros, y fuimos marcando el transcurso del tiempo con el ruido de las páginas.

Desde que ella me había enseñado aquel lugar secreto, me encantaba ir a la biblioteca. Al principio buscaba los libros que había descubierto en mi infancia. Aquellos viejos libros —los cuentos de los hermanos Grimm y de Mamá Gansa, los libros con ilustraciones como *Mike Mulligan y su máquina maravillosa*, *Abrid paso a los patitos* y *Homer Price*— prometían nuevas pistas para descubrir mi identidad perdida. En lugar de ayudarme a recuperar el pasado, los cuentos no hicieron otra cosa que alejarme más de él. Tenía la esperanza de volver a oír la voz de mi madre al mirar los dibujos y leer el texto en voz alta, pero ella había desaparecido. Después de mis primeras visitas a la biblioteca, di carpetazo a aquellos relatos tan infantiles y no volví a leerlos. En su lugar, me embarqué en un viaje trazado por Mota, quien escogió, o me ayudó a escoger, narraciones que captasen mi interés de adolescente: libros como *La llamada de la selva* y *Colmillo blanco*, relatos épicos y de aventuras. También me ayudó a pronunciar palabras que no podía descifrar y me explicó caracteres, símbolos y tramas demasiado disparatadas o confusas para mi imaginación. Su confianza al moverse entre las estanterías y las incontables novelas me animó a creer en mi propia capacidad para leer e imaginar. De no haber sido por ella, habría hecho lo mismo que Smaolach, que birlaba libros de cómics como *Speed Carter* o *Las aventuras de Super Ratón* de la tienda. O peor aún, no habría leído en absoluto.

Mota sostenía sobre el regazo un grueso volumen de Shakespeare con la letra minúscula en nuestra acogedora guarida, mientras que yo iba por la mitad de *El último mohicano*. La luz parpadeante de las velas se combinaba con el silencio, y solo interrumpíamos la lectura del otro para realizar algún comentario casual.

—Mota, escucha esto: «Los niños del bosque permanecieron juntos unos instantes señalando el edificio en ruinas y conversando en el lenguaje ininteligible de su tribu».

—Parecemos nosotros. ¿Quiénes son esas personas?

Levanté el libro para mostrarle la portada, con su título en letras doradas y su encuadernación de tela. Nos sumimos de nuevo en nuestras historias, y pasó una hora aproximadamente hasta que volvimos a hablar.

—Escucha esto, Aniday. Estoy leyendo *Hamlet*, y cuando entran Rosencrantz y Guildenstern, Hamlet los saluda diciendo: «¿Cómo os va, compañeros?». Y Rosencrantz contesta: «Como a los niños olvidados de la tierra». Y Guildenstern dice: «Felices con moderación. La Fortuna no nos ha incluido en su penacho».

—¿Quiere decir que eran desgraciados?

Ella se rió.

—No es eso, no es eso. No hay que perseguir una fortuna mejor.

No entendí la mitad de lo que dijo, pero me reí con ella y luego intenté encontrar la página donde había dejado a Ojo de Halcón y Uncas. Cuando amenazó con hacerse de día y guardamos nuestras cosas para marcharnos, le dije lo mucho que había disfrutado con lo que ella me había leído sobre la fortuna.

—Apúntalo, chico. Cuando te encuentres con un pasaje de una lectura que te gustaría recordar, apúntalo en tu libreta; así podrás volver a leerlo, memorizarlo y tenerlo a mano cuando lo desees.

Saqué mi lápiz y una ficha que había sisado del catálogo de fichas de la biblioteca.

—¿Qué vas a escribir?

—Rosencrantz y Guildenstern: los niños olvidados de la tierra.

—Los últimos mohicanos.

—Esos somos nosotros. —Me dedicó una sonrisa antes de dirigirse al rincón para despertar a nuestro durmiente amigo Smaolach.

Solíamos llevarnos unos cuantos libros al campamento por la satisfacción de poder quedarnos tumbados una fría mañana de invierno bajo la tenue luz del sol y sacar un fino volumen para leer a gusto. Entre las mantas, un libro podía ser todo un pecado. He pasado muchas horas en estado de duermevela y, después de haber aprendido a leer, no me podía imaginar la vida de otra manera. Los niños que me rodeaban no compartían mi entusiasmo por la palabra escrita. A algunos les gustaba sentarse a escuchar una historia bien contada, pero si un libro no tenía ilustraciones, mostraban escaso interés.

Cuando se organizaba una incursión en el pueblo, solían volver con un montón de revistas —*Time*, *Life* o *Look*— y luego se acurrucaban a la sombra de un viejo roble para mirar las fotografías. Recuerdo los días de verano, un montón de rodillas y pies, codos y hombros, intentando conseguir una posición para ver mejor, y la piel mojada de ellos contra la mía. Nos pegábamos como las páginas que se enganchaban y se arrugaban con la humedad. Las noticias y los famosos no les atraían. Castro o Jruschov, Monroe o Mantle, no significaban más que un capricho pasajero, una cara interesante; pero les intrigaban profundamente las imágenes de niños, sobre todo en situaciones imaginarias o humorísticas, y cualquier fotografía del mundo natural, especialmente las de animales exóticos del zoo o el circo o de alguna zona salvaje de una tierra remota. Un niño montado en un elefante causaba sensación entre ellos, pero un niño con un elefante pequeño se convertía en tema de conversación durante días. Las imágenes más apreciadas por ellos eran las instantáneas en que aparecían juntos padres e hijos.

—Aniday —me pidió Cebollas—, cuéntanos la historia del papá y su bebé.

Una niña pequeña de ojos vivos se asomaba por encima de la cuna para mirar a su papá, encantado y sonriente. Les leí el pie de la foto.

—«El pequeño bebé: el senador Kennedy admira a su nueva hija, Caroline, en su casa de Georgetown.»

Cuando intenté pasar la página, Blomma puso la palma de la mano en la fotografía.

—Espera. Quiero volver a ver al bebé.

Chavisory metió baza:

—Yo quiero ver al hombre.

Sentían una intensa curiosidad por el otro mundo, sobre todo desde la distancia que permiten las fotografías: el lugar en el que las personas crecían, se enamoraban, tenían hijos, se hacían viejos, y el ciclo continuaba, a diferencia de nuestra implacable eternidad. Las vidas siempre variables de la gente les fascinaban. Pese a nuestras múltiples tareas, un tedio persistente sobrevolaba el campamento. Durante largos períodos, no hacíamos otra cosa que dejar pasar el tiempo.

Kivi y Blomma podían pasarse un día entero haciéndose trenzas la una a la otra, deshaciéndolas y volviendo a empezar. O jugaban con las muñecas que habían robado o con las que habían confeccionado con palos y retales de ropa. Kivi, en concreto, se convertía en una pequeña madre, sujetando la muñeca de trapo contra su pecho y metiendo a su bebé de juguete en una cuna hecha con una cesta de la merienda olvidada. Había un bebé que estaba compuesto de los miembros perdidos o rotos de otras cuatro muñecas. Una mañana húmeda, mientras

Kivi y Blomma bañaban sus muñecas en la orilla del riachuelo, me junté con ellas y las ayudé a aclarar el pelo de nailon de las muñecas hasta que se les quedó pegado a su cuero cabelludo de plástico.

—¿Por qué os gusta tanto jugar con vuestras muñecas?

Kivi no levantó la vista de lo que estaba haciendo, pero noté que lloraba.

—Estamos practicando —dijo Blomma— para cuando llegue nuestro turno. Estamos practicando para ser madres algún día.

—¿Por qué estás triste, Kivi?

Cuando ella me miró, el brillo de sus ojos había desaparecido.

—Porque hay que esperar demasiado.

Y así era. Pues, aunque todos envejecíamos, no cambiábamos físicamente. No crecíamos. Los que más sufrían eran los que llevaban décadas en el bosque. Los más traviesos combatían la monotonía dando quebraderos de cabeza, resolviendo problemas imaginarios o acometiendo empresas que, aparentemente, resultaban inútiles. Igel se había pasado la última década en el campamento cavando un complejo sistema de túneles y laberintos subterráneos para nuestra protección. Béka, el siguiente en la cadena, siempre estaba merodeando para pillar desprevenida a cualquier hembra y llevarla a rastras a los arbustos.

Ragno y Zanzara intentaban cultivar uvas casi cada primavera con la esperanza de sustituir la masa fermentada que tomábamos por vino de cosecha propia. Naturalmente, el suelo no se dejaba fertilizar, no había suficiente sol, los ácaros y las arañas invadían el terreno, y mis amigos no tenían suerte. Finalmente brotaban una o dos parras, que se enroscaban y serpenteaban a lo largo de las espalderas que ellos habían construido, pero en todos aquellos años no había crecido una sola uva. Al llegar septiembre, maldecían su suerte y arrancaban los despojos para volver a empezar en marzo, cuando sus sueños despertaban de nuevo. La séptima vez que los vi trabajando el duro terreno, pregunté a Zanzara por qué insistían en vista de sus continuos fracasos. Él dejó de cavar y se apoyó en la vieja y agrietada pala.

—Cuando éramos niños, cada noche tomábamos un vaso de vino para cenar. Me gustaría volver a probarlo.

—Pero podríais robar un par de botellas del pueblo.

—Mi papá cultivaba uvas, y el suyo antes que él, y así sucesivamente. —Se enjugó la frente con la mano cubierta de tierra—. Un día conseguiremos uvas. Aquí se aprende a ser paciente.

Yo pasaba mucho tiempo con Luchóg y Smaolach, quienes me enseñaron a talar un árbol sin ser aplastado por él, los datos físicos y geométricos necesarios para tender una trampa oculta con hojas secas, y el ángulo adecuado de caza para atrapar una liebre a pie. Pero mis días favoritos eran los que pasaba con Mota. Y los mejores de todos eran mis cumpleaños.

Todavía mantenía al día mi calendario y había escogido el 23 de abril —la fecha de nacimiento de Shakespeare— como el día de mi cumpleaños. La décima primavera de mi estancia en el bosque, la fecha cayó en sábado, y Mota me invitó a ir a la biblioteca a pasar la noche tranquilamente leyendo juntos. Cuando llegamos, nuestro cuarto había sido transformado. Docenas de velas pequeñas bañaban la habitación de un fulgor ambarino que recordaba la luz de una hoguera bajo las estrellas. Junto a la rendija de la entrada, Mota había escrito con tiza una felicitación de cumpleaños siguiendo un trazado de su invención. El desaliño general —las telarañas, las mantas sucias y las alfombras raídas— había desaparecido, y el cuarto se había convertido en un sitio limpio y acogedor. Mota había preparado un pequeño festín compuesto de pan y queso, bien guardado para protegerlo de los ratones, y al poco rato la tetera hirvió alegremente y tuvimos té de verdad en nuestras tazas.

—Esto es increíble, Mota.

—Menos mal que decidimos que hoy es tu cumpleaños, porque si no habría preparado todo esto para nada.

De vez en cuando yo alzaba la vista del texto de mi libro para mirar cómo ella leía junto a mí. La luz y las sombras parpadeaban sobre su cara y, como un reloj, se apartaba un mechón suelto de delante de los ojos. Su presencia me turbaba; no conseguí pasar muchas páginas del libro y tuve que leer muchas frases más de una vez. Esa noche, a altas horas de la madrugada, me desperté abrazado por ella. En lugar de darle una patada o apartarla de un empujón como hacía cuando me despertaba con alguien cerca, me acurruqué contra ella, deseando que aquel momento no acabara. La mayoría de las velas más cortas se habían consumido, y me di cuenta con tristeza de que prácticamente se nos había acabado el tiempo.

—Mota, despierta.

Ella murmuró en sueños y me atrajo hacia sí. Le levanté el brazo y me separé dando la vuelta.

—Tenemos que marcharnos. ¿No notas en la piel que el aire está cambiando? Está a punto de amanecer.

—Vuelve a dormirte.

Recogí mis cosas.

—No podremos marcharnos si no nos vamos ahora mismo.

Ella se incorporó apoyándose en los codos.

—Podemos quedarnos. Es domingo y la biblioteca está cerrada. Podemos quedarnos todo el día leyendo. No vendrá nadie por aquí. Podemos volver cuando se haga de noche.

Por un instante fugaz, consideré aquella posibilidad, pero la sola idea de quedarme en el pueblo durante las horas de luz, arriesgándome a ser descubierto por la gente, me embargaba de un terror absoluto.

—Es demasiado arriesgado —susurré—. Imagínate que pasa alguien por casualidad. Un policía. Un vigilante.

Ella volvió a tumbarse sobre la manta.

—Confía en mí.

—¿Vas a venir? —pregunté en la puerta.

—Vete. A veces te comportas como un niño.

Mientras salía por la rendija con dificultad, me pregunté si estaba cometiendo un error. No me gustaba discutir con Mota ni dejarla allí sola, pero ella había pasado muchos días lejos del campamento sin ayuda de nadie. Me debatía entre las dos opciones, y tal vez mi preocupación por Mota afectó a mi sentido de la orientación, ya que poco después de dejarla me vi perdido. A cada paso que daba, me encontraba con calles desconocidas y casas extrañas, y, con las prisas por escapar, acabé todavía más desorientado. En las afueras del pueblo, un bosquecillo me invitó a resguardarme bajo su cálido manto, y allí escogí un camino de entre tres opciones distintas y seguí sus curvas y recodos. Visto en retrospectiva, debería haberme quedado quieto hasta que el sol hubiera salido del todo, de forma que me hubiera servido de brújula, pero en aquel momento tenía la mente demasiado enturbiada por las dudas. ¿Qué había estado pensando y planeando hacer Mota para mi cumpleaños? ¿Cómo iba a envejecer yo, a hacerme un hombre, si estaba atrapado para siempre en aquel cuerpo pequeño e inútil? La luna menguante de color plateado se escondió y desapareció.

Un pequeño riachuelo, que no pasaba de un mero chorro de agua, dividía en dos el sendero. Decidí seguir el agua. Rastrear un riachuelo al amanecer puede ser una experiencia tranquila, y aquel bosque había aparecido con tanta frecuencia en mis sueños que me resultaba tan familiar como mi propio nombre. El riachuelo corría por debajo de un camino pedregoso, y el camino me condujo a una solitaria casa de labranza. Desde una zanja, vi el tejado y rodeé la vivienda hasta la parte trasera mientras los primeros rayos de sol bañaban el porche de color dorado.

La luz confería a la casa un aspecto inacabado, como si estuviera atrapada en un sueño entre la noche y el día. Casi esperaba que mi madre saliera por la puerta y me llamara para cenar.

Cuando la luz la enfocó, la casa adquirió una apariencia más acogedora, sus ventanas perdieron su aire amenazador, y su puerta dejó de parecer poco a poco una boca voraz. Salí del bosque y avancé por el césped, dejando a mi paso una estela oscura en la hierba húmeda. De repente la puerta se abrió y me quedé petrificado. Un hombre bajó por la escalera y se detuvo en el último escalón a encender un cigarrillo. Envuelto en una bata azul, su figura dio un paso adelante, y a continuación levantó el pie, sorprendido por la humedad. Se rió y maldijo en voz baja.

El espectro todavía no había reparado en mí, aunque estábamos el uno frente al otro: él se hallaba en el borde de la casa, y yo, en el borde del bosque. Me entraron ganas de girarme y ver lo que estaba buscando, pero permanecí inmóvil como una estatua mientras amanecía a nuestro alrededor. Una corriente fría se elevó del césped en forma de volutas de niebla. El hombre se acercó, y contuve la respiración. Menos de una docena de pasos mediaban entre nosotros cuando se detuvo. El cigarrillo se le cayó de los dedos. Dio un paso más en dirección a mí. Frunció el ceño en actitud de preocupación. Su cabello ralo ondeaba al viento. Pasó una eternidad mientras sus ojos se movían en sus cuencas. Cuando abrió la boca para hablar, los labios le temblaron.

—¿Gentil? ¿En fin?

Las palabras carecían de sentido para mí.

—¿Quieres luz? ¿Es betún?

Los sonidos me hacían daño en los oídos. En aquel momento deseé estar otra vez entre los brazos de Mota. El hombre se arrodilló en la hierba mojada y extendió los brazos como si esperase que yo fuera a correr hacia él. Pero yo estaba confundido y no sabía si quería hacerme daño, de modo que me giré y eché a correr tan rápido como pude. El monstruoso sonido que brotó de su garganta me acompañó hasta lo profundo del bosque y, de improviso, las extrañas palabras cesaron, pero yo no paré de correr hasta llegar a casa.

13

l teléfono empezó a sonar como una canción desenfrenada hasta que alguien lo cogió en un acto de compasión. Esa noche me encontraba al fondo del pasillo, en mi habitación de la residencia, con una alumna de la escuela mixta, intentando concentrarme en su cuerpo desnudo. Momentos más tarde sonó un golpecito en mi puerta, se hizo una curiosa pausa, y a continuación el ruido se intensificó hasta convertirse en un estruendo que asustó tanto a la pobre chica que se cayó de encima de mí.

—¿Qué pasa? Estoy ocupado. ¿Es que no ves la corbata en el pomo de la puerta?

—Henry Day… —Al otro lado de la puerta sonó una voz quebrada y trémula—. Tu madre está al teléfono.

—Dile que he salido.

La voz bajó una octava.

—Lo siento de veras, Henry, pero tienes que cogerlo.

Me puse los pantalones y un jersey, abrí la puerta y pasé rozando al chico, que estaba mirando al suelo.

—Más vale que haya muerto alguien.

Era mi padre. Mi madre mencionó el coche, de modo que, con la conmoción, supuse que se había producido un accidente. Al regresar a casa me enteré de la historia real por medio de palabras sueltas, arqueamientos de cejas e insinuaciones. Se había pegado un tiro en la cabeza sentado en el coche en un semáforo en rojo situado a menos de cuatro manzanas de la universidad. No había dejado ninguna nota ni ninguna explicación. Solo mi nombre y el número de mi habitación de la residencia de estudiantes en el dorso de una tarjeta de visita metida en un paquete de cigarrillos en el que quedaba un Camel.

Me pasé los días previos al funeral tratando de sacar algo en claro del suicidio. Desde la terrible mañana en que él había visto algo en el jardín, había empezado a beber en exceso, aunque los alcohólicos, según mi experiencia, prefieren una caída larga y lenta antes que un estallido rápido e irreversible. Aunque es posible que él hubiera tenido sus sospechas, no podía haber averiguado la verdad sobre mí. Mis engaños eran demasiado meticulosos e ingeniosos; pero, en los esporádicos encuentros que había tenido con él desde que me había ido a la universidad, mi padre había actuado de forma fría, distante e inflexible. Lo atormentaban sus demonios personales, pero yo no sentía compasión. Él había abandonado a mi madre y mis hermanas metiéndose una bala, y nunca podría perdonarlo. Los días antes del funeral y de la ceremonia reforzaron mi opinión de que su egoísmo había descompuesto la familia por completo.

Mi madre, más confundida que afligida, cargó de buen talante con la mayor parte de los preparativos. Convenció al sacerdote de la zona, sin duda instigado por las contribuciones semanales que ella había hecho durante años, para que permitiera que mi padre fuera enterrado en el cementerio de la iglesia pese a haberse suicidado. Por supuesto, no podía oficiarse ninguna misa, y aquello le produjo cierto resentimiento, pero la ira la protegió de otras emociones. Las gemelas, que a la sazón tenían catorce años, eran más propensas a las lágrimas, y en la funeraria estuvieron llorando como plañideras sobre el ataúd cerrado. Yo no derramé ninguna lágrima por él. Al fin y al cabo, no era mi padre, y al tener lugar en el semestre de primavera de mi segundo año de universidad, su muerte resultó sumamente inoportuna. Maldije el buen tiempo que hizo el día que lo enterramos, y me sorprendió la multitud de gente que acudió de varios kilómetros a la redonda.

Como era costumbre en nuestro pueblo, caminamos de la funeraria a la iglesia por la calle principal. Un coche fúnebre nuevo y resplandeciente avanzaba lentamente delante de nosotros, y un cortejo de más de cien personas nos seguía detrás. Mi madre, mis hermanas y yo encabezábamos el adusto desfile.

—¿Quiénes son todas esas personas? —susurré a mi madre.

Ella miró al frente y dijo en voz alta y clara:

—Tu padre tenía muchos amigos. Del ejército, del trabajo, gente a la que ayudó. Tú solo conoces una parte de la historia. No todo es lo que parece.

A la sombra de las hojas nuevas, lo depositamos bajo el suelo y lo cubrimos de tierra. Los petirrojos y los tordos cantaban en los arbustos. Oculta tras su velo negro, mi madre no lloró, sino que permaneció al sol, estoica como un soldado. Al verla allí, no pude evitar odiar a mi padre por habernos hecho aquello a ella, a las chicas, a nuestros amigos y familiares, y a mí. Cuando llevé de vuelta a casa a mi madre y mis hermanas en el coche para recibir las condolencias, no hablamos de él.

Las mujeres de la iglesia nos recibieron en voz baja. La casa parecía más fresca y silenciosa que a altas horas de la noche. Sobre la mesa del comedor había muestras de espíritu comunitario: cacerolas con fideos, salchichas envueltas en hojaldre, pollo frito frío, ensalada de huevo, ensalada de patata, ensalada de gelatina con zanahorias peladas y media docena de pasteles. En el aparador había botellas de refrescos junto a la ginebra, el whisky escocés, el ron y una barra de hielo. Las flores de la funeraria perfumaban el aire, y la cafetera borboteaba como loca. Mi madre charlaba con sus vecinas, preguntándoles por todos los platos y dedicando gentiles cumplidos a sus cocineras. Mary se hallaba en un extremo del sofá, toqueteando la pelusa de su falda, y Elizabeth estaba sentada en el lado opuesto, atenta a la puerta principal a la espera de visitas. Una hora después de que llegamos, aparecieron los primeros invitados: los hombres que habían trabajado con mi padre, rígidos y formales con sus trajes elegantes. Uno a uno, fueron depositando sobres llenos de dinero en la palma de la mano de mi madre y abrazándola con incomodidad. Charlie, el amigo de mi madre, viajó desde Filadelfia, pero no llegó al entierro. Me miró de reojo cuando le cogí el sombrero, como si fuera un extraño. También se dejó caer una pareja de viejos soldados; espectros de un pasado que nadie más conocía. Se apretujaron en un rincón, lamentando la pérdida del bueno de Billy.

No tardé en cansarme de todos ellos, pues la recepción me recordaba las reuniones de después de los recitales, solo que aquella era más sombría e inútil. Cuando salí al porche, me quité la chaqueta negra, me aflojé la corbata y sostuve mi vaso de ron con Coca-Cola. Los árboles reverdecidos susurraban con la brisa intermitente, y la luz del sol caldeaba suavemente la tarde. En la casa, los invitados emitían un murmullo que subía y bajaba de forma constante como el mar, y de vez en cuando se oía una rápida carcajada para recordarnos que nadie es irreemplazable. Encendí un Camel y contemplé la hierba nueva.

Ella apareció a mi lado, desprendiendo un olor a jazmín que traicionó su sigilo. Me dedicó una rápida mirada de soslayo y una sonrisa todavía más breve, y acto seguido los dos reanudamos nuestra inspección del césped y el bosque oscuro de detrás. Su vestido negro tenía adornos blancos en el cuello y los puños, ya que ella seguía la última moda; ambos detalles estaban tomados de la alta costura de la señora Kennedy. Pero Tess Wodehouse conseguía copiar el estilo sin hacer el ridículo. Tal vez se debía al aire sereno que lucía mientras permanecíamos junto a la barandilla. Cualquier otra chica de mi edad habría sentido la necesidad de hablar, pero ella dejó que fuera yo el que decidiera el momento para iniciar una conversación.

—Has sido muy amable viniendo. ¿Cuánto hacía que no te veía? ¿Desde la escuela primaria?

—Lo siento mucho, Henry.

Tiré el cigarrillo al jardín y bebí un sorbo de mi vaso.

—Te oí una vez en un recital —dijo—, hace cuatro o cinco años. Se armó un buen lío con una señora chillona que llevaba un abrigo rojo. ¿Te acuerdas de lo bien que la trató tu padre? Como si no estuviera loca, sino como si fuera una persona a la que la memoria le hubiera jugado una mala pasada. Mi padre le habría dicho que se largase, y probablemente mi madre le habría dado un puñetazo en la nariz. Esa noche admiré a tu padre.

Aunque recordaba a la mujer de rojo, no recordaba a Tess aquella noche; ni la había visto ni había pensado en ella desde hacía siglos. Para mí, ella todavía era un pequeño marimacho. Dejé mi vaso y con un amplio gesto la invité a sentarse en una silla que había cerca. Haciendo gala de una elegancia recatada y decorosa, ella se sentó en la silla situada junto a mí. Nuestras rodillas casi se tocaban, y me quedé mirándola como si estuviera en trance. Era la chica que había mojado las bragas en segundo; la chica que me había ganado en la carrera de cincuenta metros lisos en sexto. Cuando yo iba al instituto público del pueblo, ella tomaba el autobús para dirigirse a la escuela católica de chicas que había en la otra dirección. En el transcurso de aquellos años, se había convertido en una joven hermosa.

—¿Sigues tocando el piano? —preguntó—. He oído que vas a la universidad en la ciudad. ¿Estás estudiando música?

—Composición —le dije—. Para música de orquesta y de cámara. He dejado de tocar el piano. No estaba cómodo delante de la gente. ¿Y tú?

—Casi he acabado enfermería. Pero también me gustaría hacer un máster en trabajo social. Todo depende.

—¿De qué?

Ella apartó la vista en dirección a la puerta.

—De si me caso o no. Depende de mi novio, supongo.

—No pareces muy entusiasmada.

Se inclinó hacia mí, situando su cara a escasos centímetros de la mía, y pronunció mudamente las palabras «No lo estoy».

—¿Y eso, por qué? —contesté en un susurro.

Como si una luz se hubiera encendido detrás de sus ojos, Tess se animó de repente.

—Quiero hacer muchas cosas. Ayudar a los necesitados. Ver mundo. Enamorarme.

Su novio vino en su búsqueda, y la puerta con mosquitera golpeó el marco tras él. Sonrió al encontrarla y me causó una extraña impresión, como si lo hubiera conocido en alguna parte mucho antes, pero era incapaz de situar su cara. No podía quitarme de encima la sensación de que nos conocíamos, pero él era de la otra parte del pueblo. Su aspecto me asustaba, como si estuviera viendo un fantasma o a un extraño procedente de otro siglo. Tess se puso en pie con dificultad y se arrimó a él. Él me tendió su manaza y esperó un instante a que se la estrechara.

—Brian Ungerland —dijo—. Lamento tu pérdida.

Le di las gracias en un murmullo y seguí observando el césped inalterable. Solo la voz de Tess logró traerme de vuelta al mundo.

—Buena suerte con tus composiciones, Henry —dijo—. Te buscaré en la tienda de discos. —Llevó a Brian hacia la puerta—. Siento que hayamos tenido que retomar nuestra amistad en estas circunstancias.

Mientras se marchaban, grité:

—¡Espero que consigas lo que quieres, Tess, y no te conformes con otra cosa! —Ella me sonrió por encima del hombro.

Una vez que todos los invitados se hubieron marchado, mi madre vino a hacerme compañía en el porche. En la cocina, Mary y Elizabeth estaban armando un alboroto con los platos y los vasos vacíos del fregadero. Mientras el día del funeral tocaba a su fin, contemplamos cómo los cuervos se reunían en las copas de los árboles antes de que cayese la noche. Venían volando desde lugares situados a kilómetros de distancia y se pavoneaban por el césped como sacerdotes con sotana antes de saltar a las ramas, donde se volvían invisibles.

—No sé cómo voy a lograr salir adelante, Henry. —Se sentó en la mecedora sin mirarme.

Bebí otro sorbo de ron con Coca-Cola. Un canto fúnebre sonaba de fondo en mi imaginación.

Ella suspiró al ver que yo no contestaba.

—Tenemos suficiente para arreglárnoslas. La casa casi es nuestra, y los ahorros de tu padre durarán un tiempo. Tengo que encontrar trabajo, aunque Dios sabe cómo.

—Las gemelas podrían ayudar.

—¿Las chicas? Si tuviera que contar con esas dos para poder beber un vaso de agua, me moriría de sed. Ahora no dan más que problemas, Henry. —Como si la idea se le acabara de ocurrir, empezó a mecerse más rápido—. Me conformaré con evitar que echen a perder su reputación. Menuda pareja.

Apuré el vaso y saqué un cigarrillo arrugado del bolsillo. Ella apartó la vista.

—Podrías quedarte en casa un tiempo. Solo hasta que yo esté recuperada. ¿Crees que podrías quedarte?

—Supongo que podría perder otra semana.

Se acercó a mí y me cogió de los brazos.

—Henry, te necesito aquí. Quédate unos cuantos meses y ahorraremos el dinero. Luego podrás volver y terminar. Eres joven. Parecerá mucho tiempo, pero no lo será.

—Mamá, estamos a mitad del semestre.

—Lo sé, lo sé. Pero ¿te quedarás con tu madre? —Me miró fijamente hasta que asentí con la cabeza—. Buen chico.

Acabé quedándome mucho más que unos cuantos meses. Mi regreso a casa duró unos cuantos años, y la interrupción de mis estudios cambió mi vida. Mi padre no había dejado suficiente dinero para que terminara la universidad, y mi madre tenía dificultades con las chicas, que todavía estaban en el instituto. De modo que conseguí trabajo. Mi amigo Oscar Love, que había vuelto de un período de servicio en la marina, compró una tienda abandonada junto a Linnean Street con sus ahorros y un préstamo del banco Farmers & Merchants. Con la ayuda de su padre y su hermano, convirtió el local en un bar con un escenario casi tan grande como para un conjunto de cuatro músicos, y trasladamos el piano de casa de mi madre. En la zona había un par de tipos lo bastante buenos para completar el grupo. Jimmy Cummings tocaba la batería, y George Knoll el bajo o la batería. Nos llamamos The Coverboys, porque hacíamos versiones, y cuando no estaba imitando a Gene Pitney o Frankie Vallie, servía en la barra unas cuantas noches a la semana. Gracias a las actuaciones en el bar de Oscar, estaba fuera de casa; además, los pocos dólares extra me permitían ayudar a mi familia. Mis viejos amigos se dejaban caer por allí y aplaudían que volviera a tocar el piano, pero yo detestaba la interpretación. Aquel primer año, Tess apareció con Brian o con una amiga un par de veces. Cuando la veía allí me acordaba de los sueños que había postergado.

—En la escuela primaria eras un hombre misterioso —me dijo Tess una noche entre pieza y pieza—. O, debería decir, un chico misterioso. Como si vinieras de un sitio totalmente distinto que el resto de nosotros.

Yo me encogí de hombros y toqué los primeros compases de «Strangers in the Night». Ella se rió y puso los ojos en blanco.

—En serio, Henry, eras un extraño. Distante. Estabas por encima de todo.

—¿De veras? Desde luego debería haberte tratado mejor.

—Venga ya. —Estaba achispada y sonriente—. Siempre estabas en otro mundo.

Su novio la llamó por señas, y ella se marchó. La eché de menos. Prácticamente ella era lo único positivo que había tenido mi vuelta a casa forzada y mi desganado reencuentro con el piano. Esa noche, a altas horas de la madrugada, me fui a casa pensando en ella, preguntándome si su relación era seria y cómo quitársela al tipo de la cara familiar.

Servir en la barra y tocar el piano me obligaba a estar fuera hasta muy tarde. Mi madre y mis hermanas dormían desde hacía mucho, y tomé una cena fría a las tres de la madrugada. Esa noche algo se movía en el jardín al otro lado de la ventana de la cocina. Una imagen fugaz a través del cristal, visible por un instante, que parecía una especie de cabeza con pelo. Me llevé el plato a la sala de estar y, cuando encendí el televisor, estaban emitiendo *El tercer hombre*. Tras la escena en la que Holly Martins ve por primera vez a Harry Lime en la puerta, me dormí en el sillón de mi padre, y cuando me desperté de madrugada antes de que amaneciera, sudoroso y frío, me quedé petrificado al descubrir que volvía a estar en el bosque en medio de aquellos demonios.

14

Al mirar a lo lejos por el camino, vi que ella volvía al campamento, lo que me tranquilizó. Apareció entre los árboles, moviéndose como un ciervo a lo largo de la sierra. Estaba ansioso por disculparme después del incidente de la biblioteca, de modo que tomé un atajo a través del bosque que me permitiría interceptarla en pleno trayecto. La anécdota del hombre en el jardín me zumbaba en la cabeza. Esperaba poder contársela antes de que las partes importantes se desvanecieran con la confusión. Mota se enfadaría, y con razón, pero su compasión aplacaría su ira. Ella debió de divisarme conforme iba acercándome, ya que echó a correr. Si no hubiera vacilado antes de perseguirla, tal vez la habría alcanzado, pero el terreno accidentado impedía coger velocidad. Con las prisas, tropecé con una rama rota y me caí de bruces. Mientras escupía hojas y ramitas, alcé la vista y observé que Mota ya había llegado al campamento y estaba hablando con Béka.

—No quiere hablar contigo —dijo el viejo cuando llegué, y me agarró el hombro con la mano.

Varios de los mayores —Igel, Ragno, Zanzara y Blomma— se habían colocado a su lado, formando un muro.

—Pero necesito hablar con ella.

Luchóg y Kivi se unieron a los demás. Smaolach se dirigió al grupo por la derecha, con las manos apretadas y temblorosas. Cebollas se aproximó por la izquierda, luciendo una amenazante sonrisa dentuda. Los nueve me rodearon. Igel se situó en medio del círculo y me apuntó al pecho con el dedo.

—Has abusado de nuestra confianza.

—¿De qué estás hablando?

—Ella te siguió, Aniday. Te vio con el hombre. Debías evitar todo contacto con ellos, pero allí estabas, intentando comunicarte con uno de ellos.

Igel me empujó al suelo, lo que levantó una nube de hojas podridas. Humillado, me levanté rápidamente. Mi miedo aumentó mientras los demás me gritaban invectivas.

—¿Sabes lo peligroso que ha sido?

—Enséñale la lección.

—¿No entiendes que no podemos dejar que nos descubran?

—Así no volverá a olvidarlo.

—Podrían venir a capturarnos, y entonces ya nunca seríamos libres.

—Castígalo.

No fue Igel quien me asestó el primer golpe. Un puño o un garrote me pegó por detrás en los riñones, y arqueé la espalda. Con el cuerpo desprotegido de aquella forma, Igel me dio un puñetazo de lleno en el plexo solar, y me encorvé hacia delante. Un hilillo de baba me cayó por la boca abierta. De repente todos se abalanzaron sobre mí como una jauría de perros salvajes derribando a una presa herida. Los golpes llegaron por todas partes, y la sorpresa inicial dio paso al dolor. Me arañaron la cara con las uñas, me arrancaron mechones de pelo del cuero cabelludo, me clavaron los dientes en el hombro y me hicieron sangrar. Un brazo fibroso me apretaba el cuello, impidiéndome respirar. Me entraron náuseas y sentí asco. En pleno arrebato, les centelleaban los ojos con frenesí, y un odio puro les crispaba las facciones. Uno a uno fueron apartándose, saciados, y la presión disminuyó, pero los que quedaban me daban patadas en las costillas, incitándome a que me levantase, gruñéndome que me defendiese. Me sentía incapaz de recobrar las fuerzas.

Antes de retirarse, Béka me pisoteó los dedos, e Igel me asestó una patada por cada palabra de su advertencia final:

—No vuelvas a hablar con ninguna persona.

Cerré los ojos y me quedé inmóvil. El sol brillaba entre las ramas de los árboles y me calentaba el cuerpo. Me dolían las articulaciones de la caída, y notaba punzadas en los dedos hinchados. Tenía un ojo morado, y la sangre me salía de los cortes y se acumulaba bajo los cardenales. La boca me sabía a vómitos y a tierra, y me desmayé.

El agua fresca sobre mis heridas y moretones me despertó de golpe, y lo primero que vi fue a Mota inclinada sobre mí mientras me limpiaba la sangre de la cara. Justo detrás de ella se hallaban Smaolach y Luchóg, con aspecto demacrado y cara de preocupación. Las gotas de mi sangre dejaron una mancha roja en el jersey blanco de Mota. Cuando intenté hablar, ella me puso el paño mojado en los labios.

—Aniday, lo siento mucho. No quería que esto pasara.

—Nosotros también lo sentimos —dijo Smaolach—. Pero la ley es implacable.

Chavisory asomó la cabeza por detrás del hombro de Mota.

—Yo no participé —dijo Chavisory.

—No debiste marcharte, Aniday. Debiste confiar en mí.

Me senté despacio y miré a mis atormentadores.

—¿Por qué dejasteis que lo hicieran? —pregunté.

—Yo no tomé parte —insistió Chavisory.

Luchóg se arrodilló junto a Mota y habló por todos.

—Teníamos que hacerlo para que no te olvidaras nunca. Hablaste con el humano, y si te hubiera atrapado, habrías desaparecido para siempre.

—¿Y si quisiera volver? —dije.

Nadie me miró a los ojos. Chavisory se puso a canturrear para sí, mientras los demás guardaban silencio.

—Es posible que fuera mi verdadero padre del otro mundo,

Mota. O a lo mejor era un monstruo y lo he soñado. Pero quería que yo entrase en la casa. Yo había estado allí antes.

—No importa quién era —dijo Smaolach—. Tu padre, tu madre, tu hermana, tu hermano o el marido de tu tía Fanny. Nada de eso importa. Nosotros somos tu familia.

Escupí tierra y sangre.

—Una familia no pega a uno de los suyos, aunque tenga motivos.

Chavisory me gritó al oído:

—¡Yo no te toqué! —Se puso a danzar trazando espirales alrededor de los demás.

—Seguíamos órdenes —aseguró Mota.

—No quiero quedarme aquí. Quiero volver con mi verdadera familia.

—Aniday, no puedes hacer eso —dijo Mota—. Ellos llevan diez años creyendo que estás muerto. Puede que aparentes ocho años, pero tienes casi dieciocho. Estamos atrapados en el tiempo.

—Serías un fantasma para ellos —añadió Luchóg.

—Quiero irme a casa.

Mota se enfrentó a mí.

—Escucha, solo hay tres opciones posibles, e ir a casa no es una de ellas.

—Exacto —dijo Smaolach. Se sentó sobre el tocón podrido de un árbol y contó las posibilidades con los dedos de la mano—. Una opción es que, aunque aquí no envejezcas ni contraigas ninguna enfermedad mortal, puedes morir de un accidente. Me acuerdo de un tipo que fue de paseo un día de invierno. Calculó mal el salto al tirarse desde lo alto del puente hasta la orilla del río, se cayó al río, atravesó el hielo y murió congelado.

—Los accidentes ocurren —agregó Luchóg—. Hace mucho tiempo uno podía acabar devorado. Los lobos y los pumas rondaban por estos pagos. ¿Has oído hablar de un tipo del norte que invernó en una cueva y se despertó en primavera al lado de un oso pardo hambriento? Un hombre puede morir por cualquier circunstancia imaginable.

—Dos, podrías librarte de nosotros —sugirió Smaolach— marchándote simplemente. Solo tienes que irte y vivir separado y solo. Claro que te advierto que nosotros nos oponemos a esa clase de actitud, porque te necesitamos aquí para que nos ayudes a encontrar al próximo niño. Fingir que uno es otra persona es más difícil de lo que crees.

—Además, es una vida solitaria —dijo Chavisory.

—Cierto —convino Mota—. Pero uno también puede sentirse solo teniendo muchos amigos a su lado.

—Si eligieses esa opción, lo más probable es que encontrases una muerte extraña —dijo Luchóg—. Imagínate que te caes en una zanja y no puedes levantarte. ¿Qué sería de ti entonces?

—Muchos sucumben en una curva del camino. Te pierdes en medio de una ventisca. Una viuda negra te pica en el dedo cuando estás dormido. Y no tienes a nadie que pueda encontrar el «antílope», la prímula o los huevos de rana hervidos.

—Además, ¿dónde ibas a encontrar algo mejor que esto? —preguntó Luchóg.

—Yo me volvería loca teniendo que estar sola todo el tiempo —añadió Chavisory.

—Entonces —le dijo Luchóg— tendrías que hacer el cambio.

Mota miró detrás de mí, en dirección al límite del bosque.

—Esa es la tercera opción. Encontrar al niño adecuado al otro lado y sustituirlo.

—Estás confundiendo al chico —dijo Smaolach—. Primero tienes que encontrar al niño y enterarte de todo sobre él. Todos nosotros lo observamos y lo estudiamos. De lejos, claro.

—Tiene que ser alguien que no sea feliz —dijo Chavisory.

Smaolach la miró frunciendo el ceño.

—Olvídate de eso. Observamos al niño por equipos. Mientras unos toman nota de sus costumbres, otros estudian su voz.

—Empezando por el nombre —señaló Mota—. Se recopilan todos los datos: edad, cumpleaños, hermanos y hermanas.

Chavisory la interrumpió:

—Yo no me acercaría a los niños con perros. Los perros son desconfiados por naturaleza.

—Tienes que saber lo bastante —prosiguió Mota— para hacer creer a esa gente que eres uno de ellos. Su hijo.

Mientras liaba con cuidado un cigarrillo, Luchóg dijo:

—Yo buscaría a una familia grande con montones de hijos, y escogería a uno del medio en el que no se fijasen o al que no echasen en falta durante un rato. Así, si me olvidase de un detalle o me equivocase imitándolo, nadie notaría la diferencia. Tal vez el sexto de trece hijos, o el cuarto de siete. Pero ahora que las madres y los padres no tienen tantos hijos, no es tan fácil como antes.

—A mí me gustaría volver a ser bebé —dijo Chavisory.

—Una vez que has elegido —continuó Smaolach—, vamos a capturar al niño. Tiene que estar solo, o te descubrirán. ¿Has oído alguna vez la historia de unos niños de Rusia, o de por allí, a los que pillaron raptando al hijo de un cosaco con los dientes afilados y los atraparon y los achicharraron?

—El fuego es una forma terrible de morir —aseguró Luchóg—. ¿Te he hablado alguna vez del hada a la que pillaron fisgando en la habitación de una niña a la que quería sustituir? Oyó que los padres entraban y se metió en el armario, e hizo el cambio allí mismo, en la habitación. Al principio, cuando los padres abrieron la puerta y la vieron allí, jugando a oscuras, no le dieron importancia. Más tarde, la niña auténtica volvió a casa. ¿Y qué crees que pasó? Allí estaban las dos, una al lado de la otra. Nuestra amiga podría haber conseguido engañarlos, pero todavía no había aprendido a hablar como la niña. Así que la madre dijo: «¿Cuál de las dos es Lucy?», y la Lucy real dijo:

«Yo», y la otra soltó un chillido que podría haber levantado a los muertos. Tuvo que saltar de la ventana del segundo piso y empezar de nuevo.

Smaolach se quedó perplejo durante el relato de su amigo, rascándose la cabeza como si estuviera tratando de recordar un detalle importante.

—Ah, claro, y también hace falta un poco de magia. Envolvemos al niño con una telaraña y lo llevamos al río.

Chavisory se puso a gritar, dando vueltas sobre sus talones:

—Y el conjuro. No te olvides.

—Lo metemos en el río como si fuera un bautizo —continuó Smaolach—. Y sale siendo uno de los nuestros. A partir de entonces, ya no puede marcharse salvo utilizando una de las tres formas, y yo no apostaría por las dos primeras.

Chavisory trazó un círculo en la tierra con los pies descalzos.

—¿Os acordáis del niño alemán que tocaba el piano? ¿El que estuvo antes que Aniday?

Lanzando un breve silbido, Mota agarró a Chavisory del pelo y tiró de la pobrecilla. Se sentó sobre su pecho, le colocó las manos en la cara y empezó a masajear y estrujar la piel de Chavisory como si fuera una masa. La chica se puso a gritar y chillar como un zorro capturado en una trampa de acero. Cuando terminó, Mota dejó al descubierto una copia razonable de su dulce rostro en el semblante de Chavisory. Parecían gemelas.

—Ponme como estaba —se quejó Chavisory.

—Ponme como estaba. —Mota la imitaba a la perfección.

Yo no daba crédito a lo que veían mis ojos.

—Ese es tu futuro, tesoro. Observar al niño —dijo Smaolach—. Volver al pasado siendo tú mismo no es una opción. Pero cuando regresas a su mundo siendo otra persona puedes quedarte allí, crecer como uno de ellos, vivir como uno de ellos, más o menos, y envejecer lo que el tiempo permita. Y lo harás cuando llegue tu turno.

—¿Mi turno? Quiero irme a casa ahora mismo. ¿Cómo puedo hacerlo?

—No puedes —dijo Luchóg—. Tienes que esperar hasta que el resto de nosotros nos hayamos ido. Nuestro mundo tiene un orden natural que no se debe alterar. Un niño por cada suplantador. Cuando llegue tu hora, encontrarás a otro niño de una familia distinta de la que dejaste atrás. No puedes volver al lugar del que viniste.

—Me temo, Aniday, que eres el último de la lista. Tendrás que ser paciente.

Luchóg y Smaolach llevaron a Chavisory detrás de la madreselva y empezaron a manipularle la cara. Los tres se estuvieron riendo y armando alboroto durante toda la operación. Ella decía: «Ponedme guapa otra vez», y uno de ellos: «Vamos a buscar una de esas revistas con fotos de mujeres», y el otro: «Eh, se parece a Audrey Hepburn». Finalmente le arreglaron la cara, y Chavisory escapó volando como un murciélago.

Durante el resto del día, Mota se mostró más amable conmigo que de costumbre, quizá porque se sentía culpable por mi paliza. Su dulzura me trajo a la memoria las caricias de mi madre, o lo que yo creía recordar. Tal vez mi madre también era un fantasma, u otra ficción inventada. Estaba olvidando de nuevo; la línea que separaba la memoria de la imaginación se desdibujaba. Me preguntaba si el hombre que había visto podía ser mi padre. Parecía haberme reconocido, pero yo no era su hijo, sino tan solo una sombra del bosque. A altas horas de la noche, anoté las tres opciones que me habían dicho en el cuaderno, con la esperanza de entenderlo todo en el futuro. Mota me hizo compañía mientras los otros dormían. A la luz de las estrellas, vi que la preocupación había desaparecido de su cara; incluso sus ojos, normalmente tan cansados, irradiaban compasión.

—Siento que te hayan hecho daño.

—No me duele —susurré, con rigidez y resentimiento.

—La vida aquí tiene sus compensaciones. Escucha.

Una lechuza que volaba bajo se desplazaba majestuosamente entre los árboles, extendiendo sus alas en plena caza. Mota se puso tensa, y el fino vello de sus brazos se erizó.

—No envejecerás —dijo—. No tendrás que preocuparte por casarte o tener hijos o encontrar trabajo. No te saldrán canas ni arrugas, ni se te caerán los dientes. No necesitarás bastón ni muleta.

Oímos cómo la lechuza descendía y atacaba. El ratón soltó un chillido; a continuación, la vida lo abandonó.

—Como niños que no crecen nunca —dije.

—Los niños olvidados de la tierra.

Dejó la frase en el aire. Fijé la mirada en una estrella, con la esperanza de notar que la tierra giraba o ver que el cielo se movía. El truco consistente en mirar fijamente y dejarme llevar por el cielo me había servido para curar el insomnio muchas veces a lo largo de los años, pero aquella noche no surtió efecto. Las estrellas estaban fijas, y el mundo crujió como si se hubiera detenido en plena rotación. Con la vista alzada y la nariz apuntando a la luna, Mota contemplaba la noche, aunque yo no tenía ni idea de lo que estaba pensando.

—¿Era mi padre, Mota?

—No puedo decírtelo. Abandona el pasado, Aniday. Es como sostener dientes de león al viento. Espera el momento adecuado, y las semillas se esparcirán. —Me miró—. Deberías descansar.

—No puedo. Tengo la cabeza llena de ruido.

Ella me puso un dedo en los labios.

—Escucha.

Todo estaba en calma. Su presencia, la mía.

—No oigo nada.

Pero ella oía un sonido lejano, y volvió su mirada hacia adentro, como transportada hacia su fuente.

15

L a vuelta a casa de la universidad introdujo una especie de estupor en mi vida cotidiana, y las noches se convirtieron en pesadillas. Cuando no estaba aporreando otra versión más al piano, estaba detrás de la barra, sirviendo a los parroquianos habituales del bar. Había adquirido una rutina en el local de Oscar, cuando el más extraño de los clientes entró y pidió un trago de whisky. Deslizó el vaso sobre la barra y se quedó mirándolo. Me dirigí al siguiente cliente, le serví una cerveza, corté un limón en rodajas y, cuando volví junto a aquel tipo, la bebida seguía intacta. Era un hombrecillo limpio y sobrio vestido con un traje barato y una corbata, y, por lo que pude ver, no había levantado las manos de su regazo.

—¿Qué pasa, señor? Todavía no ha tocado la copa.

—¿Si muevo el vaso sin tocarlo me invita la casa?

—¿Qué entiende por moverlo? ¿Cuánto puede moverlo?

—¿Cuánto tengo que moverlo para que me creas?

—No mucho. —Estaba cautivado—. Muévalo un poco, y trato hecho.

Él estiró el brazo derecho para cerrar la apuesta con un apretón de manos y, debajo de él, el vaso empezó a deslizarse lentamente por la barra hasta que se detuvo a unos diez centímetros de su mano izquierda.

—Un mago nunca revela sus secretos. Tom McInnes.

—Henry Day —dije—. Muchos tipos vienen por aquí con toda clase de trucos, pero ese es el mejor que he visto.

—Pagaré la copa —dijo McInnes, colocando un dólar sobre la barra—. Pero me debes otra. En un vaso limpio, si es tan amable, señor Day.

Se bebió el segundo trago y volvió a dejar el vaso inicial delante de él. Durante las siguientes horas, se dedicó a embaucar a cuatro personas con el mismo truco, pero no tocó el primer vaso de whisky. Estuvo bebiendo gratis toda la noche. En torno a las once, McInnes se levantó para irse a su casa y dejó el vaso en la barra.

—¡Eh, Mac, tu bebida! —grité detrás de él.

—Nunca la toco —dijo él, mientras se ponía su gabardina—. Y te recomiendo encarecidamente que tú tampoco lo hagas.

Me llevé el vaso a la nariz para olerlo.

—Tiene plomo. —Me mostró un pequeño imán que había escondido en su mano izquierda—. Pero ya lo sabías, ¿verdad?

Al darle vueltas al vaso en la mano, vi las limaduras de metal que había en el fondo.

—Forma parte de mi estudio del género humano —dijo— y nuestro deseo de creer en lo que no podemos ver.

McInnes se convirtió en un habitual del bar de Oscar, y durante años estuvo acudiendo cuatro o cinco veces a la semana, con el curioso empeño de engañar a los clientes con nuevos trucos o adivinanzas. A veces un acertijo o un complicado juego matemático requería que uno eligiese un número, lo multiplicase por dos, le sumase siete, le restase la edad de sí mismo y así sucesivamente hasta que la víctima acababa donde había empezado. O en un truco intervenían cerillas, una baraja de cartas y un juego de manos. Las bebidas que ganaba carecían de importancia para él, pues su disfrute se derivaba de la ingenuidad de sus vecinos. Y también era misterioso en otros aspectos. Las noches que tocábamos The Coverboys, McInnes se quedaba sentado junto a la puerta. A veces, entre pieza y pieza, se acercaba a charlar con los chicos. De entre todos, hacía buenas migas con Jimmy Cummings, un buen ejemplo de pensador ingenuo. Pero, si no le gustaba la canción que tocábamos, McInnes desaparecía con toda seguridad. Cuando empezamos a hacer versiones de los Beatles en el 63 o el 64, se marchaba siempre que oía los compases de apertura de «Do You Want to Know a Secret?». Como muchos borrachos, McInnes se comportaba con más naturalidad después de haber tomado unas cuantas copas. Nunca actuaba como si estuviera como una cuba. No se volvía más locuaz ni malhumorado; simplemente se mostraba más relajado y más agudo. Y consumía cantidades ingentes de alcohol de una sentada, más que cualquier persona que yo hubiera conocido en mi vida. Una noche Oscar le preguntó por su extraño aguante para el alcohol.

—Es cuestión de hacer que el cuerpo obedezca a la mente. Un truco barato que depende de un pequeño secreto.

—¿Y cuál es?

—Sinceramente, no lo sé. La verdad es que es un don y al mismo tiempo una maldición. Pero te aseguro que, para beber tanto, tiene que ser algo relacionado con la sed.

—¿Y qué te da tanta sed, viejo camello? —Cummings se rió.

—El insufrible descaro de la juventud de hoy en día. De no ser por los estudiantes novatos y el delicado tema de la edición, ahora tendría un puesto asegurado.

—¿Eras profesor? —pregunté.

—De antropología. Mi especialidad era el uso de la mitología y la teología como ritos culturales.

Cummings lo interrumpió:

—No vayas tan rápido, Mac. Yo no he ido a la universidad.

—La forma en que la gente usa los mitos y la superstición para explicar la condición humana. Me interesaba especialmente la psicología básica de los padres y empecé a escribir un libro sobre prácticas rurales en las islas británicas, Escandinavia y Alemania.

—¿Así que bebes por un antiguo amor? —preguntó Oscar, reconduciendo la conversación al tema original.

—Ojalá fuera una mujer. —Miró a una de las dos mujeres que había en el bar y bajó la voz—. No, las mujeres se han portado muy bien conmigo. Es la mente, chicos. La implacable máquina de pensar. Las incesantes exigencias del mañana y los ayeres apilados como un montón de cadáveres. Es esta vida y todas las que vinieron antes.

Oscar mordió una lengüeta del clarinete.

—¿La vida antes de la vida?

—¿La reencarnación? —preguntó Cummings.

—No sé nada sobre el tema, pero lo que sí sé es que hay personas especiales que recuerdan sucesos del pasado, sucesos que ocurrieron hace mucho tiempo. Si las hechizasen, se asombrarían de las historias que saldrían de lo más profundo de su ser. Hablan de cosas que pasaron hace un siglo como si hubieran ocurrido ayer. U hoy.

—¿Hechizarlas? —dije.

—La hipnosis, la maldición de Mesmer, el sueño de vigilia. El trance trascendental.

Oscar puso cara de desconfianza.

—La hipnosis. Otro de tus trucos de verbena.

—He hechizado a unas cuantas personas —dijo McInnes—. Contaron historias increíbles de sus mentes durmientes, pero lo hicieron con tal sentimiento y convicción que cualquiera se convencía de que estaban diciendo la verdad. La gente hace y ve cosas extrañas cuando está hechizada.

Cummings intervino:

—Me gustaría ser hipnotizado.

—Quédate hasta que el bar cierre, y te hipnotizaré.

A las dos de la madrugada, cuando todos los clientes se hubieron marchado, McInnes ordenó a Oscar que bajara la luz y nos pidió a George y a mí que guardáramos un silencio absoluto. Se sentó junto a Jimmy y le dijo que cerrara los ojos; a continuación empezó a hablarle en voz baja y modulada, describiendo lugares tranquilos y circunstancias plácidas con tal detallismo que me sorprendió que no nos durmiéramos todos. McInnes realizó unas cuantas pruebas para verificar si Jimmy se encontraba en estado de hipnosis.

—Levanta el brazo derecho por delante de ti. Está hecho del acero más duro del mundo, y por mucho que te esfuerzas, no puedes doblarlo.

Cummings extendió el brazo derecho y no pudo flexionarlo; de hecho, ni Oscar ni George ni yo pudimos lograrlo cuando lo intentamos, pues parecía una barra de hierro de verdad. McInnes realizó unas cuantas pruebas más y luego empezó a hacer preguntas que Cummings contestó con voz monótona y apagada.

—¿Cuál es tu músico favorito, Jimmy?

—Louis Armstrong.

Nos reímos al oír aquella confesión secreta. Si hubiera estado despierto, habría nombrado a algún batería de rock como Charlie Watts, de los Rolling Stones, pero nunca habría mencionado a Satchmo.

—Bien. Cuando te toque los ojos, los abrirás, y durante los próximos minutos serás Louis Armstrong.

Jimmy era un chico blanco y flaco, pero cuando abrió sus ojos azules, la transformación fue inmediata. Retorció la boca y adoptó la famosa amplia sonrisa de Armstrong, que se secaba de tanto en tanto con un pañuelo imaginario, y empezó a hablar con una voz áspera. Aunque Jimmy nunca cantaba en ninguna de nuestras actuaciones, hizo una interpretación bastante pasable de un viejo tema titulado «I'll Be Glad When You're Dead, You Rascal You», y acto seguido, utilizando el pulgar como boquilla y los dedos como trompeta, tocó un pasaje de jazz. Normalmente Cummings se escondía detrás de la batería, pero se subió a una mesa de un salto y todavía estaría amenizando el local de no haber resbalado en una mancha de cerveza y haberse caído al suelo.

McInnes corrió hacia él.

—Cuando cuente hasta tres y chasquee los dedos —dijo al cuerpo despatarrado—, te despertarás sintiéndote descansado como si hubieras dormido profundamente todas las noches de la semana. Quiero que recuerdes, Jimmy, que cuando oigas a alguien decir «Satchmo» sentirás el impulso incontrolable de cantar unos compases como Louis Armstrong. ¿Te acordarás?

—Sí —dijo Cummings en pleno trance.

—Bien, pero no recordarás nada más excepto ese sueño. Ahora voy a chasquear los dedos, y te despertarás feliz y descansado.

Una sonrisa boba se dibujó en su rostro, y se despertó y nos miró a cada uno de nosotros parpadeando, como si no pudiera imaginarse por qué lo estábamos observando. Al ser sometido a una serie de preguntas, demostró que no recordaba nada de la última media hora.

—¿Y no te acuerdas de Satchmor? —preguntó Oscar.

Cummings empezó a cantar «Hello, Dolly!» y de repente se detuvo.

—El señor Jimmy Cummings, el hombre más moderno del mundo —dijo George riéndose.

Durante los días siguientes nos dedicamos a tomarle el pelo a Cummings, pronunciando «Satchmo» de vez en cuando hasta que la palabra mágica dejó de surtir efecto. Pero los acontecimientos de aquella noche estimularon mi imaginación. Semanas más tarde, estuve dando la lata a McInnes para que me ofreciera más información sobre el funcionamiento de la hipnosis, pero lo único que me dijo fue que «el subconsciente sale a la superficie y da rienda suelta a las tendencias reprimidas y los recuerdos». Descontento con sus respuestas, visité la biblioteca del pueblo los días libres y me sumergí en la investigación.

Desde los templos del sueño del antiguo Egipto a Freud pasando por Mesmer, la hipnosis ha estado presente en todas partes de una forma u otra durante milenios, mientras los filósofos y los científicos discuten sobre su validez. Un artículo de *The International Journal of Clinical and Experimental Hypnosis* zanjó para mí el debate: «Es el paciente, no el terapeuta, el que controla hasta qué punto la imaginación entra en contacto con el subconsciente». Arranqué la cita de la página y me la metí en la cartera, y de vez en cuando leía aquellas palabras como si repitiera un mantra.

Convencido de que podía dominar mi imaginación y mi subconsciente, finalmente le pedí a McInnes que me hipnotizara. Como si conociera el camino de vuelta hasta una tierra olvidada, McInnes podía introducirse en mi vida reprimida y decirme quién era y de dónde venía. Y si resultaba ser verídica y mis raíces alemanas salían a la luz, la historia sería ridiculizada por cualquiera que la escuchara como un delirio fantástico. Todos hemos oído a alguien afirmar que en una vida anterior fue Cleopatra, Shakespeare o Gengis Kan.

Lo que sería más difícil de tomar a risa o de explicar era mi vida como trasgo en el bosque; sobre todo aquella horrible noche de agosto en que me convertí en suplantador y secuestré al niño. Desde que estaba con los Day, me había cuidado de eliminar cualquier vestigio de mi vida como suplantador. Podía resultar peligroso que, una vez hipnotizado, no consiguiera recordar nada sobre la infancia de Henry Day antes de los siete años. Mi madre había repetido tan a menudo anécdotas de la infancia de Henry que yo no solo creía que estaba hablando de mí, sino que en ocasiones creía recordar aquella vida. Los recuerdos fabricados son frágiles como el cristal.

McInnes conocía la mitad de mi historia, lo que había averiguado frecuentando el bar. Me había oído hablar de mi madre y mis hermanas, y de mi carrera universitaria interrumpida. Incluso una noche que Tess Wodehouse se había presentado con su novio, le había confesado que estaba enamorado de ella. Pero desconocía por completo la otra parte de mi historia. Si divulgaba algún dato sin querer, tendría que racionalizarlo. Mi deseo de conocer la verdad sobre el niño alemán superaba mi miedo a que se descubriera que era un suplantador.

El último borracho se marchó tambaleando a dormir, y Oscar cerró la caja registradora y colgó su delantal. De camino a la salida, me lanzó las llaves para que cerrara las puertas, mientras McInnes apagaba todas las luces excepto la lámpara situada al final de la barra. Los chicos se despidieron, y McInnes y yo nos quedamos a solas en el local. El pánico y la aprensión se apoderaron de mí. ¿Qué ocurriría en el supuesto de que dijera algo sobre el auténtico Henry Day y me delatara? ¿Y si él intentaba chantajearme o denunciarme a las autoridades? La idea me pasó por la cabeza: podía matarlo y nadie se enteraría de que había desaparecido. Por primera vez en años, sentí que volvía a ser algo salvaje, un animal, todo instinto. Pero, en cuanto él comenzó, el pánico remitió.

Nos sentamos el uno frente al otro ante una mesita en el bar vacío y a oscuras, y mientras escuchaba cómo McInnes hablaba monótonamente, me sentí como si estuviera hecho de piedra. Su voz provenía de un punto lejano situado por encima de mí, y controlaba mis acciones y emociones con sus palabras, que daban forma a mi existencia. Sucumbir a aquella voz era como enamorarse. Someterse, dejarse llevar. Una tremenda gravedad tiraba de mis extremidades, como si estuviera siendo absorbido del espacio y el tiempo. La luz desapareció, sustituida por el repentino chasquido de un haz proyectado. Una película había dado comienzo en la pared blanca de mi mente. Sin embargo, el filme propiamente dicho carecía tanto de elementos narrativos como de un estilo visual claro que permitiera que uno sacara conclusiones o hiciera deducciones. Sin historia, sin trama;

solo un personaje y una sensación. Apareció una cara, y me asusté. Una mano fría me rodeó el tobillo. Se oyó un grito seguido de unas notas discordantes de piano. Mi mejilla pegada a un pecho y una mano que abrazaba mi cabeza contra el seno. Una vez que alcancé cierto grado de conciencia, atisbé a un niño que rápidamente me giró la cara. Lo que pasó a continuación fue resultado del choque de la inercia y la confusión. Los acordes mayores fueron omitidos por completo.

Lo primero que hice cuando McInnes me sacó del trance fue mirar el reloj: las cuatro de la madrugada. Al igual que Cummings, también me sentía extrañamente descansado, como si hubiera dormido ocho horas, pero mi camisa pegajosa y el pelo revuelto en las sienes desmentían esa posibilidad. McInnes parecía totalmente rendido y agotado. Se sirvió una copa y se la bebió de un trago como un hombre que hubiera vuelto a casa del desierto. A la tenue luz del bar, vi que me miraba con incredulidad y fascinación. Le ofrecí un Camel, y nos quedamos fumando a esas horas de la noche.

—¿He dicho algo revelador? —pregunté al fin.

—¿Sabes alemán?

—Tengo algunas nociones —contesté—. Estudié dos años en el instituto.

—Has hablado alemán como los hermanos Grimm.

—¿Qué he dicho? ¿Qué te ha parecido?

—No estoy seguro. ¿Qué es un *Wechselbalg*?

—Es la primera vez que oigo esa palabra.

—Te pusiste a gritar como si te estuviera pasando algo terrible. Algo sobre *der Teufel*. El diablo, ¿no?

—No lo conozco.

—Y el *Feen*. ¿Es un demonio?

—Puede ser.

—¿Y *die Kobolden*? Lo gritaste cuando los viste, fueran quienes fuesen. ¿Tienes idea de lo que es?

—No.

—¿*Entführend*?

—¿Perdón?

—No sabía lo que intentabas decir. Era una mezcla de idiomas. Estabas con tus padres, creo, o llamando a gritos a tus padres, y todo lo decías en alemán. Repetías *mit, mit...* ¿Quiere decir «con», verdad? ¿Querías ir con ellos?

—Pero mis padres no son alemanes.

—Los que recordabas sí lo eran. Entonces apareció alguien, los diablos o *die Kobolden*, y querían llevarte con ellos.

Tragué saliva. Estaba recordando la escena.

—Quien fuese o lo que fuese te agarró, y tú llamabas a gritos a tu madre y tu padre y *das Klavier*.

—El piano.

—Nunca he oído algo parecido, y dijiste que te habían raptado. Y te pregunté: «¿Cuándo?», y contestaste algo en alemán que no entendí, así que te lo volví a preguntar, y dijiste: «Cincuenta y nueve». Y yo dije: «No puede ser. Solo han pasado seis años». Y entonces respondiste, con toda claridad: «No... Mil ochocientos cincuenta y nueve».

McInnes parpadeó y me miró atentamente. Yo estaba temblando, así que encendí otro cigarrillo. Contemplamos el humo sin pronunciar palabra. Él terminó primero y aplastó la colilla tan fuerte que le faltó poco para romper el cenicero.

—No sé qué decir.

—¿Sabes lo que creo? —dijo McInnes—. Creo que estabas recordando una vida pasada. Creo que es posible que en otra época fueras un niño alemán.

—Me cuesta creerlo.

—¿Has oído hablar alguna vez del mito de los suplantadores?

—No creo en los cuentos de hadas.

—Bueno... cuando te pregunté por tu padre, lo único que dijiste fue: «Él lo sabe». —McInnes bostezó. La mañana prácticamente se nos había echado encima—. ¿Qué crees que sabía, Henry? ¿Crees que sabía algo sobre el pasado?

Yo lo sabía, pero no lo dije. Había café en la barra y huevos en una pequeña nevera. Utilicé la plancha de la parte trasera y preparé un desayuno para los dos, concentrándome en aquellas sencillas tareas para calmar mis pensamientos incontrolables. Cuando amaneció, una luz brumosa y sucia se coló por las ventanas. Me quedé detrás de la barra; él estaba sentado enfrente en su taburete habitual, y nos comimos los huevos revueltos y nos bebimos el café solo. A esas horas el local tenía un aspecto deteriorado y lamentable, y los ojos de McInnes parecían cansados y ausentes, como los de mi padre la última vez que nos habíamos visto.

Se colocó su sombrero y se puso su abrigo. La pausa incómoda que se hizo entre nosotros me indicó que él no iba a volver. La noche había sido demasiado intensa y extraña para el viejo profesor.

—Adiós y buena suerte.

Cuando su mano giró el pomo de la puerta, le grité que esperara.

—¿Cómo me llamaba —pregunté— en mi supuesta otra vida?

Él no se molestó en girarse.

—No te lo pregunté.

16

Cuando un arma se dispara en un día de invierno, el eco resuena por el bosque en varios kilómetros a la redonda, y todos los seres vivos se paran a mirar y escuchar. El primer disparo de la temporada de caza sobresaltaba a los elfos y las hadas y los ponía en estado de alerta. Los exploradores se desplegaban en abanico a lo largo de la sierra, buscando chalecos de color naranja o de camuflaje o sombreros, escuchando atentamente por si oían el ruido de los pasos de los hombres que buscaban ciervos, faisanes, pavos, urogallos, conejos, zorros u osos negros. A veces los cazadores llevaban a sus perros, bonitos pero bobos: canes de muestra moteados, setters de suave pelaje, sabuesos, terriers, perros cobradores. Los perros podían ser más peligrosos que sus amos. Si no enmascarábamos nuestro aroma por todos los caminos, los perros podían olfatearnos.

Lo que más temo a la hora de salir solo es la posibilidad de que me tope con un animal extraviado o algo peor. Años más tarde, cuando éramos menos numerosos, una jauría de perros de caza detectó nuestro rastro y nos sorprendió en una arboleda sombreada. Los animales echaron a correr en nuestra dirección, un montón de dientes relucientes y afilados y de fieras aulladoras, y nos movimos todos a la vez de forma instintiva, dirigiéndonos hacia la seguridad que ofrecía un matorral de zarzas. Por cada paso que dábamos en nuestra retirada, los perros avanzaban dos. Eran como un ejército con los puñales en ristre, lanzando un grito primario, y conseguimos escapar sacrificando nuestra piel en la maraña de espinas. Tuvimos suerte de que se detuvieran al borde del matorral, confundidos y gimoteando.

Pero aquel día de invierno los perros estaban muy lejos. Lo único que oímos fue el grito, el disparo hecho sin apuntar, la maldición murmurada o la matanza. Una vez vi un pato caer del cielo, e inmediatamente su silueta estirada hacia delante se transformó en una rueda de plumas que fue a parar al agua con un ruido seco. A mediados de la década, la caza furtiva había desaparecido de aquellas montañas y valles, de modo que solo teníamos que preocuparnos durante la temporada de caza, que coincidía aproximadamente con el final del otoño y las vacaciones de Navidad. El colorido follaje de los árboles daba paso a su desnudez. Entonces llegaba el frío glacial, y escuchábamos atentamente por si oíamos a los humanos en las cañadas o el estallido de una escopeta. Dos o tres de los nuestros salían de expedición mientras el resto de los elfos y las hadas se refugiaban, ocultos bajo mantas o debajo de una capa de hojas caídas, o metidos en agujeros, o escondidos en árboles huecos. Hacíamos todo lo posible por resultar invisibles, como si no existiéramos. La llegada temprana de la noche o los días lluviosos eran el único respiro que teníamos en medio del tenso aburrimiento de nuestros escondites. El olor de nuestro miedo constante se mezclaba con la putrefacción de noviembre.

Sentados espalda con espalda formando un triángulo, Igel, Smaolach y yo montábamos guardia sobre la sierra, mientras el sol de la mañana permanecía cubierto por nubes densas y bajas, y el aire se hallaba cargado de nieve. Normalmente, Igel no quería tener ninguna relación conmigo, desde el día que había estado a punto de traicionar al clan al intentar hablar con un hombre. Dos grupos de pisadas se aproximaban desde el sur; unas eran pesadas y se movían de forma ruidosa entre la maleza, y las otras ligeras. Los humanos entraron en un prado. El hombre desprendía un aire de impaciencia, y el niño, de siete u ocho años, parecía ansioso por complacerlo. El padre llevaba una escopeta, listo para disparar. El arma del hijo estaba desmontada y resultaba difícil de llevar a juzgar por la dificultad con la que salió de la maleza. Lucían unas chaquetas a cuadros iguales y unos gorros con las orejeras bajadas para protegerse del frío. Nos inclinamos hacia delante para escuchar su conversación en medio del silencio. Con la práctica y la concentración adquiridas a lo largo de los años, ahora podía descifrar su diálogo.

—Tengo frío —dijo el niño.

—Te hará más fuerte. Además, todavía no hemos encontrado lo que hemos venido a buscar.

—No hemos visto ninguno en todo el día.

—Están ahí fuera, Osk.

—Solo los he visto en fotos.

—Cuando veas a uno de verdad —dijo el hombre—, apunta al corazón de ese pequeño cabrón. —Indicó al niño con un gesto que lo siguiera, y se encaminaron hacia el este entre las sombras.

—Vamos —dijo Igel, y empezamos a seguirlos, manteniéndonos ocultos desde lejos. Cuando se detuvieron, hicimos otro tanto, y al parar por segunda vez, tiré a Smaolach de la manga.

—¿Qué estamos haciendo?

—Igel cree que ha encontrado a uno.

Seguimos avanzando, y volvimos a descansar cuando las presas se pararon.

—¿Un qué? —pregunté.

—Un niño.

Nos llevaron por una ruta tortuosa a lo largo de unos senderos vacíos. No apareció ninguna presa, ni dispararon sus armas, y tan solo pronunciaron unas pocas palabras. Mientras almorzaban, guardaron un incómodo silencio; yo no entendía qué interés podían tener aquellos dos. La huraña pareja regresó a una camioneta verde aparcada en la cuesta que había junto a

168

la carretera, y el niño se metió en el lado del pasajero. Mientras cruzaba por delante del vehículo, el padre murmuró: «Ha sido un puto error». Igel escudriñaba a la pareja con una intensidad feroz, y, cuando la camioneta arrancó, leyó en voz alta el número de la matrícula con intención de memorizarla. Al volver a casa, Smaolach y yo nos quedamos detrás de Igel, que iba concentrado en sus cavilaciones.

—¿Por qué los hemos seguido todo el día? ¿A qué te referías cuando dijiste que había encontrado a un niño?

—Está a punto de llover. —Smaolach examinaba el cielo oscuro—. Se puede oler.

—¿Qué va a hacer Igel? —grité.

Igel se paró en seco delante de nosotros y aguardó a que lo alcanzáramos.

—¿Cuánto tiempo llevas con nosotros, Aniday? —preguntó Igel—. ¿Qué día pone en tu calendario?

Desde el día que se habían vuelto contra mí, no me fiaba de Igel, y había aprendido a ser respetuoso.

—No lo sé. ¿Diciembre? ¿Noviembre? ¿1966?

Él puso los ojos en blanco, se mordió el labio y continuó:

—Desde que tú llegaste he estado buscando y esperando, y ahora es mi turno; puede que ese niño sea el elegido. Cuando tú y Mota vayáis al pueblo con vuestros libros, estad atentos por si veis esa camioneta verde. Si vuelves a verla, o al niño o al padre, me lo dices. Si tienes el valor de seguirlos y averiguar dónde vive el niño o a qué colegio va, o dónde trabaja su padre, o si tiene madre, hermana, hermano o un amigo, también me lo dices.

—Claro que sí, Igel. Lo espiaré con mucho gusto en la biblioteca.

Ordenó a Smaolach que caminara con él, y yo cerré la marcha. Empezó a caer una lluvia gélida, y estuve corriendo un rato para evitar empaparme. La madriguera excavada por Igel y Luchóg durante años había resultado ser un refugio ideal en las noches borrascosas, aunque la mayor parte del tiempo la claustrofobia me impedía aguantar dentro. El frío y la humedad me condujeron por los túneles, y fui avanzando a tientas hasta que noté la presencia de otros.

—¿Quién anda ahí? —grité.

No hubo respuesta; solo un furtivo sonido apagado.

Volví a gritar.

—Lárgate, Aniday. —Era Béka.

—Lárgate tú, pesado. Acabo de entrar para protegerme de la lluvia.

—Vuelve por donde has venido. Este agujero está ocupado.

Intenté razonar con él.

—Déjame pasar y dormiré en otra parte.

Una chica gritó, y él hizo otro tanto.

—Maldita sea, me ha mordido en el dedo.

—¿Quién está ahí contigo?

Mota gritó en la oscuridad:

—Vete, Aniday. Te seguiré afuera.

—Sabandija.

Béka soltó una maldición y la dejó marchar. Estiré el brazo en la oscuridad, y ella encontró mi mano. Volvimos gateando a la superficie. La fuerte lluvia le empapó el pelo y se lo alisó contra el cráneo. Se le había formado una fina capa de hielo sobre la cabeza a modo de casco, y las gotas se amontonaban en nuestras pestañas y nos corrían por la cara. Permanecimos inmóviles, incapaces de decir nada. Parecía que ella deseara explicarse o disculparse, pero le temblaban los labios y los dientes le castañeteaban. Volvió a cogerme de la mano y me condujo hasta el refugio de otro túnel. Entramos a gatas y nos agachamos cerca de la superficie, resguardados de la lluvia, pero sin tener que estar en la tierra fría. No podía soportar el silencio, de modo que seguí quejándome del padre y el hijo a los que habíamos seguido y de las instrucciones de Igel. Mota escuchó todo sin decir una palabra.

—Escúrrete el agua del pelo —dijo—. Así se secará antes y dejará de gotearte por la nariz.

—¿A qué se refería Igel con lo de encontrar a un niño?

—Tengo frío —dijo ella—, estoy cansada, enferma y me duele todo el cuerpo. ¿No podemos hablar de eso por la mañana, Aniday?

—¿A qué se refería con lo de que ha estado esperando desde que yo llegué aquí?

—Él es el siguiente. Va a cambiarse por ese niño. —Se quitó el abrigo. Incluso a oscuras, su suéter blanco reflejaba la luz y me permitía detectar mejor su presencia.

—No entiendo por qué él puede marcharse.

Ella se rió de mi ingenuidad.

—Esto es una jerarquía. Va del mayor al más joven. Igel toma todas las decisiones porque tiene más antigüedad, y tiene derecho a ser el siguiente en marcharse.

—¿Cuántos años tiene?

Mota hizo el cálculo mentalmente.

—No lo sé. Probablemente lleve aquí unos cien años.

—Estás de guasa. —La cifra me dejó perplejo—. ¿Cuántos años tienen los demás? ¿Cuántos años tienes tú?

—¿Quieres hacer el favor de dejarme dormir? Podemos tratar esto por la mañana. Y ahora, ven aquí y dame calor.

Por la mañana, Mota y yo hablamos largo y tendido de la historia de las hadas y los elfos, y lo anoté todo, pero aquellos papeles, como muchos otros, están ahora hechos cenizas. Lo mejor que puedo hacer es recrear de memoria lo que hablamos aquel día; una información que, para empezar, no era nada precisa, pues la propia Mota no conocía la historia completa y solo podía simplificarla y hacer conjeturas. Aun así, desearía tener mis notas, ya que aquella conversación tuvo lugar hace años, y en toda mi vida no parece que haya hecho más que reconstruir recuerdos.

La idea de que mis buenos amigos pudieran marcharse algún día me entristeció profundamente. De hecho, el reparto de la función cambia constantemente, pero lo hace tan lentamente que ellos parecen actores permanentes. Igel era el mayor, seguido de Béka, Blomma, Kivi y los gemelos, Ragno y Zanzara, que habían llegado a finales del siglo XIX. Cebollas había llegado el propicio año de 1900. Smaolach y Luchóg eran los hijos de dos familias que habían emigrado del mismo pueblo de Irlanda durante las primeras décadas del siglo XX, y Chavisory era una franco-canadiense cuyos padres habían fallecido a causa de la gran epidemia de gripe de 1918. Aparte de mí, Mota era la más pequeña, pues había sido raptada el segundo año de la gran depresión iniciada en 1929, cuando tenía cuatro años de edad.

—Yo era mucho más pequeña que el resto cuando hice el cambio —dijo—. Exceptuando a los gemelos. Desde el principio, ha habido gemelos en el grupo; es imposible cogerlos a menos que sean muy pequeños. Y nunca cogemos a bebés. Dan demasiados problemas.

Unos vagos recuerdos acudieron a mi mente. ¿Dónde había visto yo gemelos antes?

—Luchóg me puso este nombre porque cuando me cogieron era una niña pequeña como una mota. Todos los demás están por delante de mí en la lista, excepto tú. Tú eres el último.

—¿Igel ha estado esperando a que le llegara el turno un siglo entero?

—Ha visto a muchos hacer el cambio y tenía que esperar el momento adecuado. Ahora todos vamos detrás de él.

La mención de aquella espera tan larga hizo que Mota cerrara los ojos. Me apoyé en el tronco de un árbol, sintiendo desesperanza por ella y por mí mismo. No pensaba en escapar a todas horas, pero de vez en cuando me permitía soñar que abandonaba al grupo y me reencontraba con mi familia. Abatida, Mota agachó la cabeza; su pelo oscuro le tapó los ojos, abrió los labios y aspiró como si cada bocanada de aire fuera una obligación.

—Bueno, ¿qué hacemos ahora? —pregunté.

Ella alzó la vista.

—Ayudar a Igel.

Me fijé en que su suéter, antaño blanco, estaba raído en el cuello y en las mangas, y decidí encontrar una prenda de recambio mientras buscábamos al niño.

Escrito en letras rojas luminosas, el cartel de la fachada rezaba BAR DE OSCAR, y, en el aparcamiento situado detrás del edificio, Béka encontró la solitaria camioneta verde del cazador. Él y Cebollas se subieron a la parte trasera de un salto y viajaron sin ser descubiertos por el conductor borracho hasta la casa que el hombre tenía en el campo. Ella se rió al leer el nombre que aparecía en el buzón: LOVE. Memorizaron la ubicación de la vivienda y por la noche nos comunicaron la buena noticia. Con aquella información en su poder, Igel puso en marcha la operación de reconocimiento y asignó turnos de equipos para vigilar al niño y a su familia y averiguar sus movimientos y costumbres. Nos mandó que prestásemos atención al carácter y la conducta del niño.

—Quiero un informe detallado de su vida. ¿Tiene hermanos o hermanas? ¿Tíos o tías? ¿Abuelas y abuelos? ¿Tiene amigos? ¿A qué le gusta jugar? ¿Tiene aficiones o practica actividades en su tiempo libre? Descubrid todo lo que haya que saber sobre su relación con sus padres. ¿Cómo lo tratan? ¿Es fantasioso? ¿O le gusta vagar por el bosque solo?

Transcribí sus palabras en el cuaderno de McInnes y me pregunté cómo íbamos a llevar a cabo semejante tarea. Igel se acercó y se situó delante de mí, mirando coléricamente cómo yo escribía.

—Tú —dijo— serás nuestro escribano. Quiero un registro completo. Tú serás su biógrafo. Todos podéis contarle a Aniday lo que descubráis. No me vengáis a dar la lata a mí con cada detalle. Cuando la historia esté completa, podrás contarla. Este será el cambio más perfecto de nuestra historia. Búscame una nueva vida.

Antes de que volviera a ver al niño, sentí como si lo conociera tan bien como a mí mismo. Chavisory, por ejemplo, averiguó que le habían puesto el nombre de su tío Oscar. Smaolach podía hacer una imitación pasable de su voz, y Kivi había realizado un cálculo desconocido para determinar su altura, peso y constitución general. Tras años destinados únicamente a la supervivencia y la conservación, la laboriosidad y dedicación de las hadas y los elfos a aquella empresa rayaba en el fanatismo.

A mí me asignaron la vigilancia del niño en la biblioteca, pero casi nunca me molestaba en buscarlo allí, y solo apareció en el recinto por casualidad. Su madre había llevado al pobre niño a rastras y lo había dejado en el pequeño parque que había enfrente. Desde mi escondite, la observación directa resultaba imposible, de modo que contemplé su reflejo en las ventanas de cristal cilindrado que había al otro lado de la calle, las cuales distorsionaban su aspecto y hacían que pareciera más pequeño y en cierto modo transparente.

El niño moreno de cejas pobladas cantaba en voz baja mientras trepaba al tobogán y se deslizaba por él una y otra vez. Le moqueaba la nariz, y cada vez que subía por los peldaños se limpiaba los mocos con el dorso de la mano y luego se pasaba la mano por sus grasientos pantalones de pana. Cuando se cansó del tobogán, se dirigió sin prisa a los columpios para balancearse en el despejado cielo azul. Su expresión vacía no se alteró en ningún momento, y no dejó de cantar entre dientes la canción. Lo estuve observando durante casi una hora, y en todo ese tiempo no expresó la más mínima emoción, contento de jugar a solas hasta que su madre apareció. Una débil sonrisa se dibujó en sus labios cuando ella llegó y, sin decir palabra, se bajó del columpio de un salto, la cogió de la mano y se marcharon. El comportamiento y la interacción de uno y otra me desconcertaron. Los padres y los hijos no valoraban aquellos momentos cotidianos, como si dispusieran de una cantidad ilimitada de ellos.

¿Se habrían olvidado mis padres de mí por completo? El hombre que me había gritado aquella noche lejana era mi padre, y decidí ir a verlos a él, a mi madre y mis hermanas pequeñas en breve. Tal vez después de que hubiéramos raptado al pobre desgraciado en el parque. El columpio se detuvo, y aquel día de principios de junio empezó a oscurecerse. Apareció una golondrina cazando insectos en el aire por encima de las barras de hierro, y todos mis deseos se vieron acariciados por sus alas mientras el pájaro alzaba el vuelo hacia el crepúsculo lechoso. El niño me daba lástima, aunque sabía que el orden natural se basaba en el intercambio. Su captura supondría la liberación de Igel, y para mí, un paso más hacia lo alto de la lista.

El niño era un objetivo fácil; sus padres apenas se percatarían del cambio. El crío tenía pocos amigos, no despertaba ni entusiasmo ni preocupación como estudiante, y era tan normal y corriente que casi resultaba invisible. Ragno y Zanzara, que se habían instalado en el desván de la familia durante meses, informaron de que, aparte de guisantes y zanahorias, el niño comía de todo, prefería tomar leche con cacao en las comidas, dormía con un protector de plástico y pasaba mucho tiempo en la sala de estar mirando una caja pequeña que le decía a uno cuándo reír y a qué hora irse a la cama. Nuestro chico también estaba hecho un dormilón, y dormía hasta doce horas de un tirón los fines de semana. Kivi y Blomma informaron de que le gustaba jugar fuera en un cajón de arena que había junto a la casa, donde había formado una compleja escena con muñecos de plástico azules y grises. El triste muchacho parecía satisfecho con aquella vida. Yo lo envidiaba.

Por mucho que le diéramos la lata, Igel se negaba a escuchar nuestra información. Habíamos estado espiando a Oscar durante más de un año, y todo el mundo estaba listo para el cambio. Se me estaba acabando el papel del cuaderno, y otro informe de campo no solo sería una pérdida de tiempo, sino también una pérdida del preciado papel. Altivo, distraído y agobiado por las responsabilidades del liderazgo, Igel guardaba las distancias, como si anhelase ser libre y al mismo tiempo se estremeciese ante la posibilidad de serlo. Su carácter habitualmente imperturbable se tornó en un mal humor constante. Kivi vino a cenar una vez con un verdugón rojo debajo del ojo.

—¿Qué te ha pasado?

—Ese hijo de puta de Igel me ha pegado, y eso que solo le he preguntado si estaba listo. Creyó que le preguntaba si estaba listo para marcharse, pero solo me refería a la cena.

Nadie supo qué decirle.

—Estoy deseando que se vaya. Estoy harta y cansada de ese viejo cascarrabias. A lo mejor el niño nuevo es simpático.

Me levanté en plena cena y atravesé el campamento como un huracán en busca de Igel, decidido a enfrentarme a él, pero no se encontraba en los lugares que frecuentaba. Asomé la cabeza en la entrada de uno de sus túneles y lo llamé a gritos, pero no obtuve respuesta. A lo mejor había salido a espiar al niño. Nadie sabía dónde encontrarlo, de modo que pasé varias horas dando vueltas, hasta que me tropecé con él por casualidad en la orilla del río, donde se hallaba mirando su reflejo en la superficie del agua. Parecía tan solo que olvidé mi ira y me agaché sin hacer ruido a su lado.

—Igel, ¿te encuentras bien? —Me dirigí a la imagen del agua.

—¿Te acuerdas —dijo él— de la vida que tuviste antes de esta?

—Vagamente. En sueños a veces veo a mi padre y mi madre y una hermana, o tal vez dos. Y a una mujer con un abrigo rojo. Pero no, la verdad es que no me acuerdo.

—Yo hace mucho que me fui. No estoy seguro de si sabré volver.

—Mota dice que hay tres opciones, pero que todos tenemos un solo final.

—Mota. —Escupió su nombre—. Es una tonta, casi tan tonta como tú, Aniday.

—Deberías leer nuestro informe. Te ayudaría a hacer el cambio.

—Me libraré con mucho gusto de esos bobos. Haz que ella venga a verme por la mañana. No quiero hablar contigo, Aniday. Haz que Béka se encargue de tu informe.

Se levantó, se limpió el trasero de tierra y se marchó. Yo esperaba que desapareciera para siempre.

17

Mi historia largamente olvidada empezó a asomar detrás de las cortinas. Las preguntas que McInnes me había formulado durante la hipnosis habían sacado a la luz recuerdos que habían estado reprimidos durante más de un siglo, y fragmentos de aquellas reminiscencias inconscientes empezaron a interferir en mi vida. Estábamos realizando nuestra imitación de segunda de Simon y Garfunkel cuando un inesperado germanismo brotaba de mi boca. Los chicos del grupo creían que yo estaba colocado, y teníamos que pedir disculpas al público y volver a empezar. O estaba seduciendo a una joven y descubría que su cara se había transformado en el rostro de un suplantador. Oía a un bebé llorar y me preguntaba si era humano o una terrorífica criatura que había sido dejada en la puerta. Una fotografía del primer día de colegio de Henry Day a los seis años me recordaba todo lo que yo no era. Me veía superpuesto en la imagen, con mi cara reflejada en el cristal e incorporada sobre su rostro, y me preguntaba qué habría sido de él y qué había sido de mí. Ya no era un monstruo, pero tampoco era Henry Day. Sufría intentando recordar mi nombre, pero aquel niño alemán se escabullía cada vez que me acercaba.

El único remedio para mi obsesión era sustituirla por otra. Cuando empezaba a darle vueltas al pasado lejano, me obligaba a pensar en la música, practicaba la digitación de forma alternativa y repasaba el ciclo de quintas mentalmente, tarareaba para mis adentros, apartaba los pensamientos sombríos con una canción. Coqueteaba con la idea de convertirme de nuevo en compositor, aunque mis aspiraciones universitarias se desvanecían mientras pasaban otros dos años. A partir de los sonidos aparentemente aleatorios de la vida cotidiana, empecé a extraer patrones que se convertían en compases, que a su vez se transformaban en movimientos. A menudo volvía al bar de Oscar tras haber dormido unas pocas horas, ponía una cafetera y garabateaba las notas que resonaban en mi cabeza. Al disponer únicamente de un piano, tenía que imaginarme una orquesta en aquel bar vacío. Aquellas tempranas partituras expresaban la confusión que sentía en torno a mi identidad. Las composiciones inacabadas representaban pasos vacilantes hacia el pasado, hacia mi auténtico carácter. Pasaba mucho tiempo buscando el sonido, dándole forma de nuevo y desechándolo, ya que por aquel entonces la composición resultaba tan esquiva como mi propio nombre.

El bar era mi estudio casi todas las mañanas. Oscar llegaba en torno a la hora de comer, y George y Jimmy normalmente aparecían a media tarde para ensayar y tomar unas cervezas; apenas me daba tiempo a ocultar mi obra. Una tarde de principios de verano de 1967, levanté las manos del piano sin entusiasmo antes de que empezáramos a practicar. George, Jimmy y Oscar se pusieron a experimentar con unos cuantos cambios de acordes y de ritmos, aunque principalmente se dedicaron a fumar y beber. Hacía dos semanas que los niños de la zona habían comenzado las vacaciones y ya estaban aburridos; montaban en bicicleta arriba y abajo por la calle principal, y continuamente se los veía pasar al otro lado de las ventanas. La camioneta verde de Lewis Love se paró fuera, y un momento después la puerta del bar se abrió, dejando entrar una ráfaga de aire húmedo. Con los hombros hundidos, Lewis se detuvo en el umbral, aturdido y mudo. Oscar dejó su trompeta y se acercó a hablar con su hermano. Conversaron demasiado bajo para que se los pudiera oír, pero el cuerpo refleja las penas que lo atenazan. Lewis agachó la cabeza y se llevó la mano al caballete de la nariz como si quisiera contener las lágrimas, y George, Jimmy y yo nos quedamos mirando desde nuestras sillas, sin saber qué hacer ni qué decir. Oscar llevó a su hermano a la barra y le sirvió una copa generosa, y Lewis se la bebió de un trago. Se limpió la boca con la manga y se dobló como si fuera un interrogante, con la frente apoyada en la barra, de modo que nos reunimos en torno a nuestros amigos.

—Su hijo ha desaparecido —dijo Oscar—. Desde anoche. La policía, los bomberos y el equipo de rescate lo están buscando, pero no lo han encontrado. Solo tiene ocho años.

—¿Qué aspecto tiene? —preguntó George—. ¿Cómo se llama? ¿Cuánto hace que ha desaparecido? ¿Dónde lo viste por última vez?

Lewis se puso erguido.

—Se llama Oscar, como mi hermano. Tiene un aspecto de lo más normal. Pelo castaño, ojos marrones, más o menos así de alto. —Estiró la mano y la situó aproximadamente a un metro y veinte centímetros por encima del suelo.

—¿Cuándo desapareció? —pregunté.

—Llevaba puesta una camiseta de béisbol y pantalones cortos azul marino… eso cree su madre. Y zapatillas de deporte. Volvió a salir de casa después de cenar. Todavía había luz fuera. Y entonces desapareció. —Se volvió hacia su hermano—. He intentado llamarte a todas partes.

Oscar frunció los labios y sacudió la cabeza.

—Lo siento, tío. Estaba colocándome.

George se encaminó hacia la puerta.

—No es momento para recriminaciones. Tenemos que encontrar a un niño desaparecido.

Fuimos al bosque. Oscar y Lewis iban en la cabina de la camioneta, y George, Jimmy y yo en la parte de atrás, que desprendía un olor residual a estiércol acentuado por el calor. El vehículo avanzaba dando sacudidas y traqueteando por un cortafuego abierto a través del límite del bosque, y paramos en seco en medio de una nube de polvo. El equipo de búsqueda y rescate había aparcado en una cañada situada aproximadamente a un kilómetro y medio al oeste de mi casa; era lo máximo que habían conseguido introducir en el bosque el único camión de bomberos del ayuntamiento. El jefe del departamento de bomberos estaba apoyado en el gran vehículo. Bebía una botella de cola dando enormes tragos, y su cara parecía una sirena en contraste con su camisa blanca almidonada. Bajamos de la camioneta, y me sentí abrumado por el olor dulce de una madreselva que había cerca. Las abejas revoloteaban entre las flores, y mientras nos dirigíamos hacia el jefe, nos inspeccionaron perezosamente. Los saltamontes, asustados por nuestras pisadas, escapaban zumbando por la alta hierba. Una maraña de frambuesas silvestres y hiedras venenosas situadas a lo largo del linde del claro me recordó el carácter contradictorio del bosque. Seguí a los chicos por un sendero provisional, lanzando miradas por encima del hombro al jefe y su camión rojo hasta que desaparecieron.

Un sabueso aullaba a lo lejos al tiempo que olfateaba. Recorrimos en fila varios cientos de metros, mientras la sombra oscura proyectada por el manto de hojas confería al final de la tarde el aspecto del crepúsculo. Cada poco rato, alguien llamaba a gritos al niño, y su nombre flotaba en el aire antes de desvanecerse en medio de la cálida penumbra. Estábamos persiguiendo sombras donde no se podía ver ninguna. El grupo se detuvo al llegar a lo alto de una pequeña elevación.

—Esto no nos lleva a ninguna parte —dijo Oscar—. ¿Por qué no nos separamos?

Aunque detestaba la idea de quedarme solo en el bosque, no podía oponerme a su lógica sin parecer un cobarde.

—Volveremos a reunirnos aquí a las nueve.

Con un aire de sobriedad llena de determinación, Oscar

examinó la esfera de su reloj, siguiendo el movimiento del segundero. Permanecimos a la espera y consultamos nuestros relojes.

—Las cuatro y media —dijo finalmente.

—Yo tengo las cuatro y treinta y cinco —dijo George.

Y casi de inmediato, dije:

—Y veinte pasadas.

—Las cinco menos veinticinco —dijo Jimmy.

Lewis sacudió la muñeca, se quitó el reloj y se lo acercó a la oreja.

—Qué raro, mi reloj se ha parado. —Se quedó mirando la esfera—. Las siete y media. Es justo cuando lo vi por última vez.

Nos miramos entre nosotros en busca de una respuesta a aquella confusión temporal. Oscar volvió a mirar su reloj.

—Está bien, está bien, cuando os avise, poned los relojes en hora. Ahora son las cuatro y treinta y cinco.

Nos pusimos a toquetear las ruedecillas de nuestros relojes. Me preguntaba si el tiempo era de verdad tan importante.

—Este es el plan. Lewis y yo iremos por aquí. Henry, tú seguirás la dirección contraria. George y Jimmy, vosotros os marcharéis el uno enfrente del otro. —Señaló con la mano los cuatro puntos cardinales—. Dejad algún rastro para encontrar el camino de vuelta. Cada cincuenta metros, romped una rama en el mismo lado del camino; nos reuniremos aquí a las nueve. Entonces estará oscureciendo. Claro que, si lo encontráis antes, volved al camión de bomberos.

Nos fuimos cada uno por nuestro lado, y el sonido de mis amigos caminando entre la maleza fue disminuyendo. No me había atrevido a entrar en el bosque desde que había suplantado a Henry Day. Los altos árboles bordeaban el sendero, y el aire húmedo parecía un manto que oliese a podredumbre y descomposición. A cada paso que daba, partiendo ramas y haciendo crujir las hojas, el sonido aumentaba mi soledad. Cuando me detuve, el ruido cesó. Llamé al niño, pero con poco entusiasmo, sin la esperanza de que contestase. La quietud me trajo a la memoria una sensación olvidada, el recuerdo de mi estado salvaje, y con él, el dolor de estar atrapado, eternamente, en aquel mundo peligroso. Tras veinte minutos de búsqueda, me senté en el tronco caído de un pino bajo. La camisa, mojada de sudor, se me pegaba a la piel, y saqué un pañuelo para secarme la frente. A lo lejos, un pájaro carpintero daba golpes en un árbol, y los trepadores bajaban por los troncos, emitiendo sus señales en *staccato*. A lo largo de la rama de un pino muerto, una fila de hormigas corrían de un lado a otro, transportando una carga misteriosa en una dirección mientras otras regresaban a la fuente de alimento. En medio del revoltijo de las hojas caídas, unas florecillas rojas asomaban su cabeza del tamaño de un alfiler en las porciones de musgo plateado. Levanté un leño bajo el cual había una sustancia mojada en estado de putrefacción, y las cochinillas de la humedad se convirtieron en bolas, mientras que las arañas de patas largas se enfurecieron ante la repentina interrupción de sus vidas. Unos gusanos gordos y relucientes se escondieron en los agujeros de la parte inferior del tronco, y traté de imaginarme los espacios ocultos que existían en la putrefacción, las vidas que continuarían sin que yo lo supiera. Perdí la noción del tiempo. Eché un vistazo al reloj y me sorprendí al descubrir que habían pasado casi dos horas. Me levanté, llamé al niño una vez y, al no obtener respuesta, reanudé la búsqueda. Mientras me adentraba cada vez más en la oscuridad, quedé cautivado por la disposición aleatoria de los troncos y las ramas, y unas hojas verdes abundantes como gotas de lluvia. Cada paso que daba resultaba nuevo y a la vez familiar, y temía que algo fuese a asustarme de repente, pero reinaba un silencio digno de un sueño profundo. No había nada en el bosque, ninguna señal de mi vida pasada más allá de los árboles y las plantas, tan solo aquí y allá la agitación de los inescrutables animales diminutos que se escondían en la podredumbre y la descomposición. Me topé con un pequeño arroyo que borboteaba entre las piedras, serpenteando hacia ninguna parte. De repente, sintiendo una sed tremenda, metí las manos en el agua y bebí.

La corriente avanzaba sobre un lecho salpicado de piedras y rocas. En la superficie, las piedras tenían un aspecto seco, apagado e impenetrable, pero debajo de ella el agua cambiaba la piedra, revelando facetas y colores extraordinariamente ricos y una infinita variedad. El efecto de milenios enteros había gastado y pulido las rocas, las había embellecido, y las piedras a su vez habían cambiado el agua, alterando su flujo y su ritmo, volviendo turbulenta su serena predisposición. La simbiosis había convertido el arroyo en lo que era. Un elemento sin la intervención del otro lo habría cambiado todo. Yo había salido de aquel bosque, había estado allí muchísimo tiempo, pero ahora vivía en el mundo como una persona real. Mi vida de humano y mi vida entre los suplantadores me habían convertido en lo que era. Al igual que el agua y la roca, yo era una cosa y la otra. Henry Day. Mientras el mundo lo conociera a él, no habría nadie más; aquel descubrimiento me embargó de emoción y gozo. De repente, las piedras del fondo del arroyo se me antojaron como una línea de notas, y podía escuchar su patrón en mi cabeza. Mientras buscaba en mis bolsillos un lápiz para copiar las notas antes de que desaparecieran, oí que algo se movía entre los árboles detrás de mí; unas pisadas que corrían entre la maleza.

—¿Quién anda ahí? —pregunté, y fuera lo que fuese dejó de moverse.

Traté de encogerme y no llamar la atención agachándome en la zanja abierta por el arrojo, pero al esconderme me resultó imposible ver la fuente de peligro. Con la tensión y la expectación, sonidos en los que no había reparado se amplificaron. Los grillos emitían su cricrí bajo las piedras. Una cigarra empezó a cantar y luego guardó silencio. Me debatía entre escapar o quedarme a escribir las notas del agua. ¿Soplaba una brisa entre las hojas, o era algo que respiraba? Al principio las pisadas se reanudaron lentamente, y luego la criatura huyó, moviéndose de forma ruidosa entre las hojas, escapando de mí, mientras el aire susurraba y se quedaba en silencio. Cuando se hubo marchado, me convencí de que se trataba de un ciervo que se había asustado por mi presencia, o tal vez un perro de caza que había captado mi olor por equivocación. Aquello me puso nervioso, de modo que seguí rápidamente el camino de vuelta al claro. Fui el primero en llegar, pues me adelanté quince minutos a la hora prevista de nuestro encuentro.

George fue el siguiente en llegar, con la cara colorada del esfuerzo y la voz áspera de llamar al niño. Se dejó caer rendido, y sus tejanos levantaron nubes de polvo.

—¿No ha habido suerte? —pregunté.

—¿Tú qué crees? Estoy para el arrastre y no he visto nada. ¿No llevarás algo de comer?

Saqué dos cigarrillos y encendí el suyo y luego el mío. George cerró los ojos y se puso a fumar. Oscar y Lewis aparecieron a continuación, igual de derrotados. No habían dejado camino por recorrer, pero la preocupación se reflejaba en su paso lento, sus cabezas agachadas y sus ojos empañados. Esperamos otros quince minutos a que llegara Jimmy Cummings, y al ver que no aparecía, empecé a preguntarme si era indicado organizar otro equipo de búsqueda.

A las nueve y media, George preguntó:

—¿Dónde está Cummings?

El crepúsculo dio paso a la noche estrellada. Ojalá hubiéramos llevado linternas.

—A lo mejor deberíamos volver a donde está la policía.

Oscar se negó.

—No, alguien debería esperar aquí a Jimmy. Vete tú, Henry. Sigue todo recto.

—Vamos, George, ven conmigo.

Él se puso en pie.

—Tú primero, Macduff.

Camino arriba vimos las luces rojas y azules brillando contra las copas de los árboles y rebotando en el cielo nocturno. Pese a tener los pies doloridos, George me metió prisa, y cuando casi habíamos llegado, oímos el ruido de la estática en los *walkie-talkies* y percibimos algo raro en el ambiente. Contemplamos una escena surrealista: el claro bañado de luces, los coches de bomberos avanzando lentamente, docenas de personas arremolinándose. Un hombre con una gorra de béisbol roja subió a un par de sabuesos a la parte trasera de su camioneta. Me sorprendió ver a Tess Wodehouse, con su uniforme blanco de enfermera resplandeciendo en la oscuridad, abrazando a otra joven y acariciándole el pelo. Dos hombres levantaron una canoa que goteaba, la subieron a la baca de un coche y la sujetaron con correas. Surgieron unas pautas, como si el tiempo se hubiera detenido, y todas se podían ver al mismo tiempo. Bomberos y policías, de espaldas a nosotros, formaban un semicírculo alrededor de la parte trasera de la ambulancia.

El jefe se giró lentamente, como si al desviar la mirada de los sombríos enfermeros pudiera anular la realidad, y nos dijo con cautela:

—Bueno… hemos encontrado un cadáver.

18

Pese a nuestra cuidadosa planificación, se cometieron errores. Todavía hoy me atormenta mi participación, por pequeña que fuera, en la serie de desgracias y equivocaciones que desembocaron en su muerte. Y lamento todavía más los cambios provocados por aquellos dos días de junio, cuyas consecuencias nos confundieron durante años. El hecho de que ninguno de nosotros tuviera malas intenciones no importa en absoluto. Somos responsables de nuestros actos, incluso cuando se producen accidentes, aunque solo sea por los pasos que omitimos o descuidamos. Al volver la vista atrás, me doy cuenta de que tal vez nos excedimos con la planificación. Podrían haber entrado a hurtadillas en casa de los Love, haber atrapado a Oscar mientras dormía y haber metido a Igel inocentemente bajo las mantas. Siempre dejaban al niño solo jugando horas enteras. Podríamos haberlo cogido en pleno día y haber hecho que un Igel transformado entrase a cenar. O habernos saltado la purificación del agua. ¿Quién cree todavía en ese viejo mito? Las cosas no tendrían que haber acabado de forma tan desoladora.

Oscar Love salió a jugar una tarde de junio, vestido con unos pantalones cortos y una camiseta con una inscripción a la altura del pecho. Llevaba puestas unas sandalias, con los dedos manchados de tierra, y daba patadas a una pelota de un lado a otro del césped. Luchóg y yo habíamos trepado a un sicomoro y llevábamos sentados en las ramas lo que nos parecieron horas, mientras observábamos el juego absurdo del niño y tratábamos de atraerlo hacia el bosque. Emitimos una gran variedad de sonidos: un cachorro, un gatito maullador, pájaros en peligro, una lechuza vieja y sabia, una vaca, un caballo, un cerdo, un pollo, un pato. Pero él hizo poco caso a nuestras imitaciones. Luchóg se puso a llorar como un bebé; yo hablé con voz de niña y luego de niño. Oscar hizo oídos sordos a todo, y en su lugar se dedicó a escuchar la música que sonaba en su cabeza. Gritamos su nombre, le prometimos una sorpresa, fingimos que éramos Papá Noel. Perplejos, bajamos del árbol, y a Luchóg se le ocurrió la brillante idea de empezar a cantar, e inmediatamente el niño siguió la melodía hasta el bosque. Mientras la canción continuaba, se dedicó a buscar su origen, lleno de curiosidad. Yo sabía en el fondo de mi corazón que los cuentos de hadas no acababan así y que estaban destinados a tener un final triste.

Escondida entre los árboles junto a un riachuelo, la banda había tendido una emboscada, y Luchóg atrajo al niño cada vez más hacia el interior del bosque. Oscar se hallaba en la orilla observando el agua y las piedras, cuando la música cesó y cayó en la cuenta de lo perdido que estaba, pues empezó a parpadear para contener las ganas de llorar.

—Míralo, Aniday —dijo Luchóg desde nuestro escondite—. Me recuerda a uno de los últimos que se convirtió en suplantador. Le pasaba algo.

—¿Qué quieres decir con que le pasaba algo?

—Mira sus ojos. Es como si no estuviera ahí.

Examiné la cara del niño, y ciertamente parecía indiferente a su situación. Se quedó inmóvil, con la cabeza inclinada hacia el agua, como si estuviera pasmado ante su propio reflejo. Un silbido dio la señal a los demás, y echaron a correr de entre los arbustos. Los pájaros, asustados por el repentino arrebato, empezaron a piar y alzaron el vuelo. Escondido entre los helechos había un conejo que se aterrorizó y se marchó saltando, moviendo rápidamente la cola. Pero Oscar permaneció impasible y embelesado y no reaccionó hasta que las hadas y los elfos estuvieron prácticamente encima de él. Se llevó la mano a la boca para reprimir un grito, y ellos se abalanzaron sobre él y lo tiraron al suelo con una veloz ferocidad. El niño casi desapareció en medio del torbellino de miembros que se agitaban, ojos desorbitados y dientes. Si no me hubieran explicado de antemano que lo iban a capturar, habría pensado que lo estaban matando. Igel, en concreto, disfrutó del ataque, sujetando al niño contra el suelo con las rodillas y metiéndole un trozo de tela en la boca para amortiguar sus gritos. Le ató una enredadera alrededor de la cintura y le sujetó los brazos a los costados. Y, tirando de Oscar por el camino, Igel nos condujo a todos de vuelta al campamento.

Años más tarde, Chavisory me explicó lo extraño que había sido el comportamiento de Igel. Antes del secuestro, el suplantador debía moldear su cuerpo y sus facciones para ajustarse al aspecto del niño. Pero Igel dejó que Oscar lo viera tal como era. En lugar de realizar el cambio inmediatamente, se dedicó a mofarse del niño. Zanzara ató a Oscar a un árbol y le quitó la mordaza de la boca. Tal vez la conmoción lo dejó sin habla, pues lo único que Oscar podía hacer era mirar con mudo asombro lo que ocurría delante de él, clavando sus húmedos ojos oscuros en sus torturadores. Igel transformó su cara en una réplica del pequeño. Yo no pude soportar las muecas de dolor que hacía, ni aguantar la forma en que sus cartílagos crujían y sus huesos se retorcían. Vomité detrás de un árbol y no me acerqué hasta que Igel terminó de convertirse en una copia del niño.

—¿Lo entiendes, Oscar? —dijo Igel burlándose de él, con la nariz pegada a la del niño—. Yo soy tú y voy a ocupar tu lugar, y tú te vas a quedar con ellos.

El niño lo miró fijamente, como si estuviera contemplándose en el espejo pero no reconociera su reflejo. Reprimí el impulso de ir hacia Oscar y ofrecerle ternura y confianza. Mota se acercó furtivamente y espetó:

—Esto es cruel.

Igel se apartó de su víctima y se dirigió a nosotros.

—Chicos y chicas, he estado con vosotros demasiado tiempo, y ahora me despido. Mi tiempo en este infierno ha tocado a su fin; podéis quedároslo para vosotros. Vuestro paraíso se está desvaneciendo. Cada mañana oigo el rugido de los coches y noto el temblor de los aviones en lo alto. Hay hollín en el aire, el agua está sucia, y todos los pájaros se han ido volando y no van a volver. El mundo está cambiando, y debéis marcharos mientras podáis. No me hace mucha gracia cambiarme por este imbécil, pero mejor eso que quedarme aquí. —Extendió los brazos hacia los árboles y el cielo tachonado de estrellas—. Porque todo esto desaparecerá pronto.

Igel se acercó a Oscar, lo desató y lo cogió de la mano. Eran idénticos; resultaba imposible saber cuál era el real y cuál su vivo retrato.

—Ahora voy a bajar al túnel a contarle un cuento a este pobre idiota. Le quitaré la ropa y esos asquerosos zapatos, y luego podréis lavarlo. No le vendrá mal un baño. Yo saldré por el otro lado. *Adieu*. Muévete, niño humano.

Mientras Igel se lo llevaba, Oscar se volvió hacia atrás una vez más, con una mirada desprovista de toda emoción. Poco después, hadas y elfos acudieron a la entrada del túnel a sacar el cuerpo desnudo de Oscar. Lo envolvieron con telarañas y enredaderas. El niño permaneció tranquilo durante la operación, pero sus ojos parecían más despiertos, como si estuviera intentando mantener la calma a propósito. Tras cogerlo en hombros, fuimos corriendo entre los matorrales en dirección al río. Hasta que no llegamos a la orilla del río, no me fijé en que Mota se había quedado atrás. Béka, nuestro nuevo líder, pronunció el conjuro mientras levantábamos en alto nuestro paquete y lo lanzábamos. En pleno vuelo, el cuerpo se dobló y cayó de cabeza en el agua. La mitad del grupo se separó para buscar el cuerpo y recuperarlo, como exigía la ceremonia. Debían ponerlo en tierra, como habían hecho conmigo años antes y con todos nosotros. Yo me quedé allí, decidido a ayudar al niño, a ser comprensivo y paciente mientras hacía la transición.

Todas aquellas esperanzas se vieron frustradas. Los encargados de recuperar el cuerpo esperaron en la orilla, listos para pescarlo del agua, pero el bulto no salió flotando a la superficie. Pese a su tremendo miedo a ahogarse, Smaolach y Chavisory vadearon el río. Poco después, todos los elfos y las hadas estaban sumergidos hasta la cintura, buscando frenéticamente al niño. Cebollas se zambulló una y otra vez hasta que, agotada y respirando con dificultad, apenas fue capaz de subir a la orilla. Béka corrió río abajo en dirección a un vado en cuyos bajos probablemente se hubiera quedado enganchado el cuerpo. Pero Oscar no aparecía. Nos mantuvimos en vela durante toda la noche hasta bien entrada la mañana, examinando las piedras y las ramas de los árboles donde el cuerpo podía haberse quedado atrapado, buscando cualquier tipo de señal, pero el agua no revelaba sus secretos. El niño había desaparecido. En torno al mediodía, en el valle de abajo, un perro se puso a aullar con excitación. Kivi y Blomma fueron enviadas a vigilar a los intrusos. Media hora más tarde, regresaron con la cara colorada y jadeando y nos fueron recogiendo en nuestros distintos puestos repartidos a lo largo de la orilla del río.

—Vienen con un par de sabuesos —dijo Blomma.

—Los bomberos y la policía —dijo Kivi.

—Encontrarán nuestro campamento.

—Igel trajo el olor del niño a nuestro hogar.

El sonido de los aullidos de los perros resonaba en las montañas. El equipo de rescate se aproximaba. En la primera crisis de nuestro nuevo líder, Béka se ganó nuestra atención.

—Rápido, volvamos al campamento. Escondedlo todo. Nos quedaremos en los túneles hasta que se marchen.

Kivi se dirigió con aspereza al resto de nosotros.

—Vienen demasiados.

—Los perros —añadió Blomma—. Se han metido en madrigueras y no se dejarán engañar por unas cuantas ramas tiradas encima de las entradas de los túneles.

Béka parecía confundido y empezó a pasearse, con los puños apretados a la espalda, y una vena que le palpitaba en la frente por la ira.

—Yo digo que nos escondamos y esperemos.

—Tenemos que huir. —Smaolach habló con serena autoridad. La mayoría de nosotros nos alineamos detrás de él—. En todos los años que llevo aquí, nunca los hemos tenido tan cerca.

Luchóg se acercó a Béka y se enfrentó a él.

—Ningún humano ha entrado tanto en el bosque como esa pandilla. Te equivocas al pensar…

Béka levantó el brazo para golpearlo, pero Cebollas le agarró la mano.

—¿Y qué hay del niño?

Nuestro nuevo líder se apartó del grupo y anunció:

—Oscar ha desaparecido. Igel también. Lo hecho, hecho está; ahora debemos salvarnos nosotros. Recoged lo que podáis y esconded el resto. Pero daos prisa, porque tendremos que dejarlos atrás.

Tras renunciar a encontrar el cuerpo de Oscar en el agua, volvimos corriendo a nuestro hogar. Mientras otros escondían artículos de utilidad —enterrando cazuelas o cuchillos, y ocultando comida y ropa—, yo recogí mis papeles y confeccioné un saco para meterlos dentro. Aunque algunas de mis posesiones estaban a salvo bajo la biblioteca, todavía tenía mi diario, una colección de cabos de lápices y el dibujo que había realizado de mi familia y de la mujer del sueño con el abrigo rojo, y algunos regalos que me había hecho Mota. Me preparé rápidamente y me apresuré a buscarla.

—¿Dónde estabas? —pregunté—. ¿Por qué no has venido al río?

—¿Qué ha pasado?

—No lo hemos encontrado. ¿Qué ha pasado con Igel?

—Salió y se echó a llorar.

—¿Se echó a llorar? —Empecé a ayudarla a amontonar matorrales sobre las aberturas del túnel.

—Como un bebé —dijo ella—. Salió aturdido, y cuando vio que yo me había quedado detrás, echó a correr. Puede que todavía esté escondido cerca de aquí.

Recogimos nuestras pertenencias y nos reunimos con los demás, y trepamos por la sierra como una banda de refugiados. Detrás de nosotros quedaba un simple claro que podía engañar a los hombres, incluso a los perros.

—No volveremos nunca —dijo Mota.

Béka olfateó el aire.

—Perros. Humanos. Vámonos.

Los once que ahora formábamos el grupo echamos a correr, mientras los tristes aullidos de los sabuesos resonaban por las montañas, cada vez más cerca. Podíamos oler cómo se aproximaban y oír las voces excitadas de los hombres. Cuando el sol se puso y tiñó el horizonte de rojo encendido, los teníamos tan cerca que podíamos distinguir a dos tipos fornidos que tiraban de las correas de los perros y jadeaban para seguir el ritmo de los animales. A Ragno se le cayó la mochila al tropezar en el sendero, y sus posesiones se desperdigaron por el suelo cubierto de hojas. Me giré y vi que estaba recogiendo su pala de jardinero y contemplé fugazmente un casco rojo detrás de él, pero el hombre no se percató de nuestra presencia. Zanzara estiró el brazo y cogió a Ragno de la mano, y nos marchamos a toda prisa junto a los demás, dejando atrás aquellas señales.

Estuvimos corriendo durante horas, atravesamos un arroyo para enmascarar nuestro olor como zorros acosados, y finalmente nos escondimos detrás de una maraña de ortigas. El sol se ocultó tras el límite del bosque mientras el ruido de los hombres y los perros se desvanecía. Estaban dando la vuelta. Acampamos al raso para pasar la noche, dejamos nuestras respectivas cargas y volvió a invadirnos la inquietud. Apenas había guardado mis papeles cuando Béka se acercó a mí, con el pecho henchido, listo para dar órdenes.

—Vuelve y averigua cuándo podemos regresar sin peligro.

—¿Yo solo?

—Llévate a alguien. —Examinó a las criaturas que estaban a su cargo y me sonrió lascivamente—. Llévate a Mota.

Vadeamos el sinuoso arroyo en dirección a nuestros perseguidores, deteniéndonos cada poco tiempo a escuchar y mirar hacia delante por si había peligro. A mitad de camino, Mota saltó del agua del riachuelo a una gran roca.

—Aniday, ¿todavía quieres marcharte?

—¿Marcharme? ¿Adónde?

—Simplemente marcharte, ahora mismo. Podríamos irnos. No sé, al oeste, en dirección a California, y ver el mar azul.

Se oyó otro ruido en el agua que nos hizo callarnos. Tal vez era una persona que se encontraba vadeando el riachuelo, o los perros que salpicaban al cruzar el arroyo, o tal vez un ciervo que estaba apagando la sed vespertina.

—No irás a marcharte, ¿verdad, Mota?

—¿Has oído eso? —preguntó.

Nos quedamos inmóviles y escuchamos atentamente. Investigamos el ruido avanzando con sigilo entre la maleza. A varios cientos de metros arroyo abajo, percibimos un olor de lo más peculiar: ni humano ni animal, sino algo intermedio. Mientras nos movíamos por la orilla, empezó a dolerme el estómago. Al doblar un recodo, a la luz cada vez más tenue que se filtraba entre los árboles, nos encontramos prácticamente encima del hombre antes de verlo.

—¿Quién anda ahí? —dijo la figura, y acto seguido se agachó, intentando esconderse.

—Mota —susurré—. Ese es mi padre.

Ella se puso de puntillas y echó una ojeada al hombre acuclillado; a continuación, se llevó un dedo a los labios. Se le ensancharon los orificios nasales como si estuviera aspirando hondo. Mota me cogió de la mano y desaparecimos silenciosamente como la niebla.

19

Pese a llevar un día entero bajo el agua, el cuerpo fue identificado como el del pequeño Oscar Love. Cuando la sábana fue retirada, quedó a la vista la espantosa hinchazón del ahogado, y sin duda se trataba de él, aunque lo cierto es que ninguno de nosotros fue capaz de mirarlo de cerca. De no haber sido por la extraña red que envolvía el cadáver empapado, tal vez nadie habría considerado lo ocurrido más que un trágico accidente. Se le habría dado reposo a dos metros bajo tierra y se habría dejado a sus padres a solas con su dolor. Pero las sospechas surgieron desde el momento en que lo sacaron del río. El cadáver fue transportado a la morgue, a unos doce kilómetros de distancia, para que se llevaran a cabo la autopsia e investigación pertinentes. Los forenses buscaron una causa, pero no encontraron más que extraños efectos. Aparentemente era un niño, pero cuando lo abrieron, los médicos descubrieron que se trataba de un anciano. Aquel extraño dato no apareció en los informes, pero más tarde Oscar me habló de los órganos internos atrofiados, la necrosis del corazón, la deshidratación de los pulmones, el hígado, los riñones y el bazo, y el cerebro de un hombre centenario que había desafiado a la muerte.

La extrañeza y el pesar del descubrimiento se vieron agravados por la desaparición de Jimmy Cummings. Él había ido al bosque aquella noche con las demás personas dedicadas a la búsqueda, pero no había vuelto. Al ver que Jimmy no aparecía en el hospital, todos dimos por supuesto que había vuelto a su casa temprano o que había encontrado otra salida, y no fue hasta el día siguiente por la noche cuando George empezó a preocuparse. Al tercer día, el resto de nosotros estábamos inquietos por Jimmy, ansiosos por tener noticias de él. Planeamos volver al bosque esa noche si el tiempo acompañaba, pero cuando estaba cenando con mi familia, el teléfono sonó en la cocina. Elizabeth y Mary saltaron de sus sillas, con la esperanza de que un chico estuviera intentando ponerse en contacto con ellas, pero mi madre les ordenó que se sentaran.

—No me gusta que vuestros amigos llamen en medio de las comidas.

Mamá cogió el auricular del soporte de la pared y, tras decir «hola», su cara reflejó una gama de emociones que incluían la sorpresa, la conmoción, la incredulidad y el asombro. Se giró un poco para terminar la conversación, dándonos la espalda. Mientras colgaba el teléfono con la mano izquierda, se santiguó con la derecha, y luego se volvió para darnos la noticia.

—Es un milagro. Se trata de Oscar Love. Jimmy Cummings está bien, y lo ha encontrado vivo.

Mis hermanas se detuvieron en pleno bocado, con los tenedores en el aire, y se quedaron mirándola. Pedí a mi madre que repitiera el mensaje, y, al hacerlo, ella se dio cuenta de lo que implicaban aquellas frases.

—Salieron juntos del bosque. Está vivo. Lo encontró en un agujero. El pequeño Oscar Love.

A Elizabeth se le cayó el tenedor sobre el plato ruidosamente.

—Es broma. ¿Está vivo? —dijo Mary.

—Qué raro —dijo Elizabeth.

Distraída, mi madre se puso a toquetear las horquillas que llevaba en las sienes. Se quedó detrás de su silla, pensativa.

—¿No estaba muerto?

—Bueno… debe de haber habido un error.

—Es un error como una catedral, mamá —dijo Mary.

Elizabeth formuló la pregunta que todos nos estábamos haciendo.

—Entonces, ¿quién es el que está en la morgue?

Mary interrogó a su hermana gemela.

—¿Hay otro Oscar Love? Qué fuerte.

Mi madre se sentó pesadamente en la silla. Parecía abstraída mirando fijamente el plato de pollo frito, mientras conciliaba lo que sabía que era cierto con lo que acababa de oír. Las gemelas empezaron a competir entre ellas proponiendo hipótesis excesivamente absurdas para resultar creíbles. Demasiado nervioso para comer, me retiré al porche a fumar y meditar. Cuando iba por el segundo Camel, oí el ruido de un coche que se acercaba. Un Mustang rojo cereza salió de la carretera, se metió rápidamente en el camino de entrada de nuestra casa y frenó con un derrape que lanzó una lluvia de gravilla. Las gemelas salieron a toda prisa al porche, y la puerta con mosquitera se cerró de golpe dos veces antes de que Cummings saliera del coche. Con el pelo recogido hacia atrás en una coleta y unas gafas de color rosa, hizo la señal de la victoria con los dedos y sonrió ampliamente. Mary y Elizabeth lo saludaron devolviéndole el gesto y le sonrieron tímidamente. Jimmy cruzó el jardín dando grandes zancadas, subió la escalera del porche en dos saltos y se situó justo delante de mí, esperando que lo recibiera como a un héroe. Nos estrechamos la mano.

—Bienvenido. Has vuelto de entre los muertos, tío.

—¿Ya lo sabes? ¿Te has enterado de la noticia? —Tenía los ojos inyectados en sangre, y no sabía si estaba borracho, colocado o simplemente agotado.

Mi madre apareció de repente por la puerta y rodeó con los brazos a mi amigo, y lo abrazó fuerte hasta que a Cummings se le puso la cara roja. Incapaces de contenerse más rato, mis hermanas también lo agasajaron y estuvieron a punto de derribar-

198

lo con su entusiasmo. Yo observé cómo se separaban de él una tras otra.

—Cuéntanoslo todo —dijo mi madre—. ¿Te apetece algo de beber? Deja que te traiga un té helado.

Mientras ella se afanaba en la cocina, nosotros nos colocamos en los asientos de mimbre. Incapaz de decidirse por una de las dos hermanas, Jimmy se hundió en el sofá, y las gemelas se apiñaron en el columpio del porche. Yo me quedé junto a la barandilla, y cuando mi madre regresó, se sentó junto a Jimmy, sonriéndole como si fuera su hijo.

—¿Ha visto alguna vez volver a alguien de entre los muertos, señora Day?

—Oh, Dios nos libre.

—Eso es lo que pensaron los Love cuando vieron al niño —dijo Jimmy—. Como si Oscar hubiera bajado del cielo, o lo hubieran echado del infierno. No podían creer lo que veían sus ojos. Porque todos estaban listos para llevar el cadáver a la funeraria, creyendo que el pequeño Oscar estaba muerto y en condiciones de que lo enterrasen, cuando yo aparecí con su hijo de la mano. Lewis me miró como si le estuviera dando un ataque al corazón, y Libby se acercó y dijo: «¿Eres real? ¿Puedo tocarte? ¿Qué eres? ¿Puedes hablarme?». Y el niño echó a correr hacia ella y la abrazó por la cintura, y entonces ella supo que no era ningún fantasma.

Dos seres idénticos, uno muerto y el otro vivo: el suplantador y el niño.

—Los médicos y las enfermeras también alucinaron. Y hablando de enfermeras, Henry, hay una enfermera que dice que te vio la otra noche, cuando encontraron al otro niño.

Aquello no era un niño.

—Lew empezó a estrecharme la mano, y Libby me dijo: «Que Dios te bendiga» unas mil veces. Oscar, el grande, vino al cabo de unos minutos y se quedó de piedra al ver a su sobrino, y también se alegró de verme. Empezaron a hacerme preguntas, aunque, claro está, ya le había contado toda la historia a los bomberos y los polis. Ellos nos llevaron al hospital porque el niño había estado tres días allí fuera. Por lo que han podido averiguar, no le pasa nada. Está un poco débil, como si se hubiera colocado, y los dos estábamos muy cansados, sucios y sedientos.

Una gran tormenta oscurecía el cielo hacia el oeste. En el bosque, las criaturas estarían buscando cobijo. Los trasgos habían creado una madriguera subterránea en su antiguo campamento, un laberinto de túneles que los protegían del clima severo.

—Pero tenía que decírtelo, tío, así que me metí en el coche y vine hasta aquí.

Se bebió el té helado de un solo trago, y mi madre volvió a llenarle el vaso de inmediato. Ella, al igual que el resto de nosotros, estaba ansiosa porque él comenzara a explicar lo ocurrido, y yo me preguntaba si empezaría a contarnos la historia antes de que se echase a llover. Incapaz de aguantar más, mi madre preguntó:

—¿Y cómo encontraste al pequeño Oscar?

—Eh, Henry, ¿te he dicho que vi a esa enfermera, Tess Wodehouse? Deberías llamarla, colega. Esa noche me concentré tanto en buscar al niño que casi perdí la noción del tiempo. Se me paró el reloj en torno a las siete y media. Y me asusté porque debían de ser las nueve pasadas. No es que crea en fantasmas y esas cosas, pero estaba muy oscuro.

Consulté el reloj y observé la tormenta que se avecinaba, tratando de calcular el ritmo al que avanzaba. Si algún trasgo se encontraba lejos del campamento cuando empezase a llover, tendría que buscar una cueva o un árbol hueco para esperar a que pasase lo peor.

—Así que estaba perdido de verdad. Y a esas alturas estaba preocupado por encontrar la salida. Llegué a un claro del bosque; estaba iluminado por las estrellas y daba miedo. En unos sitios había hierba aplastada y hojas, como si un ciervo se hubiera tumbado encima. Entonces vi un círculo de piedras planas y ovaladas alrededor del claro y me imaginé que allí era donde pasaba la noche algún rebaño.

Las noches de verano que hacía bueno dormíamos al raso. Interpretábamos el cielo cada mañana en busca de cualquier indicio de mal tiempo. Cuando Jimmy hizo una pausa para coger aire, me pareció volver a oír las notas de las piedras del río.

—Había un círculo con cenizas y palos quemados de una hoguera que debían de haber dejado unos cazadores o unos mochileros, y como tenía que pasar la noche en el bosque, me pareció un buen sitio, porque era evidente que alguien había estado allí antes. Preparé una pequeña lumbre, y las llamas me hipnotizaron, porque lo siguiente que recuerdo es estar dormido y tener unos sueños de lo más extraños. Alucinaciones. Como un mal viaje de ácido. Se oía una voz a lo lejos, y un niño gritaba sin parar «mamá», pero no podía verlo, y estaba demasiado cansado para levantarme. ¿Habéis tenido alguna vez uno de esos sueños en los que uno cree que el despertador está sonando en el sueño, pero en realidad está sonando al lado de la cama? Y como uno cree que es un sueño, no se levanta a apagarlo y se queda dormido, y luego cuando se levanta se acuerda de que tuvo un sueño en el que sonaba el despertador.

—Yo tengo ese sueño cada mañana —dijo Mary.

—Genial. El caso es que no podía verlo, pero oía al pequeño Oscar llamar a su madre, así que empecé a buscarlo. «¿Oscar? Tu mamá y tu papá me han mandado aquí a buscarte.» Entonces él empezó a gritar: «¡Estoy aquí debajo!». ¿Debajo, dónde? No lo veía, y ¿debajo de qué estaba? «Sigue llamándome», dije... e intenté seguir el sonido de su voz. Entonces fui a parar al puñetero agujero. Me caí entre unas ramas por el agujero y me quedé encajado hasta los sobacos, en plena noche, mientras el niño lloraba a moco tendido cerca de mí. Una situación chunga, tío, muy chunga.

Las chicas dejaron de columpiarse. Mi madre se inclinó hacia delante. Yo me olvidé de la tormenta que se acercaba y me concentré en la melodía esquiva, pero se iba alejando con el ruido de la conversación.

—Estaba atascado, tío. Tenía los brazos inmovilizados contra los lados del agujero. Y lo peor de todo es que mis pies no tocaban el suelo, sino que me quedaron colgando en aquel foso sin fondo. O a lo mejor había algo en el fondo que quería cogerme.

Se abalanzó sobre las chicas, que se pusieron a gritar y a reírse tontamente.

—Me quedé quieto reflexionando sobre mi situación, señora Day, y grité al pequeño Oscar que dejase de gritar porque me estaba poniendo de los nervios. Le dije: «Estoy atrapado en un agujero, pero iré a buscarte en cuanto encuentre una forma de salir». Y él me dijo que creía que era un túnel. Así que le pedí que diera una vuelta y que, si veía unos pies en el aire, eran los míos, y que me ayudase a salir.

Se oyó a lo lejos el estruendo grave de un trueno. Salté del porche y corrí a subir las ventanillas del coche de Jimmy. Los trasgos estarían acurrucados, preocupados por la repentina destrucción que podía provocar un relámpago. La canción se me volvió a meter en la cabeza.

—Se hizo de día, y entonces vi que seguía atrapado en aquel agujero. Pero hice un poco de espacio a la izquierda, y lo único que tuve que hacer después fue retorcerme y me caí. Resultó que estaba solo a medio metro más o menos del suelo. Pero se me habían dormido los pies y me dolían los brazos, y tenía que echar una meada… con perdón, señora Day. Estaba hecho polvo, pero aquel niño…

Dimos un brinco cuando oímos el sonoro retumbo de un trueno y vimos la aparición luminosa que inundó el horizonte. El aire olía a electricidad y al diluvio inminente. Cuando las primeras gotas gruesas cayeron en el suelo como monedas, entramos corriendo en casa. Cummings se sentó entre Mary y Elizabeth en el sofá, y mi madre y yo nos colocamos en las incómodas sillas.

—En el fondo del agujero —continuó Jimmy mientras fuera retumbaba— había túneles en distintas direcciones. Me puse a gritar por todos, pero nadie contestó. Estaba empezando a preguntarme si Oscar estaría al final de uno de ellos o si lo había soñado todo. Deberías ver aquellos túneles, tío; eran increíbles. Dios sabe quién o qué los hizo. O por qué. A medida que uno se movía por ellos, se volvían muy estrechos, como si los hubieran hecho unos niños. Tuve que ir arrastrándome boca abajo hasta llegar al final y luego pasé a otra cámara; algunas eran lo bastante grandes para que me pudiera agachar. Y en cada cámara había más túneles. Ahora que lo pienso, creo que vi algo así en la televisión en el telediario de Cronkite. Parecía del Vietcong. A lo mejor es un campo vietnamita.

—¿De veras crees —pregunté— que el Vietcong ha invadido Estados Unidos y ha acampado en el quinto pino?

—No, tío. ¿Crees que estoy loco? A lo mejor es donde entrenan a nuestros soldados para ir por los túneles y encontrar a los suyos. Como una colmena. Un condenado laberinto. Fui a un lado y a otro, procurando no perderme, cuando de repente me di cuenta de que no había oído a Oscar en todo el día. Justo cuando empezaba a pensar que a lo mejor se había muerto, entró gateando como un topo y asomó la cabeza. Lo curioso del caso (y al principio no me fijé, con toda la suciedad y la mugre que llevaba) es que estaba como Dios lo trajo al mundo.

—¿Qué pasó con su ropa? —preguntó mi madre.

Los suplantadores lo habían desnudado, lo habían envuelto con telarañas y habían tirado el cuerpo al río para convertirlo en uno de los suyos. Eso es lo que creían que estaban haciendo.

—Señora Day, no tengo ni idea. Lo primero que teníamos que hacer era salir de ahí abajo, y él me enseñó aquellos agujeros. A lo largo de las paredes había agarraderos y salientes para apoyar los pies. Yo no me había fijado en ellos antes, pero él trepó como si subiera por una escalera.

Yo me había pasado una buena parte de un mes esculpiendo aquellos asideros, y casi podía ver al trasgo que siempre estaba cavando en la madriguera.

—Era tarde cuando lo encontré, y el niño estaba cansado y tenía hambre, y no se encontraba en condiciones de volver andando por el bosque. Yo suponía que todo el mundo seguía buscándonos. Así que allí estábamos, decidiendo qué hacer, cuando él me preguntó si tenía hambre. Fue al borde del claro y retiró una manta que había allí tirada. Debajo había un alijo entero de comida. Como una tienda en medio del puñetero bosque. Guisantes, peras, compota de manzana, judías en salsa, una bolsa de azúcar, un paquete de sal, champiñones secos, pasas, manzanas. Fue como encontrar un tesoro escondido.

Miré por la ventana. La tormenta había amainado. ¿Dónde se habrían metido?

—Cuando estaba preparando la cena, Oscar empezó a curiosear y a explorar el campamento, mientras yo buscaba una forma de abrir las latas. El niño volvió con unos chulísimos pantalones anticuados parecidos a unos bombachos y un suéter blanco sucio. Dijo que había encontrado un montón de cosas. No os imagináis todo lo que había allí: ropa y zapatos, guantes, sombreros, mitones… Nos pusimos a remover toda aquella morralla: botones, una bolsa con maría… disculpe, señora Day… una colección de piedras, y cartas viejas y periódicos con cosas escritas encima, como si un niño hubiera estado practicando caligrafía. Alguien había guardado un ovillo de cuerda, un peine, unas tijeras oxidadas. Un muñeco de un bebé hecho con distintas partes. Como si hubiera una comuna allí, tío. Cuando se lo dije a los polis, dijeron que iban a ir a investigar, porque no quieren que esa gente ande por nuestro pueblo.

—Desde luego que no. —Mi madre frunció los labios.

Elizabeth le gritó:

—¿Qué hay de malo en estar en contacto con la naturaleza?

—No he dicho nada de la naturaleza.

—Quien viva allí —continuó Jimmy— debió de marcharse antes de que yo llegara, porque no había nadie. Mientras cenábamos, Oscar me contó cómo había acabado desnudo en un agujero del suelo. Un grupo de niños que fingían ser piratas lo secuestraron y lo ataron a un árbol. Otro niño se puso una máscara exactamente igual que su cara y lo hizo saltar al agujero. Le quitó toda la ropa, y luego hizo que Oscar cogiera toda la que llevaba él. Yo estaba alucinando, pero el otro crío le dijo a Oscar que olvidara todo lo que había pasado, salió afuera y tapó el túnel.

El suplantador había decidido no realizar el cambio. Intenté recordar de quién se podía tratar.

—Todos los niños escaparon, excepto una niña, que dijo que lo ayudaría a volver a casa. Pero cuando oyó a un perro ladrar, también escapó. Por la mañana, al ver que nadie llegaba a buscarlo, se asustó, y fue entonces cuando me oyó. Yo no creo una palabra, pero esa historia explica muchas cosas. Como la ropa vieja de niño.

—¿Y el niño que encontraron en el río? —preguntó mi madre.

—A lo mejor es lo que él cree que vio —dijo Elizabeth—. A lo mejor el niño se parecía a él, y por eso Oscar creyó que llevaba una máscara.

Mary expuso su propia teoría.

—A lo mejor era su doble. Papá decía que todo el mundo tiene uno.

Mi madre dijo la última palabra sobre el tema.

—A mí me parece cosa de hadas.

Todos se echaron a reír, pero yo sabía más que nadie. Pegué la frente al cristal fresco de la ventana y miré el paisaje en busca de los seres que había intentado olvidar. Los charcos del jardín se estaban filtrando poco a poco en la tierra.

20

Perdimos nuestro hogar y no regresamos jamás. Los rastreadores y los perros llegaron primero, husmearon el campamento y descubrieron lo que habíamos dejado en nuestra evacuación. Los hombres vestidos con trajes negros fueron a hacer fotografías de los agujeros y las huellas que habíamos dejado en la tierra. Un helicóptero sobrevoló la zona y tomó imágenes del perímetro ovalado y los senderos frecuentados que conducían al bosque. Docenas de soldados con uniformes verdes se dedicaron a recoger todas las posesiones de las que nos habíamos deshecho y se las llevaron en cajas y bolsas. Unas cuantas personas descendieron bajo tierra, recorrieron a gatas la red de madrigueras y salieron parpadeando al ver la luz del sol como si hubieran estado debajo del agua. Semanas más tarde, llegó otro grupo. Subieron por la colina armando un gran estruendo con su maquinaria pesada, avanzaron entre los viejos árboles con la intención de hundir los túneles, los desenterraron y volvieron a enterrarlos, y removieron la tierra una y otra vez hasta que la superficie quedó de color naranja a causa del barro húmedo y espeso. Luego rociaron el claro con gasolina y prendieron fuego al campamento. Al final de aquel verano, no quedaban más que cenizas y los esqueletos ennegrecidos de unos cuantos árboles.

Semejante destrucción no hizo que disminuyera el deseo de volver a casa. Yo no podía dormir sin la imagen familiar de las estrellas y el cielo enmarcados por las ramas en lo alto. El más mínimo ruido nocturno —una ramita al romperse o una rata maderera rebuscando entre la maleza— perturbaba mi descanso, y por la mañana me dolía la cabeza y el cuello. También oía a los demás quejarse en sueños o haciendo esfuerzo detrás de los arbustos para aliviar la presión creciente de sus tripas. Smaolach lanzaba una docena de miradas por encima del hombro cada hora. Cebollas se mordía las uñas y confeccionaba elaboradas trenzas de hierba. A cada arrebato de inquietud le seguía una fase de apatía. Conscientes de que nuestro hogar había desaparecido, seguíamos buscándolo como si la esperanza pudiera devolvernos nuestra vida. Cuando la esperanza se desvaneció, una curiosidad malsana ocupó su lugar. Éramos capaces de ir una y otra vez a contemplar los restos con preocupación.

Escondidos en las copas de los altos robles o repartidos en huecos a lo largo de la sierra, presenciábamos nuestra pérdida y nuestra ruina. Las frambuesas acabaron aplastadas bajo la excavadora, una motoniveladora derribó el cerezo de Virginia, los caminos y senderos de nuestras juergas y diversiones desaparecieron con la velocidad con que uno borra un dibujo o arranca una hoja. El campamento había existido desde la llegada de los primeros comerciantes de pieles franceses, quienes habían hallado a las tribus en su territorio ancestral. Invadidos por la nostalgia, nos dejamos llevar, resguardándonos en refugios improvisados, perdidos para siempre.

Vagamos por el escabroso campo hasta principios de otoño. La afluencia de hombres, perros y máquinas hacía que los desplazamientos resultasen difíciles y peligrosos, de modo que pasábamos los días más duros juntos, aburridos y hambrientos. Si alguien se separaba demasiado del grupo corría peligro. Ragno y Zanzara fueron divisados por un topógrafo al cruzar por delante de su catalejo. El hombre gritó y se puso a perseguirlos, pero mis amigos eran demasiado rápidos. Los volquetes trajeron montones de gravilla para cubrir los caminos de tierra que habían abierto desde la carretera hasta nuestro antiguo claro. Chavisory y Cebollas se entretenían buscando gemas entre los escombros; cualquier piedra fuera de lo común servía. A la luz de la luna, removían la carga recién esparcida, hasta que una noche las descubrió un conductor que dormía en su camión. Se acercó a ellas sigilosamente y agarró a las chicas por el cuello. Y las habría atrapado si Cebollas no se hubiera soltado y lo hubiera mordido hasta hacerle sangrar. Puede que aquel conductor fuera el único hombre vivo que tuviera una cicatriz hecha por un hada en el tejido que separa el pulgar del índice.

En la obra donde los hombres excavaban bajo tierra, Luchóg vio un paquete de cigarrillos abierto en el asiento de un camión vacío. Silencioso como un ratón, se acercó rápidamente y, al entrar en el interior para robar los cigarrillos, golpeó el claxon con la rodilla. Agarró el paquete de Lucky Strike justo cuando la puerta de un retrete exterior se abría de golpe. Un hombre salió tirando de sus pantalones y maldiciendo mientras acudía a echar un vistazo al intruso. Se acercó al camión a toda prisa, buscó en la cabina y a continuación metió la cabeza debajo del salpicadero. Desde el linde del bosque, Luchóg no pudo resistir más y encendió una cerilla en la oscuridad. Tras dar la primera calada al cigarrillo, tuvo que agacharse cuando unos perdigones acribillaron el aire por encima de su cabeza. El hombre volvió a disparar su escopeta mucho después de que mi amigo hubo desaparecido, riéndose y tosiendo, en el corazón del bosque.

Después de aquellos incidentes, Béka coartó nuestra libertad. No se nos permitía desplazarnos solos, ni podíamos estar en ningún camino durante el día. Restringió todas las incursiones que hacíamos en el pueblo para abastecernos de provisiones por miedo a que nos detectaran. Por el día, el zumbido de los motores y el *staccato* de los martillos resonaban desde nuestro antiguo hogar hasta el lugar donde habíamos acampado. Por la noche, un inquietante silencio lo invadía todo. Yo deseaba escapar con Mota a la biblioteca y su reconfortante intimidad. Echaba de menos mis libros y papeles, y disponía de escaso material: el cuaderno, un dibujo de la mujer del abrigo rojo y un puñado de cartas. Estaba aletargado y tampoco escribía, y el tiempo pasaba sin que quedara constancia de él. En cierto sentido, el tiempo había dejado de existir.

Para recolectar comida, Ragno, Zanzara y yo cosimos juntos una tosca red y, después de muchas pruebas y errores, conseguimos atrapar a un par de urogallos. La tribu realizó una ceremonia de desplumadura en la que ataron fajos de plumas y se las pusieron en el pelo como si fueran indios. Preparamos y condimentamos las aves y nos arriesgamos a hacer el primer fuego de la temporada, que nos permitió asar la comida y nos ofreció bienestar durante la noche fresca. Reunidos en un pequeño círculo, nuestras caras brillaban a la luz parpadeante de la lumbre, que dejaba a la vista las señales de fatiga e inquietud en nuestros ojos cansados, pero la comida resultó revitalizante. Mientras el fuego se consumía y nuestras barrigas se llenaban, una serena satisfacción se apoderó de nosotros, como una manta que nuestras madres ausentes hubieran echado sobre nuestros hombros.

Mientras se limpiaba la boca grasienta con la manga, Béka carraspeó para llamar nuestra atención. La cháchara y el ruido que hacíamos al sorber el tuétano de los huesos cesaron de inmediato.

—Hemos hecho enfadar a la gente, y no tendremos descanso durante mucho tiempo. Fue un error perder a aquel niño, pero lo peor de todo fue llevarlo al campamento.

Habíamos escuchado aquel discurso muchas veces, pero Cebollas, su favorita, hizo de bufón del rey.

—Pero ellos tienen a Igel. ¿Por qué están tan cabreados? —preguntó.

—Tiene razón. Ellos tienen a Igel. Es su Oscar —dijo Kivi, uniéndose al coro—. Pero nosotros ya no tenemos a uno de los nuestros. ¿Por qué deberían estar cabreados? Somos nosotros los que hemos salido perdiendo.

—No se trata del niño. Ellos nos encontraron, encontraron nuestro hogar, y ahora lo entierran debajo del asfalto. Saben que estamos aquí. No dejarán de buscarnos hasta que nos encuentren y nos saquen de este bosque. Hace cien años, en estas montañas había coyotes, lobos, leones. Cada primavera el cielo se llenaba de bandadas de palomas migratorias. Los pájaros azules vivían entre nosotros, y los arroyos y los ríos estaban repletos de peces, sapos y tortugas de agua dulce. No era raro ver a un hombre con cientos de pieles de lobo secándose fuera de su granero. Mirad a vuestro alrededor. Ellos llegan, cazan y talan, y se lo llevan todo. Igel tenía razón: las cosas no volverán a ser lo mismo, y nosotros somos los siguientes.

Los que habían acabado de comer tiraron los huesos al fuego, que empezó a chisporrotear y crepitar con la grasa. Estábamos hartos de tanta desolación y oscuridad. Mientras escuchaba a nuestro nuevo líder y su mensaje, me fijé en que algunos de nosotros no aceptábamos su sermón. Empezaron a circular susurros y murmullos alrededor del corro. Detrás del fuego, Smaolach no estaba prestando atención, y se entretenía dibujando en el suelo con un palo.

—¿Crees que sabes más que yo? —le chilló Béka—. ¿Sabes lo que hay que hacer y cómo mantenernos con vida?

Smaolach siguió sin levantar la mirada y clavó la punta del palo en la tierra.

—Yo soy el mayor —continuó Béka—. Me corresponde ser el nuevo líder, y no pienso aceptar que nadie desafíe mi autoridad.

Mota alzó la voz en actitud defensiva.

—Nadie cuestiona las normas… ni tu liderazgo.

Mientras seguía trazando su mapa, Smaolach habló tan bajo que casi nadie le oyó.

—Simplemente estoy enseñando a mis amigos nuestra nueva posición, que he estimado a partir del tiempo que llevamos desplazándonos y del cálculo de las estrellas del cielo. Te has ganado el derecho a ser nuestro líder y a decirnos adónde debemos ir.

Soltando un gruñido, Béka cogió a Cebollas de la mano y desapareció entre la maleza. Smaolach, Luchóg, Mota, Chavisory y yo nos arremolinamos alrededor del mapa mientras los demás se dispersaban. No recuerdo haber visto antes un mapa. Como sentía curiosidad por su funcionamiento y por lo que representaban todos los símbolos, me incliné hacia delante y examiné el dibujo, y deduje al instante que las líneas onduladas representaban vías fluviales —el río y el arroyo—, pero ¿qué había de la línea totalmente recta que cruzaba el río, los recuadros dispuestos en forma de cuadrícula y el borde dentado que separaba una gran figura ovalada y una X dibujada en la arena?

—A mi modo de ver —Smaolach apuntó al lado derecho del mapa—, está lo conocido y lo desconocido. La ciudad está hacia el este. Y, tal como huele el aire, me imagino que la ciudad está avanzando en dirección a nosotros. El este queda descartado. La pregunta es: ¿cruzamos el río hacia el sur? Si lo hacemos, nos aislaremos del pueblo. —Apuntó con el palo el grupo de cuadrados.

—Si vamos al sur, tendremos que cruzar el río cada vez que vayamos a buscar provisiones y ropa. El río es un sitio peligroso.

—Que se lo digan a Oscar Love —dijo Chavisory.

Luchóg propuso una alternativa.

—Pero no sabemos si al otro lado hay otro pueblo. Nadie lo ha visto. Yo digo que busquemos un sitio al otro lado del río.

—Tenemos que estar cerca del agua —comenté, y puse el dedo sobre las líneas onduladas.

—Pero no en el agua —sostuvo Mota—. Yo digo que vayamos al nordeste, pegándonos al arroyo o siguiendo el río hasta que gire. —Le quitó el palo de la mano a Smaolach y dibujó la zona donde el río formaba un recodo hacia el norte.

—¿Cómo sabes que el río gira? —preguntó Chavisory.

—He estado allí.

Miramos a Mota asombrados, como si hubiera visto los confines del mundo. Ella nos miró fijamente, haciendo frente a cualquier actitud desafiante o incrédula por nuestra parte.

—Está a dos días de aquí. O podríamos buscar un sitio cerca del arroyo. Algunos años se seca en agosto y septiembre, pero podríamos construir un depósito.

Recordando nuestro escondite debajo de la biblioteca, dije lo que pensaba.

—Yo voto por ir al arroyo. Cada vez que necesitemos provisiones, podemos seguirlo desde las montañas hasta el pueblo. Si es que llegamos tan lejos…

—Tiene razón —dijo Luchóg, tocándose en el pecho y la bolsita vacía que llevaba debajo de la camisa—. Necesitamos cosas del pueblo. Vamos a decirle a Béka que queremos quedarnos a la orilla del arroyo. ¿De acuerdo?

Béka estaba tumbado roncando, con la boca abierta y el brazo echado por encima de Cebollas, que se hallaba a su lado. Ella oyó que nos acercábamos, abrió los ojos de golpe, sonrió y se llevó un dedo a los labios para que no hiciéramos ruido. Si hubiéramos seguido su consejo, tal vez lo habríamos cogido en mejor momento y de un humor más generoso, pero Mota no tenía paciencia. Le dio una patada en el pie y lo despertó de su sueño.

—¿Qué queréis ahora? —rugió él mientras bostezaba. Desde su ascensión al liderazgo, Béka intentaba parecer mayor de lo que era. Trató de resultar amenazante poniéndose en pie.

—Estamos hartos de esta vida —dijo Mota.

—De no dormir dos noches en la misma cama —dijo Chavisory.

—Yo ni siquiera he vuelto a fumar desde que aquel hombre estuvo a punto de dispararme a la cabeza.

Béka se acarició la cara con la mano, considerando nuestras

demandas en medio de la bruma de su modorra. Empezó a pasearse delante de nosotros dando dos pasos a la izquierda, girando y dando otros dos a la derecha. Al detenerse y cruzar los brazos detrás de la espalda, demostró que prefería no mantener aquella conversación, pero nosotros no hicimos caso de su silenciosa negativa. Una brisa agitó las ramas superiores de los árboles.

Smaolach se acercó a él.

—En primer lugar, nadie respeta y admira tu liderazgo más que yo. Nos has protegido del peligro y nos has sacado de la oscuridad, pero necesitamos encontrar un nuevo campamento, y no vagar sin rumbo fijo. Necesitamos tener agua cerca y poder volver a la civilización. Hemos decidido…

Béka atacó como una serpiente y le impidió acabar la frase. Rodeó el cuello de Smaolach con los dedos y apretó hasta que mi amigo cayó de rodillas.

—Yo decido. Vosotros decidís escuchar y obedecer. Se acabó.

Chavisory acudió corriendo en defensa de Smaolach, pero nuestro líder la apartó dándole una bofetada de revés en plena cara. Cuando Béka soltó a Smaolach, este se cayó al suelo, respirando con dificultad. Dirigiéndose a nosotros tres, que seguíamos allí de pie, Béka apuntó al cielo con el dedo y dijo:

—Yo me encargaré de buscarnos un hogar. No vosotros.

Y cogiendo a Cebollas de la mano, se internó en la noche con paso resuelto.

Miré a Mota en busca de consuelo, pero ella tenía los ojos clavados en el lugar de la violenta escena, como si estuviera fraguando su venganza.

21

Yo soy la única persona que sabe realmente lo que pasó en el bosque. La historia de Jimmy me aclaró el misterio del ahogamiento de Oscar Love y su milagrosa reaparición varios días más tarde. Naturalmente, habían sido los suplantadores, y todas las pruebas confirmaban mi sospecha de que se había producido un intento fallido de secuestrar al niño. El cadáver correspondía a un suplantador, un viejo amigo mío. Podía visualizar la cara del siguiente en la lista, pero sus nombres se habían borrado. Durante mi estancia allí, me había pasado la vida imaginando el día en que empezaría mi vida en el mundo de arriba. Conforme pasaban las décadas, el reparto había ido variando a medida que cada individuo se convertía en suplantador, encontraba a un niño y ocupaba su lugar. Con el tiempo había llegado a guardar rencor a cada uno de ellos y a hacer caso omiso de cada nuevo miembro de nuestra tribu. Intentaba olvidarlos a todos deliberadamente. ¿He dicho que un amigo mío había muerto? Yo no tenía amigos.

Pese a que la idea de que hubiera un diablo menos en el bosque me llenaba de alegría, me preocupaba la descripción que Jimmy había hecho del pequeño Oscar Love, y esa noche soñé con un niño solitario como él en un salón anticuado. Una pareja de pinzones volaban como flechas en una jaula de hierro. Había un samovar reluciente. En la repisa de la chimenea reposaba una hilera de libros encuadernados en piel con títulos extranjeros en letras góticas y doradas. Las paredes del salón estaban empapeladas de color carmesí, unas gruesas cortinas oscuras impedían que entrase el sol, y había un curioso sofá cubierto con un tapete bordado con dibujo de rejilla. Hacía una tarde húmeda y el niño estaba solo en la habitación; pero, a pesar del calor, llevaba unos pantalones de lana y unas botas, una camisa azul almidonada y una enorme pajarita que parecía un lazo de Navidad. El pelo largo le caía en forma de ondas y rizos, y se hallaba encorvado sobre un piano, hechizado por el teclado mientras practicaba tenazmente. Por detrás de él se acercó sigilosamente otro niño, con el mismo pelo y constitución, pero desnudo. El pianista siguió tocando, ajeno a la amenaza. Otros duendes aparecieron sigilosamente detrás de las cortinas y debajo del sofá; salieron del entablado y del papel de la pared avanzando como si fueran humo. Los pinzones se pusieron a gritar y se estrellaron contra los barrotes de hierro. El niño se detuvo en una nota y giró la cabeza. Yo lo había visto antes. Entonces lo atacaron todos juntos: uno tapándole la nariz y el cuello, otro sacándole las piernas, un tercero sujetándole los brazos a la espalda. Al otro lado de la puerta cerrada se oyó una voz de hombre:

—*Was ist los?*

Sonó un golpe, y la puerta se abrió. En el vano apareció la figura de un hombre corpulento con un extravagante bigote.

—*Gustav?*

El padre se puso a gritar mientras varios trasgos corrían a refrenarlo y otros se llevaban a su hijo.

—*Ich erkenne dich! Du willst nur meinen Sohn!*

Todavía podía sentir la furia de sus ojos, la pasión de su ataque. ¿Dónde estaba mi padre? Una voz penetró en el sueño diciendo «Henry, Henry», y me desperté con la funda de la almohada empapada y las sábanas retorcidas. Tras contener un bostezo, grité en dirección al piso de abajo que estaba cansado y que más valía que fuese algo importante. Mi madre me contestó gritando a través de la puerta que me llamaban por teléfono y que ella no era mi secretaria. Me puse la bata y bajé.

—Soy Henry Day —gruñí al auricular.

Ella se rió.

—Hola, Henry. Soy Tess Wodehouse. Te vi en el bosque.

No podía imaginarse los motivos de mi embarazoso silencio.

—Cuando encontraron al niño. El primero. Yo estaba con la ambulancia.

—Claro, la enfermera. Tess, Tess, ¿qué tal estás?

—Jimmy Cummings dijo que te llamara. ¿Te apetecería quedar en alguna parte más tarde?

Acordamos reunirnos después de su turno, y me hizo anotar las señas de su casa. Al pie de la hoja garabateé el nombre «Gustav».

Ella abrió la puerta y salió al porche, y la luz del sol de la tarde salpicó su cara y su vestido de verano amarillo. Cuando salió de entre las sombras estaba deslumbrante. Al volver la vista atrás, parece como si de repente me hubiera dejado ver detalles que yo llegaría a adorar: las motas asimétricas de los colores de sus iris, la vena azul que ascendía por su sien derecha y palpitaba cual semáforo de la pasión, la súbita efusividad de su sonrisa torcida. Tess pronunció mi nombre y logró que pareciese auténtico.

Nos fuimos en coche, mientras el viento que entraba por la ventanilla abierta le agitaba el pelo y lo hacía volar sobre su cara. Cuando se reía, echaba la cabeza atrás, alzando la barbilla hacia el cielo, y me moría de ganas de besar su precioso cuello. Yo conducía como si tuviéramos un destino fijado, pero en nuestro pueblo no había ningún lugar concreto al que ir. Tess bajó la radio y estuvimos charlando. Me habló de su vida en la escuela pública y luego en la universidad, donde había estudiado enfermería. Yo le conté todo sobre la escuela parroquial y mis estudios abandonados de música. A pocos kilómetros del pueblo habían abierto un nuevo garito donde preparaban pollo frito, de modo que nos llevamos un recipiente lleno. Paramos en el bar de Oscar a robar una botella de sidra. Comimos en el patio de un colegio, en el que no había nadie en verano excepto una pareja de cardenales posados en el laberinto de metal para los niños, y los pájaros nos dieron una serenata con su canción de ocho notas.

—Me parecías un bicho muy raro, Henry Day. Cuando estábamos juntos en la escuela primaria, debiste de cruzar dos palabras conmigo. O ninguna. Estabas tan distraído..., como si oyeras una canción en tu cabeza que nadie más pudiera oír.

—Sigo siendo así —le dije—. A veces, cuando voy caminando por la calle o estoy callado, toco una melodía, me imagino que tengo los dedos en las teclas y puedo oír las notas con toda claridad.

—Parece como si estuvieras en otra parte, a kilómetros de distancia.

—No siempre. Ahora no.

Su rostro se iluminó y cambió.

—Es raro, ¿verdad? Lo de ese niño, Oscar Love. O debería decir lo de esos dos niños, parecidos como dos gotas de agua.

Intenté cambiar de tema.

—Mis hermanas son gemelas.

—¿Cómo lo explicas?

—Ha pasado mucho tiempo desde que di biología en el instituto, pero cuando un óvulo se divide...

Ella se chupó los dedos.

—No me refiero a los gemelos. Estoy hablando del niño ahogado y del que se perdió.

—Yo no tenía relación con ninguno de ellos.

Tess bebió un sorbo de vino y se limpió las manos con una servilleta.

—Eres de lo más raro, pero es lo que me gusta de ti, incluso cuando éramos niños. Desde el primer día que te vi en la guardería.

Deseé sinceramente haber estado allí aquel día.

—Y cuando era una niña, quería oír tu canción, la que está sonando en tu cabeza ahora mismo. —Se inclinó sobre la manta y me besó.

La llevé a casa al atardecer, la besé en la puerta y me fui a mi casa en un estado de ligera euforia. La casa resonaba como el interior de una concha vacía. Las gemelas habían salido, y mi madre estaba sola en el salón viendo la película de la semana en la televisión. Con las zapatillas cruzadas sobre la otomana y su bata abotonada hasta el cuello, me saludó sosteniendo una bebida en la mano derecha. Me senté en la silla situada junto al sillón y la miré atentamente por primera vez desde hacía años. Sin duda, nos estábamos haciendo mayores, pero ella había envejecido bien. Estaba mucho más robusta que cuando nos habíamos visto por primera vez, pero seguía siendo hermosa.

—¿Qué tal tu cita, Henry? —No apartó los ojos del televisor.

—Genial, mamá, muy bien.

—¿Vas a volver a verla?

—¿A Tess? Eso espero.

Un anuncio interrumpió la película, y se volvió para sonreírme entre sorbo y sorbo.

—Mamá, ¿no te...?

—¿Qué pasa, Henry?

—No sé. ¿No te sientes sola? Tú también podrías salir y tener alguna cita.

Ella se rió y pareció que tuviera menos años.

—Dime, ¿qué hombre iba a querer salir con un vejestorio como yo?

—No eres tan vieja. Y aparentas diez años menos de los que tienes.

—Resérvate los cumplidos para tu enfermera.

La película se reanudó.

—Yo creía…

—Henry, llevo una hora viendo esto. Déjame verlo hasta que se acabe.

Tess cambió mi vida; lo cambió todo. Después de nuestro picnic improvisado, estuvimos viéndonos a diario durante aquel maravilloso verano. Nos recuerdo sentados el uno al lado del otro en el banco de un parque, con la merienda sobre nuestro regazo, hablando bajo el sol radiante. Ella se volvía hacia mí, con la cara bañada de tal resplandor que tenía que protegerme los ojos para mirarla. Tess me contaba historias que me hacían desear escuchar más, para así poder conocerla y no olvidar ni una de sus frases. Adoraba cada roce casual, el calor que ella desprendía, el modo en que me hacía sentir vivo y plenamente humano.

El Cuatro de Julio Oscar cerró el bar e invitó a casi medio pueblo a un picnic a la orilla del río. Había organizado la celebración en agradecimiento a todas las personas que habían ayudado en la búsqueda y rescate de su sobrino: los policías y bomberos, los médicos y las enfermeras, todos los compañeros de colegio y profesores del pequeño Oscar, los voluntarios —como yo, Jimmy y George—, los Love y todos sus familiares, un sacerdote o dos vestidos de paisano, y los inevitables parásitos. Se encargó un gran festín. Cerdo asado, pollo, hamburguesas, perritos calientes. Maíz y sandías traídas desde el sur. Barriles de cerveza, botellas de alcohol, barras de hielo y refrescos para los pequeños y una tarta preparada especialmente en la ciudad para la ocasión: era del tamaño de una mesa entera, estaba glaseada con color rojo, blanco y azul, y tenía un GRACIAS escrito en brillantes letras doradas. La fiesta empezó a las cuatro de la tarde y duró hasta bien entrada la noche. Cuando oscureció un grupo de bomberos lanzó fuegos artificiales, bengalas que se iban apagando y unas velas que explotaban y silbaban cuando tocaban el agua. Nuestro pueblo, como muchos otros lugares de Estados Unidos por aquella época, estaba dividido por la guerra, pero nos olvidamos de Vietnam y las protestas por respeto a la celebración.

Aquella noche, con el calor lánguido, Tess estaba deliciosa, luciendo una sonrisa elegante y una luz radiante en los ojos. Conocí a todos sus compañeros de trabajo, los médicos adinerados, un grupo de enfermeras, y demasiados bomberos y policías bronceados que se pavoneaban. Después de los fuegos artificiales, ella se fijó en que su antiguo novio estaba presente en compañía de una chica e insistió en que los saludáramos. Yo no conseguía quitarme de encima la sensación de que lo conocía de mi vida anterior.

—Henry, ¿te acuerdas de Brian Ungerland? —Nos estrechamos la mano, y él nos presentó a los dos a su nueva novia. Las mujeres se escabulleron a intercambiar impresiones.

—Vaya, Ungerland. Es un apellido poco común.

—Es alemán. —Bebió un sorbo de su cerveza y se quedó mirando a las mujeres, que estaban riéndose de forma excesivamente confidencial.

—¿Tu familia es de Alemania?

—Emigraron hace mucho tiempo. Mi familia lleva en el pueblo cien años.

Una ristra aislada de petardos estalló en una serie de explosiones.

—Vinieron de un sitio llamado Eger, creo, pero como he dicho, eso fue en otra vida. ¿De dónde es tu familia, Henry?

Le conté una mentira y lo examiné mientras escuchaba. Sus ojos me brindaron una pista, la disposición de su mandíbula, la nariz aguileña. Con un bigote de foca y unas cuantas décadas más de edad, Ungerland sería la viva imagen del hombre que había aparecido en mis sueños. El padre. El padre de Gustav. Descarté la idea considerándola la extraña combinación de mis inquietantes pesadillas y la ansiedad de ver al ex novio de Tess.

Jimmy Cummings se acercó sigilosamente por detrás y me dio un susto de muerte. Se rió de mi sobresalto y señaló la cinta que llevaba colgando alrededor del cuello.

—¡Héroe por un día! —gritó, y no pude menos que sonreír ampliamente.

El pequeño Oscar, como siempre, parecía un poco atónito por toda la atención que se le prestaba, pero sonreía a los extraños que le revolvían el pelo y a las mujeres que se inclinaban para besarlo en la mejilla. La cálida velada transcurrió a cámara lenta en medio de una gran alegría; era la clase de día que uno recuerda cuando se siente triste. Los niños y las niñas perseguían a las luciérnagas dando vueltas como locos. Adolescentes huraños de cabello largo se pasaban una pelota con policías con la cara roja y el pelo cortado al rape. En plena noche, cuando muchos ya se habían ido a casa, Lewis Love me retuvo durante un largo rato negándose a dejarme marchar. No me enteraba de la mitad de lo que me estaba diciendo porque no apartaba la vista de Tess, que se hallaba enfrascada en una animada conversación con su ex novio bajo un olmo oscuro.

—Tengo una teoría —dijo Lewis—. Él tenía miedo después de haber estado allí fuera toda la noche y oyó algo. No sé, un mapache o un zorro, ¿vale? Así que se escondió en un agujero, pero allí dentro hacía mucho calor y le entró fiebre.

Tess alargó la mano y tocó a Ungerland en el brazo, y se echaron a reír, pero la mano no se movió de allí.

—Así que tuvo ese sueño tan raro…

Estaban mirándose y Oscar, el grande, ajeno al final de la fiesta, los abordó y se unió a su conversación. Se encontraba borracho y feliz, pero Tess y Brian estaban mirándose a los ojos, con expresión muy seria, como si estuvieran intentando comunicarse algo sin pronunciar palabra.

—Yo personalmente creo que solo era un viejo campamento de hippies.

Me entraron ganas de decirle que se callara. Ahora la mano de Ungerland se hallaba en el bíceps de ella, y todos se reían. Ella se tocó el pelo y asintió con la cabeza a lo que él estaba diciendo.

—… el otro niño era un fugitivo, pero aun así fue una lástima…

Ella miró hacia atrás en dirección a mí, sonrió y me saludó con la mano, como si no hubiera pasado nada. Le sostuve la mirada un instante y atendí a Lewis.

—… pero nadie cree en los cuentos de hadas, ¿verdad?

—Tienes razón, Lewis. Creo que tu teoría es correcta. Es la única explicación posible.

Antes de que él tuviera ocasión de darme las gracias o pronunciar otra palabra, ya me había alejado cinco pasos de él en dirección a Tess. Oscar y Brian repararon en que me acercaba a ellos y dejaron de sonreír. Al no encontrar nada mejor que mirar, se pusieron a contemplar las estrellas. Yo no les hice caso y susurré a Tess al oído, y ella me rodeó la espalda con el brazo por debajo de la camisa, y tragó círculos en mi piel con sus uñas.

—¿De qué estabais hablando, chicos? ¿De algo divertido?

—Estábamos hablando de ti —dijo Brian.

Oscar miró su botella y gruñó.

Me llevé a Tess de allí, y ella apoyó la cabeza en mi hombro sin mirar hacia atrás. Me condujo al bosque, hacia un lugar apartado de la gente, y se tumbó sobre la hierba y los helechos altos. El aire suave y denso arrastraba el sonido de las voces, pero su proximidad hacía que el momento resultara todavía más excitante. Se sacó los pantalones cortos y me desabrochó el cinturón. Podía oír a un grupo de hombres riéndose cerca del río. Me besó en el vientre y me quitó los pantalones cortos bruscamente. Alguien estaba cantando a su amor lejos de allí, y la brisa transportaba su melodía. Me sentía ligeramente borracho y de repente me entró mucho calor, y por un instante me pareció oír que alguien se aproximaba entre los árboles. Tess se colocó encima de mí, marcando nuestros movimientos, mientras su largo cabello le caía hacia delante enmarcándole el rostro, y me miró fijamente a los ojos mientras se mecía hacia delante y atrás. Las carcajadas y las voces se fueron apagando, los motores de los coches arrancaron y la gente se deseó buenas noches. Metí la mano debajo de su camisa. Ella no apartó la mirada.

—¿Sabes dónde estás, Henry Day?

Cerré los ojos.

—¿Sabes quién eres, Henry Day?

Su pelo se derramó sobre mi cara. Alguien tocó el claxon de un coche y y se marchó a toda velocidad. Ella inclinó la pelvis y me introdujo dentro de ella.

—Tess.

Volví a pronunciar su nombre. Alguien tiró una botella al río y agitó la superficie del agua. Ella descendió y apoyó los brazos, y permanecimos tumbados el uno junto al otro, ardientes al contacto. Le besé la nuca. Jimmy Cummings gritó: «¡Adiós, Henry!» desde el merendero. Tess soltó una risita, se apartó de mí dándose la vuelta y volvió a ponerse la ropa. Yo observé cómo se vestía y no reparé en que, por primera vez desde hacía mucho tiempo, no tenía miedo del bosque.

22

Teníamos miedo de lo que pasaría después. Vagamos por el bosque bajo el mando de Béka, sin acampar en el mismo sitio más de tres noche seguidas. El hecho de tener que esperar a que Béka tomara una decisión provocó mal ambiente entre nosotros. Nos peleábamos por la comida, el agua y los mejores sitios para dormir. Ragno y Zanzara descuidaban el aseo más básico; llevaban el pelo enmarañado como si tuvieran enredaderas en la cabeza, y su piel se oscureció bajo una capa de suciedad. Chavisory, Blomma y Kivi guardaban un silencio airado, y eran capaces de pasarse días seguidos sin hablar. Desesperado sin su tabaco y sus distracciones, Luchóg saltaba a la menor provocación y habría llegado a los puños con Smaolach de no haber sido por la moderada disposición de su amigo. A menudo me encontraba a Smaolach después de sus discusiones, mirando al suelo y arrancando puñados de hierba de la tierra. Mota se volvió más distante, replegándose en sí misma, y cuando propuso que estuviésemos a solas un momento, me reuní gustosamente con ella lejos de los demás.

Durante aquel veranillo de San Martín, los días seguían siendo calurosos a pesar de que la luz cada vez duraba menos, y la segunda primavera no solo trajo consigo un nuevo florecimiento de las rosas silvestres y otras flores, sino también otra cosecha de bayas. Con aquella inesperada abundancia, las abejas alargaron su vida y su búsqueda frenética de dulces. Los pájaros aplazaron la migración hacia el sur. Incluso los árboles retrasaron el brote de sus hojas, pasando de unos tonos oscuros y saturados a unos matices más claros de verde.

—Aniday —dijo Mota—, escucha. Ahí vienen.

Estábamos sentados en el borde de un claro, sin hacer nada, impregnándonos de aquel sol extraordinario. Mota levantó la cabeza hacia el cielo para contemplar la sombra de unas alas que se agitaban por el aire. Cuando todos los mirlos se hubieron posado, desplegaron en abanico sus colas mientras desfilaban hacia las frambuesas silvestres y saltaron a una maraña de brotes para atracarse. Su parloteo resonaba en la cañada. Ella me rodeó la espalda con el brazo y me puso la mano en el hombro, y a continuación apoyó la cabeza en mí. La luz del sol danzaba formando dibujos en el suelo salpicado de hojas que volaban con el viento.

—Fíjate en ese.

Mota habló en voz queda, apuntando con el dedo a un mirlo que se esforzaba por llegar a una gruesa baya roja situada en el extremo de un tallo doblado. El pájaro perseveró, sujetó el tallo contra el suelo, atravesándolo con sus patas puntiagudas y ganchudas, y acto seguido atacó la baya de tres rápidos picotazos. Después de comer, el mirlo empezó a cantar y luego se marchó volando, mientras la luz moteada hacía brillar sus alas. Entonces la bandada alzó el vuelo y siguió al mirlo en aquella tarde de principios de octubre.

—Cuando llegué aquí —confesé a Mota— tenía miedo de los cuervos que volvían cada noche a los árboles de alrededor de casa.

—Llorabas como un bebé. —Su voz se suavizó y habló más despacio—. Me pregunto cómo debe de ser sujetar a un bebé en los brazos, sentirse como una mujer adulta y no como un montón de palos y huesos. Recuerdo que mi madre estaba muy blanda en algunas partes inesperadas: más redonda, más llena, más mullida. Era más fuerte de lo que uno esperaría a simple vista.

—Cuéntame cómo era mi familia. ¿Qué pasó conmigo?

—Cuando eras un niño —empezó— yo te vigilaba. Tú estabas bajo mi cuidado. Conocía a tu madre; a ella le gustaba acunarte en su regazo mientras te leía viejos cuentos irlandeses y te llamaba su «hombrecito». Pero eras un niño egoísta, siempre querías más, y te desesperaba ver que prestaban más atención a tus hermanas pequeñas.

—¿Hermanas? —pregunté, incapaz de recordar.

—Gemelas. Unas niñas.

Agradecí que ella me confirmase que eran dos.

—Te molestaba tener que ayudar a cuidarlas, te enfadabas por no poder disponer de tu tiempo para hacer lo que te apeteciese. Oh, menudo mocoso eras tú. Tu madre cuidaba de las gemelas, se preocupaba por tu padre y no tenía a nadie que la ayudase. Estaba rendida, y eso hacía que te enfadases todavía más. Eras un niño desgraciado...

Se le fue la voz por un instante y puso la mano en mi brazo.

—Él te esperaba como un zorro en la orilla del estanque, y cometía toda clase de travesuras en la granja: tiraba la valla, robaba una gallina, rompía las sábanas que se estaban secando en el tendedero. Quería tu vida, y cuando a alguien le llega el turno no admite discusión. Durante meses todos los ojos estuvieron puestos en ti, esperando un arranque de mal genio. Y entonces, un día te escapaste de casa.

Mota me atrajo hacia sí, deslizó los dedos por mi pelo y apoyó mi cabeza en la curva de su cuello.

—Tu madre te pidió que lavases a las niñas después de desayunar para que ella pudiera darse un baño rápido, pero tú las dejaste solas en la casa. Imagínatelo. «Y ahora quedaos aquí y jugad con vuestras muñecas. Mamá está en la bañera, y yo estaré ahí fuera, así que no arméis ningún lío.» Y saliste a lanzar una pelota al cielo soleado y a mirar cómo los saltamontes se dispersaban por la hierba mientras los perseguías. Yo quería ir a jugar contigo, pero alguien tenía que vigilar a los bebés. Entré rápidamente, me agazapé detrás de la encimera, con la esperanza de que no se fijasen en mí ni se hicieran daño. Estaban en esa fase de curiosidad de los niños, y podrían haber estado abriendo armarios, jugando con lejía y cera para muebles, manoseando matarratas o abriendo los cajones de la cubertería para hacer juegos malabares con los cuchillos, o abriendo el mueble bar y bebiéndose todo el whisky. Estaban en peligro, mientras ella estaba envolviéndose con su albornoz y cantando a la vez que se secaba el pelo.

»Entre tanto, tú llegaste al límite del bosque, esperando descubrir una sorpresa. Algo grande se movía entre la alfombra de hojas secas y la sombra de las ramas, rompiendo ramitas a medida que avanzaba en la penumbra. ¿Un conejo? ¿Tal vez un perro o un cervatillo? Tu madre bajó la escalera, te llamó tranquilamente y descubrió a las niñas bailando encima de la mesa totalmente solas. Tú estabas mirando en dirección a los senderos. Una mano fuerte te agarró del hombro por detrás y te hizo dar la vuelta. Allí estaba tu madre, con el pelo chorreando y cara de cabreo.

»"¿Cómo has podido desaparecer así?", preguntó. Detrás de ella, se podía ver a las gemelas dando pasitos por el césped. En el puño cerrado tenía una cuchara de madera, y, consciente del peligro que corrías, escapaste, y ella te persiguió riéndose todo el rato. Al llegar al límite de tu mundo, te tiró del brazo y te pegó tan fuerte en el trasero que la cuchara se partió por la mitad.

Mota seguía abrazándome fuerte.

—Pero siempre fuiste un diablillo. Te dolía el trasero, y te propusiste darle un escarmiento. Ella preparó la comida, pero te negaste a tocarla. Te quedaste en un silencio glacial. Cuando ella llevó a las niñas a dormir la siesta, sonrió y tú frunciste el ceño. Entonces envolviste algo de comida en un pañuelo, te lo metiste en el bolsillo y saliste de la casa sin hacer ruido. Yo te seguí durante toda la tarde.

—¿Tenía miedo de estar solo?

—Curiosidad, diría yo. Un arroyo seco corría paralelo a la carretera a lo largo de varios cientos de metros antes de meterse en el bosque, y seguiste su cauce, escuchando parlotear de vez en cuando a los pájaros y viendo a las ardillas dando saltos entre la basura. Oí a Igel hacer señas a Béka, que silbó a nuestro líder. Mientras tú estabas sentado en la orilla llena de hierba, comiendo una de las galletas y el resto de los huevos fríos, ellos se reunieron para ir a cogerte.

—Cada vez que se movían las hojas —le dije— era como si un monstruo fuese a salir para abalanzarse sobre mí.

—Al este del lecho del arroyo había un viejo castaño, agrietado y marchito de arriba abajo. Un animal había excavado una gran madriguera hueca, y te entraron ganas de meterte dentro a mirar. La humedad y la oscuridad debieron de adormecerte. Yo estuve fuera todo el rato, escondida, cuando las personas que te buscaban estuvieron a punto de topar contigo. Las linternas guiaban sus siluetas oscuras, que se movían como fantasmas por el aire denso. Pasaron de largo, y al poco rato sus gritos se perdieron en la distancia y se desvanecieron en el silencio.

»Poco después de que la gente desapareció, las hadas y los elfos llegaron corriendo desde todas las direcciones y se pararon delante de mí, la centinela del árbol. El suplantador jadeaba. Se parecía tanto a ti que contuve la respiración y me entraron ganas de gritar. Metió una parte del cuerpo en el agujero, te agarró del tobillo y tiró de ti.

Mota me abrazó y me besó la cabeza.

—Si cambio otra vez, ¿volveré a verte? —le pregunté.

A pesar de mis preguntas, ella se negó a contarme más de lo que consideraba que yo debía saber, y al cabo de un rato nos pusimos a coger bayas. Aunque los días recordaban a los de pleno verano, es imposible detener la inclinación de la Tierra respecto al Sol. La noche cayó de repente. Volvimos caminando bajo los planetas y las estrellas que aparecían en el cielo, y la pálida luna ascendente. Al regresar nos recibieron con medias sonrisas, y me pregunté por qué los delgados niños de nuestro cuartel general provisional no estaban contemplando los mirlos y soñando despiertos. Había gachas de avena borboteando en la lumbre, y el grupo comía en cuencos de madera con cucharas de madera que lamían hasta dejar limpias. Descargamos de los faldones de nuestras camisas las frambuesas que habíamos cogido, y un olor a ambrosía escapó de los frutos. Los demás se los metieron en la boca, sonriendo, masticaron y se mancharon los labios del color rojo de los besos.

Al día siguiente, Béka anunció que había encontrado un nuevo hogar, «un lugar inaccesible para todo el mundo menos para los humanos más intrépidos, un refugio donde estaríamos a salvo». Nos hizo subir por una montaña escarpada y desierta, arañando la pizarra y el esquisto de una cara suelta que se estaba descomponiendo; el montón de tierra más inhóspito que a uno le gustaría encontrar. No había señales de vida, ni árboles ni plantas de ninguna clase aparte de unas cuantas hierbas nocivas que asomaban entre los desechos. Ningún pájaro se posaba allí, ni siquiera a descansar un instante, ni tampoco ningún insecto volador, aunque poco después descubriríamos la presencia de murciélagos. No había huellas salvo las de nuestro líder. Aquel lugar ofrecía escaso agarre a cualquier cosa que fuese más grande que nuestra fatigada banda. Mientras trepábamos, me preguntaba cómo se le había ocurrido a Béka explorar un sitio como aquel, y no digamos ya considerarlo un hogar. Cualquier otro individuo habría echado un vistazo a aquel lugar devastado y habría pasado de largo con un escalofrío. Árido como la luna, el paisaje carecía de la más mínima emoción, y hasta que estuvimos casi encima de ella, no vi la grieta que había en la roca. Uno a uno, mis amigos pasaron por la rendija con dificultad, y la roca se los tragó. El paso del calor del veranillo de San Martín a la humedad de la entrada resultó tan repentino como zambullirse en una charca fría. Mientras mis pupilas se dilataban con la oscuridad, ni siquiera me di cuenta de a quién dirigía mi pregunta.

—¿Dónde estamos?

—Es una mina —dijo Mota—. El viejo pozo de una mina abandonada donde excavaban en busca de carbón.

Una luz pálida brilló en una antorcha recién encendida. Con la cara crispada en una mueca de extrañas e irreales sombras, Béka sonrió y nos dijo a todos con voz ronca:

—Bienvenidos a casa.

23

Debería haberme confesado a Tess desde el principio, pero ¿quién sabe cuándo empieza el amor? Sentía dos impulsos opuestos. No quería espantarla con la historia de los suplantadores, y sin embargo estaba deseando confiarle todos mis secretos. Pero parecía que un demonio me siguiera a todas partes y me tapara la boca para hacerme ocultar la verdad. Ella me daba muchas oportunidades para que abriera mi corazón y se lo contase, y un par de veces estuve a punto de hacerlo, pero en cada ocasión vacilaba y me detenía.

El Día del Trabajo estábamos en el estadio de béisbol de la ciudad, viendo un partido del equipo local contra el de Chicago. Yo estaba distraído observando al corredor del equipo rival en la segunda base.

—Bueno, ¿qué planes tienes para The Coverboys?

—¿Planes? ¿Qué planes?

—Deberíais grabar un disco. Sois muy buenos.

Ella atacó un perrito caliente con apetito. El *pitcher* de nuestro equipo logró que el bateador contrario no diera a la bola, y ella soltó un alarido. A Tess le encantaba aquel deporte, y yo lo soportaba por ella.

—¿Qué clase de disco? ¿Uno de versiones de otros músicos? ¿De veras crees que alguien compraría una copia cuando puede comprar el original?

—Tienes razón —dijo ella entre bocado y bocado—. Tal

vez podríais hacer algo nuevo y diferente. Componer vuestras propias canciones.

—Tess, las canciones que cantamos no son la clase de canciones que yo compondría.

—Está bien. Si pudieras componer cualquier clase de música del mundo, ¿por cuál te decidirías?

Me volví hacia ella. Tenía una pequeña mancha de salsa en la comisura de la boca, y yo deseaba quitársela de un suave mordisco.

—Si pudiera, compondría una sinfonía.

Ella sacó la lengua para limpiarse los labios.

—¿Y qué te lo impide, Henry? A mí me encantaría tener mi propia sinfonía.

—Tal vez si hubiera seguido en serio con el piano, o si hubiera acabado la carrera de música.

—¿Qué te impide volver a la universidad?

Nada en absoluto. Las gemelas habían acabado el instituto y estaban trabajando. Desde luego mi madre ya no necesitaba los pocos dólares que yo aportaba, y el tío Charlie de Filadelfia había empezado a llamarla casi a diario, expresando su interés por jubilarse en el pueblo. The Coverboys no iban a llegar a ninguna parte como grupo. Busqué una excusa razonable.

—Soy demasiado mayor para volver ahora. Cumpliré veintiséis años en abril, y los demás estudiantes tienen dieciocho. Están en una onda totalmente distinta.

—Uno tiene la edad que siente.

En aquel momento sentía que tenía ciento veinticinco años. Ella volvió a arrellanarse en su asiento y contempló el resto del partido sin decir ninguna palabra más sobre el tema. Esa tarde, de camino a casa, cambió la emisora de rock de la radio del coche y sintonizó una de música clásica, y cuando sonó una orquesta que tocaba a Mahler, apoyó la cabeza en mi hombro y cerró los ojos mientras escuchaba.

Tess y yo fuimos al porche y nos sentamos en el columpio,

y guardamos silencio durante un largo rato, mientras compartíamos una botella de sidra. A ella le gustaba oírme cantar, de modo que le canté, y luego no se nos ocurrió nada más que hacer. Su presencia a mi lado, la luna y las estrellas, los grillos que cantaban, las polillas que no se separaban de la luz del porche, la brisa que atravesaba el aire húmedo... Aquel momento ejerció un curioso influjo sobre mí, como si me hubiera hecho recordar unos sueños lejanos, no de aquella vida, ni de la del bosque, sino de la vida que había tenido antes del cambio. Como si el destino incumplido o el deseo amenazasen la ilusión que me había esforzado por crear. Para ser plenamente humano, tenía que ceder a mi verdadero carácter, al primer impulso.

—¿Crees que estoy loco —pregunté— por querer ser un compositor en estos tiempos? ¿Quién iba a querer escuchar mi sinfonía?

—Los sueños están ahí, Henry, y no puedes hacer que desaparezcan por mucho que lo desees, como tampoco puedes invocarlos. Tienes que decidir si quieres seguirlos o dejar que se desvanezcan.

—Supongo que, si no lo consigo, siempre podría volver a casa. Buscar trabajo. Comprar una casa. Llevar una vida normal.

Ella me cogió la mano entre las suyas.

—Si no vienes conmigo, echaré de menos verte cada día.

—¿A qué te refieres con lo de ir contigo?

—Estaba esperando el momento adecuado para decirte que me he matriculado. Las clases empiezan dentro de dos semanas, y he decidido sacarme el máster antes de que sea demasiado tarde. No quiero acabar siendo una vieja que no persiguió lo que quería.

Yo quería decirle que su edad no importaba, que la quería y que la querría dentro de dos, de veinte o de cien años, pero no dije nada. Ella me acarició la rodilla y se acurrucó junto a mí, y aspiré la fragancia de su pelo. Dejamos que la noche pasara. Un aeroplano cruzó el campo visual situado entre nosotros y la luna, creando la ilusión momentánea de que estaba pegado a la superficie lunar. Ella se quedó dormitando entre mis brazos y se despertó sobresaltada pasadas las once.

—Me tengo que ir —dijo Tess.

Me besó en la frente, y nos dirigimos al coche dando un paseo. La caminata pareció ayudarla a sacudirse la madorra inducida por el vino.

—Oye, ¿a qué hora tienes las clases? Si son por el día, podría llevarte en coche alguna vez.

—Buena idea. A lo mejor así te animas a volver a la universidad.

Me lanzó un beso, desapareció tras el volante y se marchó. La vieja casa me miraba y, en el jardín, los árboles se extendían hacia la luna amarilla. Subí arriba, absorto en la música de mi cabeza, y me fui a dormir a la cama de Henry, en la habitación de Henry.

Es un misterio para mí lo que impulsó a Tess a elegir el infanticidio. Había otras opciones: la rivalidad entre hermanos, la carga del primogénito, el hijo con complejo de Edipo, el padre ausente, etc. Pero ella escogió el infanticidio como tema de su tesis para el seminario sobre sociología de la familia. Y como la mayoría de los días yo no tenía nada que hacer salvo esperarla en el campus o conducir por la ciudad mientras ella estaba en clase, me ofrecí a ayudarla en su investigación. Cuando Tess acababa la última clase, ella y yo salíamos a tomar café o una copa, en un principio para planear cómo íbamos a abordar el trabajo sobre el infanticidio; pero, a medida que las reuniones progresaban, la conversación derivaba en mi regreso a la universidad y mi sinfonía aún por empezar.

—¿Sabes cuál es tu problema? —preguntó Tess—. Te falta disciplina. Quieres ser un gran compositor, pero no compones ninguna canción. Henry, el verdadero arte tiene menos que ver con todas esas chorradas de lo que uno quiere ser y más con la práctica. Simplemente toca, cariño.

Me puse a toquetear el asa de porcelana de mi taza de café.

—Es hora de que te pongas en marcha, Chopin, o dejes de engañarte y madures. Deja la barra del bar y vuelve a la universidad conmigo.

Traté de no dejar que mi frustración y mi resentimiento se notasen, pero ella me había separado del rebaño como si fuera un animal cojo. Volvió a atacar.

—Lo sé todo sobre ti. Tu madre es muy perspicaz y sabe bien quién es el verdadero Henry Day.

—¿Has hablado de mí con mi madre?

—Me ha dicho que pasaste de ser un niño sin preocupaciones a ser un adulto serio de la noche a la mañana. Cielo, tienes que dejar de vivir dentro de tu cabeza y vivir en el mundo real.

Me levanté de mi asiento y me incliné sobre la mesa para besarla.

—Y ahora cuéntame tu teoría que explica por qué los padres matan a sus hijos.

Trabajamos durante semanas en su tesis, reuniéndonos en la biblioteca o insistiendo sobre el tema cuando salíamos a bailar, al cine o a cenar. En más de una ocasión atrajimos una mirada de asombro de los extraños que teníamos cerca cuando discutíamos sobre el acto de matar a los niños. Tess se ocupó del marco histórico del asunto y yo investigué a fondo las estadísticas disponibles. Intentaba ayudarla buscando una teoría verosímil. En ciertas sociedades, se prefería a los niños por encima de las niñas para que trabajaran en el campo o colaboraran económicamente y, automáticamente, muchas niñas acababan asesinadas porque no eran deseadas. Pero, en las culturas menos patriarcales, el infanticidio era el resultado de la incapacidad de una familia para cuidar de un niño más en una época en que las familias eran numerosas y los recursos escasos: un método brutal de control de la natalidad. Durante semanas, Tess y yo le dimos vueltas a la forma en que los padres deciden a qué hijo van a salvar y a cuál van a abandonar. El doctor Laurel, que daba clases en el seminario, comentó que los mitos y el folclore podían proporcionar respuestas interesantes, y así fue como topamos con el artículo.

Un día, a media tarde, recorriendo las estanterías de libros, encontré el único ejemplar que había en nuestra biblioteca del *Journal of Myth and Society*, una publicación bastante reciente que había tenido un total de tres números. Me puse a hojear las páginas distraídamente cuando un nombre saltó de la hoja y me agarró del cuello. Thomas McInnes. Y luego, el título del artículo fue como un puñal en el corazón: «El niño robado».

Hijo de puta.

La teoría de McInnes afirmaba que en la Europa medieval los padres que engendraban a un niño enfermizo tomaban la decisión consciente de «reclasificar» a su hijo como algo que no era humano. Aseguraban que los demonios o los «duendes» habían aparecido en plena noche y habían secuestrado a su auténtico hijo y habían dejado en su lugar a uno de sus descendientes enfermizos, deformes o lisiados, cediendo a los padres la decisión de abandonar o criar a aquel diablo. Llamados *fairy children* o *changelings* en Inglaterra, *enfants changés* en Francia y *Wechselbalgen* en Alemania, aquellos niños diabólicos constituían ficciones o racionalizaciones de una anomalía en el desarrollo de un niño, o de otro defecto físico o mental de nacimiento. Nadie esperaba que alguien que tuviera un suplantador en su casa se lo quedase y lo criase como si fuera suyo. Los padres tenían derecho a deshacerse de la criatura deforme, y podían coger al niño de noche y dejarlo en el bosque. Si los duendes se negaban a rescatarlo, el pobre desgraciado acababa muriendo de frío o era fulminado por un animal salvaje.

El artículo describía varias versiones de la leyenda, incluido el culto al Galgo Sagrado practicado en Francia durante el siglo XII. Un día, un hombre llega a su casa y encuentra sangre en el hocico del sabueso al que ha confiado la protección de su hijo. Enfurecido, el hombre mata a golpes al perro y más tarde encuentra a su bebé sano y salvo y a una víbora muerta en el suelo junto a su cuna. Consciente del error que ha cometido, el hombre erige un santuario dedicado al «galgo santo» que protegió a su hijo de la serpiente venenosa. En torno a esa historia se desarrolló la leyenda de que las madres podían llevar a sus hijos con «enfermedades infantiles» a esos santuarios del bosque y dejarlos allí con una nota dirigida al santo patrón y protector de los niños: *À saint Guinefort, pour la vie ou pour la mort.*

«Esta forma de infanticidio, el asesinato deliberado de un niño basado en sus limitadas probabilidades de supervivencia», escribió McIness,

> pasó a formar parte de los mitos y el folclore que resistieron hasta bien entrado el siglo XIX en Alemania, las islas británicas y otros países europeos, y dicha superstición viajó con los emigrantes al Nuevo Mundo. En la década de los cincuenta del siglo XIX, una pequeña comunidad minera de Pensilvania Occidental informó de la desaparición de una docena de niños de distintas familias en las montañas que rodeaban la región. Y en áreas de los Apalaches, desde Nueva York a Tennesse, la leyenda local fomentó la creencia popular de que esos niños todavía vagan por los bosques.
>
> Un caso actual que ilustra las raíces psicológicas de la leyenda es el de un joven, Andrew, que sometido a hipnosis afirmó haber sido secuestrado por «trasgos». El inexplicable descubrimiento reciente de un niño no identificado, hallado ahogado en un río cercano, ha sido considerado obra de esos demonios. El joven informó que muchos de los niños desaparecidos en la zona eran raptados por los duendes y vivían sanos y salvos en el bosque próximo, mientras un suplantador ocupaba el lugar de cada niño y vivía la vida de ese niño en

la comunidad. Semejantes delirios, como el nacimiento del mito del suplantador, son evidentes formas de protección social para explicar el triste problema de la pérdida o el secuestro de niños.

No solo había contado mal la historia, sino que había utilizado mis palabras contra mí. Una llamada en «Andrew» remitía a una nota al pie:

Andrew (un nombre inventado) relató de un tirón una complicada historia de una subcultura de trasgos que, según él, vivían en una próxima zona arbolada y atrapaban a niños del pueblo desde hace más de un siglo. También afirmó que anteriormente había sido un niño humano llamado Gustav Ungerland que había llegado a la zona con sus padres, unos inmigrantes alemanes, en el siglo XIX. Y, lo que es más increíble, Andrew asegura que en su otra vida fue un niño prodigio de la música, una habilidad que le fue restituida cuando regresó al mundo de los humanos a finales de los años cuarenta de este siglo. Lamentablemente, su complicado relato es indicio de unos graves problemas del desarrollo de corte patológico que probablemente oculten algún abuso, trauma o negligencia ocurrido en los primeros años de la infancia.

Tuve que leer la última frase varias veces para que me quedara clara. Me entraron ganas de gritar, de localizarlo y de hacerle tragarse sus palabras. Arranqué las páginas de la publicación y tiré la maltrecha revista a la basura. «Mentiroso, farsante, ladrón», murmuré una y otra vez mientras me paseaba de un lado a otro entre las estanterías. Por suerte, no me encontré con nadie, pues quién sabe cómo habría descargado mi rabia. Anomalía en el desarrollo. Problemas psicológicos. Niños abandonados. McInnes no nos concedía a los suplantadores la más mínima credibilidad y le había dado la vuelta a toda la historia. Según él, íbamos a secuestrar a los niños a sus camas. Éramos tan reales como las pesadillas.

El tintineo del ascensor sonó como un disparo, y por la puerta abierta apareció la bibliotecaria, una mujer menuda con gafas ovaladas y el pelo recogido hacia atrás en un moño. Cuando vio mi aspecto desaliñado y agresivo, se quedó inmóvil, pero se dirigió a mí en tono tranquilizador.

—Estamos cerrando —me dijo—. Vas a tener que marcharte.

Me agaché bajo una hilera de libros, doblé las páginas del artículo de McInnes y me metí el fajo en la cazadora tejana. Ella empezó a caminar hacia mí, taconeando sobre el linóleo, e intenté alterar mi aspecto, pero mi antigua magia había desaparecido. Lo único que pude hacer fue pasarme los dedos por el pelo, erguirme y alisar las arrugas de mi ropa.

—¿No me has oído? —Se plantó justo delante de mí, como un junco inflexible—. Tienes que irte.

Observó cómo me marchaba. Al llegar al ascensor me giré para decirle adiós con la mano y vi que estaba apoyada en una columna, mirando fijamente como si estuviera al tanto de toda la historia.

Estaba cayendo una lluvia fresca, y llegaba con retraso a mi cita con Tess. Su clase había terminado horas antes, y ya deberíamos estar de camino a casa. Mientras bajaba la escalera a toda prisa, me pregunté si estaría furiosa conmigo, pero aquella preocupación no era nada comparada con la ira que albergaba hacia McInnes. Tess estaba debajo de la farola de la esquina, protegiéndose de la lluvia con un paraguas. Se dirigió a mí, me ofreció cobijo y se enganchó de mi brazo.

—Henry, ¿te encuentras bien? Estás temblando, cariño. ¿Tienes frío?

Me atrajo hacia ella para darme calor y mantenerme seco. Me puso sus manos calientes en la cara, y supe que aquella noche fría y húmeda era la mejor ocasión que iba a tener para declararme. Bajo el paraguas, le confesé que la quería. Era lo único que podía decir.

24

Vivíamos en el agujero negro, y la mina abandonada en la ladera de la montaña resultó ser un hogar terrible. Aquel primer invierno me sumí en un profundo letargo como no había conocido antes, y solo me levantaba cada dos o tres días para beber o probar algún bocado, y luego volvía a la cama. Casi todos los demás vivían en aquel estado de narcolepsia, una bruma que duró desde diciembre hasta marzo. La oscuridad nos envolvía con su húmedo abrazo, y durante muchas semanas no recibimos ni un rayo de sol. Las nevadas prácticamente precintaron el lugar, pero la entrada porosa permitía que el frío penetrara dentro. Las paredes goteaban y se helaban formando capas resbaladizas que se rompían en pedazos al presionarlas.

Al llegar la primavera salimos al mundo verde, hambrientos y delgados. En aquel territorio familiar, la búsqueda de comida se convirtió en una preocupación diaria. En la ladera no había más que escoria y esquisto e, incluso en plena estación, solo la hierba y el musgo más resistentes lograban aferrarse de forma endeble. Ningún animal se molestaba en buscar alimento allí. Béka nos advirtió que no nos alejásemos demasiado, de modo que nos apañábamos con lo que podíamos recoger en las proximidades: saltamontes y larvas, infusión de corteza, pechuga de petirrojo, una mofeta asada. Nos imaginábamos todo lo que nos estábamos perdiendo al no visitar el pueblo.

—Daría un colmillo por un poquito de helado —confesó Smaolach al final de una cena frugal—. O un buen plátano amarillo.

—Mermelada de frambuesa —dijo Mota— untada en una tostada calentita y crujiente.

Cebollas intervino:

—Chucrut y pies de cerdo.

—Espaguetis… —comenzó Zanzara.

—… con parmesano —concluyó Ragno.

—Una Coca-Cola y un cigarrillo. —Luchóg se tocó su bolsita vacía.

—¿Por qué no nos dejas ir? —preguntó Chavisory—. Ha pasado mucho tiempo, Béka.

El larguirucho déspota estaba sentado por encima de nosotros en un trono hecho con una caja de dinamita vacía. Se había negado a concedernos la libertad cada vez que se lo habíamos pedido, pero quizá él también se estuviera animando a medida que el tiempo mejoraba.

—Cebollas, llévate a Blomma y a Kivi contigo esta noche, pero volved antes del amanecer. No os acerquéis a las carreteras y no corráis riesgos. —Sonrió ante su propia benevolencia—. Y traedme una botella de cerveza.

Las tres chicas se levantaron al mismo tiempo y se marcharon sin demora. Béka debería haber sabido interpretar las señales y haber notado en sus huesos el cambio que se avecinaba, pero tal vez su sed pesaba más que su buen juicio. Una ola de frío avanzó por las montañas del oeste y topó con el aire cálido del mes de mayo, y al cabo de unas horas una espesa niebla se asentó en el bosque y se pegó a la oscuridad como una piel de melocotón. No podíamos ver más allá de lo situado un paso por delante de nosotros, y el manto invisible que se extendía entre los árboles provocó una sensación general de inquietud por nuestras amigas ausentes.

Una vez que los demás se retiraron a la oscuridad para dormir, Luchóg me hizo compañía en la entrada de la mina en una silenciosa vigilia.

—No te preocupes, tesoro. Mientras no puedan ver, tampoco podrán verlas. Encontrarán un buen escondite hasta que el sol se abra paso a través de la oscuridad.

Estuvimos observando y nos quedamos dormidos. En pleno sueño, nos despertó un ruido entre los árboles. El sonido aumentó en una onda frenética. Se oyó un ruido de ramas que se rompían, y un grito inhumano resonó y se apagó rápidamente. Escudriñamos la niebla, estirándonos en dirección al tumulto. Luchóg rascó una cerilla y encendió la antorcha que había en la entrada de la mina. Las ramitas chisporrotearon con la humedad, prendieron y se iluminaron. Alentados por el fuego, avanzamos con cautela hacia el lugar del que procedía el ruido y un tenue aroma a sangre en el suelo. Entre la niebla, dos ojos se reflejaron con la luz de la antorcha delante de nosotros y su fulgor nos hizo detenernos. Un zorro cerró las fauces y se llevó a su presa, y nos acercamos al lugar de la caza. Desplegadas en abanico como los cristales de un caleidoscopio, unas plumas con franjas blancas y negras se hallaban esparcidas sobre las hojas caídas. Mientras forcejeaba con el pesado pavo, el zorro se alejó arrastrándose, y encima de nosotros, en los árboles, vimos que las aves que habían sobrevivido se acurrucaban consolándose entre ellas.

Cebollas, Kivi y Blomma todavía no habían regresado cuando enseñé a Mota el sitio en el que el zorro había cazado al pavo. Ella escogió un par de plumas grandes y se las prendió en el pelo. «El último mohicano», dijo, y echó a correr dando alaridos al amanecer mientras yo la perseguía, y de esa forma nos entretuvimos durante el día. Cuando volvimos a última hora de la tarde, encontramos a Béka furioso paseándose. Las chicas no habían vuelto a casa, y se debatía entre mandar a un grupo de búsqueda y esperar dentro del pozo de la mina.

—¿Qué pretendes, reteniéndonos aquí? —inquirió Mota—.

Les dijiste que volvieran al amanecer. ¿Crees que Cebollas te desobedecería? Deberían haber vuelto hace horas. ¿Por qué no las estamos buscando?

Ella nos dividió a los ocho en parejas y nos indicó cuatro caminos de acceso distintos al pueblo. Para tranquilizar a Béka, Mota fue con él por la ruta más directa. Smaolach y Luchóg dieron la vuelta alrededor de nuestro antiguo territorio, y Ragno y Zanzara siguieron los transitados senderos de los ciervos.

Chavisory y yo tomamos un antiguo camino, creado probablemente por los indios, que avanzaba en paralelo al río, torciendo, bajando y subiendo conforme el agua seguía su curso serpenteante. Parecía más probable que Cebollas, Kivi y Blomma hubieran tomado otro camino que les ofreciera mayor cobijo, pero nos mantuvimos alerta por si advertíamos algún movimiento u otras señales de que habían pasado por allí, como huellas recientes o ramas rotas. A veces la maleza nos tapaba el paso, y salíamos a la orilla del río para recorrer breves trechos. Cualquiera que hubiera cruzado en coche el alto puente que unía la carretera con el pueblo podría habernos visto en la penumbra, y a menudo me preguntaba qué debíamos parecer desde tan alto. Hormigas, probablemente, o niños perdidos. Chavisory cantaba y tarareaba para sí una melodía sin letra que resultaba al mismo tiempo familiar y desconocida.

—¿Qué es esa canción? —le pregunté cuando paramos para orientarnos. A lo lejos, en el río, un remolcador empujaba una serie de lanchas en dirección a la ciudad.

—Chopin, creo.

—¿Qué es Chopin?

Ella soltó una risita y se enroscó un mechón de pelo entre los dedos.

—No es una cosa, bobo. Es una persona. Chopin compuso la música, o al menos eso dijo él.

—¿Quién lo dijo? ¿Chopin?

Ella se rió con fuerza y se tapó la boca con la mano libre.

—Chopin está muerto. Lo dijo el niño que me enseñó la canción. Dijo que es la obra «menestra» de Chopin.

—¿Quién es ese niño? ¿El que estuvo antes que yo?

Su actitud cambió, y apartó la vista en dirección a las barcazas que se alejaban. Incluso a la tenue luz que había, vi que se ruborizaba.

—¿Por qué no me lo dices? ¿Por qué nadie me habla nunca de él?

—Aniday, nunca hablamos de los suplantadores una vez que se han ido. Intentamos olvidarlo todo sobre ellos. No sirve de nada perseguir los recuerdos.

De repente se oyó un grito lejano; una breve alarma que nos indicó que debíamos darnos prisa y reunirnos. Pusimos fin a la conversación y seguimos el sonido. Ragno y Zanzara la encontraron primero, sola y gritando en una cañada desierta. Había pasado medio día vagando, demasiado confusa y agitada para encontrar el camino de vuelta a casa. Las otras parejas llegaron al cabo de unos minutos y recibieron la noticia, y Béka se sentó al lado de Cebollas y le echó el brazo sobre los hombros. Kivi y Blomma habían desaparecido.

Las tres chicas habían visto que la niebla se acercaba y habían acelerado el paso en dirección al pueblo, y habían llegado a las solitarias calles de las afueras cuando hacía peor tiempo. Las farolas y los letreros de los escaparates emitían un halo entre la nebulosa oscuridad, y sirvieron a las hadas de faros para orientarse por los vecindarios. Blomma les dijo a las otras dos chicas que no tuvieran miedo de ser vistas por la gente de las casas.

—Con esta niebla, somos invisibles —dijo.

Tal vez su temeraria confianza supuso su desgracia.

En el supermercado, robaron azúcar, sal, harina y una bolsa de rejilla con naranjas, y luego escondieron el botín en un callejón que había fuera de la tienda. Cuando entraron a hurtadillas por la parte de atrás, se sorprendieron al ver todos los cambios que se habían producido desde su última visita.

—Todo está cambiado —nos dijo Cebollas—. El surtidor de refresco, el mostrador y todas aquellas sillas redondas que daban vueltas. Y ya no hay puestos. Tampoco está el mostrador de los dulces, y los tubos grandes con caramelos de penique también han desaparecido. En lugar de eso, ahora hay más de todo. Jabón y champú, cordones de zapatos y una pared entera con tebeos y revistas. Y hay una fila entera de cosas para los bebés. Pañales hechos de plástico que se tiran a la basura, biberones y latas de leche. Y montones de esos tarros pequeños de comida triturada; todas tienen la misma foto de un niño monísimo. Compota de manzana, pera y plátano. Y puré de arroz con pollo y pavo. Kivi quería probar cada tarro, y estuvimos allí horas.

Me imaginaba a las tres, con la cara manchada de arándanos, hinchadas y despatarradas en el pasillo, con docenas de tarros vacíos esparcidos por el suelo.

Un coche paró fuera y aparcó delante de los ventanales. Una linterna brilló a través del cristal y recorrió lentamente el interior con su haz de luz. Al ver que el haz se acercaba, las chicas se levantaron de un salto, resbalaron en los charcos de guisantes y zanahorias, y mandaron los tarros rodando ruidosamente por el linóleo. La puerta principal se abrió, y dos policías entraron. Uno le dijo al otro:

—Aquí es donde él dijo que estarían.

Cebollas gritó a las chicas que corrieran, pero Kivi y Blomma no se movieron. Se quedaron una al lado de la otra en medio del pasillo de la comida de los bebés, cogidas de la mano, y esperaron a que los hombres se acercaran y las atraparan.

—No sé por qué —dijo Cebollas—. Es lo más terrible que he visto en mi vida. Yo di un rodeo por detrás de los hombres y vi a Kivi y Blomma cuando las luces las enfocaron en la cara. Parecía que estuvieran esperando que aquello pasara. El policía dijo: «Él tenía razón. Aquí hay alguien». Y el otro dijo: «Alto». Kivi cerró los ojos y Blomma se tocó la frente, pero no parecían nada asustadas. Casi daba la impresión de que estaban felices.

Cebollas se deslizó por la puerta y escapó, sin molestarse en coger los artículos robados. Su instinto se puso en funcionamiento y echó a correr por las calles vacías, sin preocuparse por el tráfico ni mirar hacia atrás en ningún momento. La niebla la desorientó, y atravesó el pueblo corriendo hasta el otro lado. Una vez que encontró un escondite en un granero amarillo, esperó prácticamente el día entero para volver a casa, y lo hizo siguiendo una ruta que rodeaba las calles. Cuando Ragno y Zanzara la encontraron, estaba agotada.

—¿Por qué dijo eso el hombre? —le preguntó Béka—. ¿A qué se refería con lo de «Aquí es donde él dijo que estarían»?

—Alguien debe de haberle dicho a la policía dónde estábamos. —Cebollas se estremeció—. Alguien que conoce nuestras costumbres.

Béka la cogió de las manos y la levantó del suelo.

—¿Quién más podría ser? —Estaba mirándome fijamente, como si me acusase de un crimen atroz.

—Pero yo no he dicho…

—Tú, no, Aniday —escupió—. El que te sustituyó.

—Chopin —dijo Chavisory, y un par de ellos se rieron al oír el nombre antes de contagiarse de la emoción general.

Volvimos a casa caminando penosamente y en silencio, mientras recordábamos a nuestras amigas desaparecidas Kivi y Blomma. Cada uno de nosotros halló una forma íntima de llorar su pérdida. Sacamos sus muñecas del agujero y las enterramos en una única tumba. Smaolach y Luchóg pasaron dos semanas construyendo un monumento conmemorativo con piedras, mientras que Chavisory y Mota dividieron las posesiones de nuestras amigas ausentes entre los nueve que quedábamos. Solo Ragno y Zanzara permanecieron impasibles, y aceptaron su parte de ropa y calzado pero no dijeron casi nada. Durante aquel verano, y hasta el otoño, nuestras conversaciones se centraron en buscar un significado a la rendición de las chicas. Cebollas hizo todo lo que pudo por convencernos de que se había producido una traición, y Béka se unió a ella, y afirmó que había habido una conspiración, que los humanos habían salido a buscarnos y que solo era cuestión de tiempo que Kivi y Blomma lo confesaran todo. Los hombres de los trajes negros volverían, el ejército, la policía y sus perros, y nos darían caza. Otros tenían una opinión más meditada.

—Querían marcharse, y solo era cuestión de tiempo que ocurriera —dijo Luchóg—. Solo espero que las pobrecillas encuentren un hogar en el mundo y que no las manden a un zoo o acaben debajo del microscopio de un científico loco.

No volvimos a tener noticias de ellas. Desaparecieron, como si se hubieran esfumado.

Béka insistía más que nunca en que viviéramos en la oscuridad, pero nos permitía pasar noches fuera del reducido clan. Durante los siguientes años, cuando se presentaba la ocasión, Mota y yo nos escabullíamos para dormir en la tranquilidad y el lujo relativos del cuarto de debajo de la biblioteca. Nos sumergíamos en nuestros libros y papeles. Leímos traducciones de los griegos: Clitemnestra en su dolor, el honor de Antígona enterrado bajo una fina capa de tierra. Grendel merodeando en la desapacible noche danesa. Los peregrinos de Canterbury y sus vidas errantes. Las sentencias de Pope, la abundante sustancia humana de todas las obras de Shakespeare, los ángeles y uros de Milton, el pequeño gran *yahoo* de Gulliver. Los desenfrenados éxtasis de Keats. El Frankenstein de Shelley. Rip van Winkle durmiendo la mona. Mota insistía en Austen, Eliot, Emerson, Thoreau, las hermanas Brontë, Alcott, Nesbitt, Rossetti, los dos Browning y sobre todo Alicia en la madriguera del conejo. Leímos obras de todas las épocas hasta el presente, devorando libros como una pareja de lepismas.

A veces Mota me leía en voz alta. Yo le ofrecía un relato que ella no conociera, y prácticamente al instante ella lo hacía suyo. Me asustó con «El cuervo» de Poe desde la primera palabra. Me hizo saltar las lágrimas con el gato ahogado de Ben

Jonson. Consiguió que los cascos de «La carga de la brigada ligera» retumbasen y las olas del «Ulises» de Tennyson rugiesen. Me encantaba la música de su voz y observar su cara mientras leía, estación tras estación. En verano su piel se oscurecía, y su cabello moreno se iluminaba con la luz del sol. Durante la parte fría del año, su cuerpo desaparecía bajo capas y capas de ropa, de modo que a veces lo único que veía era su amplia frente y sus cejas oscuras. Las noches de invierno en aquel cuarto iluminado por velas, su mirada brillaba entre las ojeras que tenía debajo de los ojos. Aunque habíamos pasado veinte años juntos, ella escondía la capacidad de conmoverme o sorprenderme, de pronunciar una palabra y partirme el corazón.

25

*Y*o tenía un nombre, aunque a veces Gustav Ungerland me resultaba tan irreal como Henry Day. La solución más fácil habría sido averiguar el paradero de Tom McInnes y pedirle más detalles sobre lo que yo había dicho en estado de hipnosis. Después de encontrar el artículo en la biblioteca, intenté localizar a su autor, pero el único dato del que disponía era la dirección que aparecía en la revista. Varias semanas después de recibir mi carta, el editor de la desaparecida *Journal of Myth and Society* me contestó que estaría encantado de remitírsela al profesor, pero todo quedó en nada. Cuando llamé a su universidad, el director del departamento me dijo que McInnes había desaparecido un lunes por la mañana, en pleno semestre, y que no había dejado ninguna dirección. Mis tentativas por ponerme en contacto con Brian Ungerland resultaron igual de frustrantes. No podía dar la lata a Tess para que me proporcionase información sobre su ex novio, y después de preguntar por el pueblo, alguien me dijo que Brian estaba en Fort Sill, Oklahoma, con el ejército, estudiando la forma de volarlo todo en pedazos. En el listín telefónico local no figuraba ningún Ungerland.

Por suerte, otras cosas ocupaban mis pensamientos. Tess me había convencido de que volviera a la universidad, e iba a empezar en enero. Cuando le conté mis planes, ella cambió y se volvió más atenta y cariñosa. Celebramos mi matriculación permitiéndonos el lujo de ir a cenar y haciendo las compras de Navidad en la ciudad. Cogidos del brazo, caminamos por las aceras en dirección al centro. En el escaparate de los grandes almacenes Kaufmann había expuestas unas escenas protagonizadas por diminutos muñecos animados que se desarrollaban en un bucle interminable. Papá Noel y sus duendes daban martillazos a una bicicleta de madera. Nos paramos y nos entretuvimos ante un expositor: una familia humana, con un bebé en una cesta de mimbre y unos padres orgullosos besándose debajo del muérdago. Nuestras imágenes se reflejaban y se superponían a través del cristal sobre la dicha doméstica de las figuras mecánicas.

—¿No es adorable? Mira lo real que parece el bebé. ¿A que dan ganas de tener uno?

—Claro, si todos estuvieran tan callados como ese.

Paseamos por el parque, donde un grupo de niños hacía cola delante de un puesto en el que vendían chocolate caliente. Compramos dos vasos y nos sentamos en un banco del frío parque.

—A ti te gustan los niños, ¿verdad?

—¿Los niños? Nunca pienso en ellos.

—¿No te gustaría tener un hijo al que llevar de acampada o una hija que pudieras decir que es tuya?

—¿Decir que es mía? Las personas no pertenecen a nadie.

—A veces te lo tomas todo al pie de la letra.

—No creo...

—No, no lo crees. La mayoría de la gente capta las sutilezas, pero tú estás en otra dimensión.

Yo sabía a lo que se refería. No sabía si podía tener un auténtico hijo humano. ¿O sería medio humano y medio duende, un monstruo? Una criatura espantosa con la cabeza enorme y el cuerpo encogido, o unos ojos sin vida que mirasen por debajo de un gorro para el sol. O una calamidad que se volvería contra mí y pondría al descubierto mi secreto. Pero la cálida presencia de Tess contra mi brazo ejerció un curioso efecto en mi conciencia. Una parte de mí deseaba deshacerse de la carga del pasado y contarle todo sobre Gustav Ungerland y mi vida como fugitivo en el bosque. Pero había pasado tanto tiempo desde el cambio que a veces dudaba de aquella vida. Todos los poderes y las habilidades que había adquirido hacía una eternidad habían desaparecido, se habían perdido mientras tocaba el piano sin parar, se habían desvanecido con la comodidad de las camas calientes y los acogedores salones, en la realidad de aquella mujer adorable que tenía al lado. ¿Es el pasado tan real como el presente? Ojalá se lo hubiera contado todo y que la verdad hubiera modificado el curso de mi vida. No lo sé. Pero sí recuerdo la impresión de esa noche, las sensaciones encontradas de gran esperanza e insondable premonición.

Tess contempló a un grupo de niños que patinaban sobre una pista de hielo improvisada. Sopló en su bebida y envió una ráfaga de humo por el aire.

—Siempre he querido tener un hijo.

Por una vez entendí lo que otra persona me estaba diciendo. Y, acompañado por la música de un órgano que armonizaba con el sonido de los niños riendo bajo las estrellas, le pedí que se casara conmigo.

Esperamos hasta el final del semestre de primavera y nos casamos en mayo de 1968 en la misma iglesia en la que Henry Day había sido bautizado. Estando en el altar volví a sentirme casi humano, y en nuestro compromiso advertí la posibilidad de encontrar un final feliz. Cuando avanzábamos por el pasillo, vi en las caras sonrientes de todos nuestros amigos y familiares una ingenua alegría por el señor y la señora Day. Durante la ceremonia no pude evitar pensar que cuando las puertas se abrieran y saliéramos a la luz, habría una comitiva de suplantadores esperando para llevarme con ellos. Hice todo lo posible por olvidar mi pasado, por descartar la idea de que era un farsante.

En la celebración, mi madre y el tío Charlie fueron los primeros en saludarnos; no solo habían pagado la fiesta, sino que incluso nos regalaron una luna de miel en Europa. Cuando estuviéramos en Alemania, ellos se fugarían juntos, pero esa tarde resultaba muy extraño verlo a él en el lugar que debería haber ocupado Bill Day. La nostalgia por mi padre duró poco, pues estábamos dejando atrás el pasado y aferrándonos a la vida. Muchas cosas cambiarían durante los siguientes años. Unas semanas después de la boda, George Knoll se marcharía del pueblo a recorrer el país durante un año y acabaría en San Francisco, regentando un pequeño restaurante con una mujer mayor de España. Ante la desaparición de los Coverboys, Oscar compró una máquina de discos ese otoño, y los clientes siguieron acudiendo en tropel a beber y escuchar música pop. Jimmy Cummings ocupó mi antiguo puesto detrás de la barra. Incluso mis hermanas pequeñas se estaban haciendo mayores.

Mary y Elizabeth llevaron a la celebración a sus últimos novios, unos gemelos de pelo largo. El tío Charlie compartió con los presentes su último proyecto.

—Las casas de la sierra son solo el principio. La gente no solo va a salir de las ciudades, sino que se va a marchar lo más lejos posible. Mi empresa ha encontrado una mina de oro en estos campos.

Mi madre se arrimó a él, y él le rodeó la cintura con el brazo y apoyó la mano en su cadera.

—Cuando me enteré del lío que había habido en el bosque y de que habían mandado a la Guardia Nacional, lo primero en lo que pensé fue que cuando el gobierno hubiera acabado, la tierra estaría tirada de precio.

Ella se rió de su comentario con tanto regocijo que me sobresalté. Tess me apretó el brazo para que me callara lo que estaba pensando.

—La vida en el campo. Barata, confortable y segura, perfecta para parejas jóvenes que quieren formar una familia. —Y, justo en aquel instante, él y mi madre miraron directamente a la barriga de Tess. Estaban llenos de esperanza.

—¿Y vosotros dos, tío Charlie? —preguntó Elizabeth, haciéndose la inocente.

Tess me dio un pellizco en el trasero, y solté un pequeño grito justo cuando Jimmy se acercaba para hablar.

—Yo no viviría allí arriba, tío.

—Claro que no, Jimmy —dijo Mary—. Después de lo que pasaste en ese bosque.

—Allí arriba hay algo —dijo él al grupo—. ¿Habéis oído el rumor de que la otra noche encontraron a unas niñas salvajes?

Los invitados empezaron a aburrirse y a iniciar nuevas conversaciones. Desde el rescate del pequeño Oscar Love, Jimmy se había hecho famoso por repetir machaconamente la historia, exagerando los detalles hasta convertirla en un cuento fantástico. Cuando empezaba a relatar otra historia, siempre era rechazado como un cuentista más, ansioso porque le prestasen atención.

—En serio —dijo a los pocos que quedábamos—. He oído que la pasma encontró a dos niñas, de unos seis o siete años, según tengo entendido, que habían entrado en el supermercado en plena noche y lo habían roto todo. A los polis los asustaron; dijeron que ponían los pelos de punta. Apenas hablaban una palabra de inglés o de otra lengua conocida por el hombre. Atad cabos. Vivían en el bosque… ¿Os acordáis del sitio en el que encontré a Oscar? A lo mejor hay otros allí arriba. Pensad en ello. Como una tribu perdida de niños salvajes. Es flipante, tíos.

Elizabeth estaba mirándome fijamente cuando pregunté a Jimmy:

—¿Qué les pasó? ¿Dónde están esas niñas?

—No puedo confirmar ni desmentir el rumor —dijo—, y no las he visto con mis propios ojos, pero no me hace falta. ¿Sabes que el FBI vino y se las llevó? A Washington, a sus laboratorios secretos, para poder estudiarlas.

Me volví hacia Oscar, que estaba escuchando a Jimmy con la boca abierta.

—¿Seguro que quieres que este chico sirva en la barra, Oscar? Parece que le hubiera estado dando a la botella.

Jimmy pegó su cara a la mía y dijo en voz baja:

—¿Sabes cuál es tu problema, Henry? Te falta imaginación. Pero están allí arriba, tío. Más vale que lo creas.

Durante el vuelo a Alemania, unos sueños protagonizados por suplantadores interrumpieron el poco reposo del que conseguí disfrutar en el avión. Cuando Tess y yo aterrizamos en la húmeda y nublada ciudad de Frankfurt, teníamos distintas expectativas respecto a nuestra luna de miel. La pobrecilla quería aventura, emoción y romanticismo. Dos jóvenes amantes viajando por Europa. Restaurantes, vino y queso, excursiones en motocicleta. Yo buscaba un fantasma y una prueba de mi pasado, pero lo único que sabía se podía escribir en una servilleta de papel: Gustav Ungerland, 1859, Eger.

Tras la inmediata perplejidad que nos causó la ciudad, encontramos una habitación en una pensión de la calle Mendelssohn. Nos quedamos asombrados al ver la enorme construcción negra cubierta de hollín de la estación principal de ferrocarriles, de la que salían trenes cada hora, y detrás de ella, la ciudad resucitada, con sus nuevos rascacielos de hormigón y acero que se elevaban entre las cenizas de los escombros. Había norteamericanos por todas partes. Soldados que habían tenido la suerte de ser relevados de sus obligaciones para que protegiesen la Europa del Este en lugar de combatir en Vietnam. Fugitivos drogadictos en Konstablerwache que se chutaban a plena luz del día o nos pedían nuestras escasas monedas de sobra. Durante nuestra primera semana juntos, nos sentimos fuera de lugar entre los soldados y los yonquis.

El domingo fuimos paseando hasta el Römerberg, una versión de cartón piedra del Alstadt medieval que había sido bombardeado en su mayor parte por los aliados durante los últimos meses de la guerra. Por primera vez en nuestro viaje, hacía un tiempo radiante y soleado, y nos divertimos en una feria situada en la calle. Tess se montó en una cebra y yo en un grifo del carrusel que había en medio; luego hicimos manitas en el café mientras un cuarteto ambulante nos tocaba una canción. Esa noche, cuando hicimos el amor, nuestra pequeña habitación se convirtió en un acogedor paraíso, como si la luna de miel hubiera comenzado por fin.

—Esto se parece más a como me imaginaba que sería estar juntos —susurró ella en la oscuridad—. Ojalá todos los días fuesen como hoy.

Me incorporé y encendí un Camel.

—Me estaba preguntando si mañana podríamos separarnos un rato. Ya sabes, tener tiempo para nosotros. Piensa en lo mucho que tendremos que contarnos cuando nos reunamos. Hay algunas cosas que me gustaría hacer que puede que no te parezcan interesantes, así que me preguntaba si podría levantarme un poco antes y salir, y luego volver más o menos cuando tú te despiertes. Me gustaría ver la Biblioteca Nacional. Tú te morirías de aburrimiento.

—Tranquilo, Henry. —Se dio la vuelta y se puso mirando a la pared—. Me parece perfecto. Me estoy cansando un poco de que pasemos todo el tiempo juntos.

Tardé toda la mañana en dar con el tren correcto, las calles y la dirección de la Deutsche Bibliothek, y otra hora aproximadamente en encontrar la sala de los mapas. Una encantadora y joven bibliotecaria con un inglés práctico me ayudó con el atlas histórico y los miles de alteraciones y cambios de fronteras ocasionados por cientos de años de guerras y paz, desde la última época del Imperio romano hasta las divisiones resultantes al final de las dos guerras mundiales, pasando por los principados del Reichstag. Ella no conocía la región de Eger y no logró encontrar a nadie en la sección de consulta que hubiera oído hablar de la ciudad.

—¿Sabes si está en la Alemania del Este?

Consulté mi reloj y descubrí que eran las cuatro treinta y cinco de la tarde. La biblioteca cerraba a las cinco, y mi furiosa esposa me estaría esperando.

Ella examinó detenidamente el mapa.

—*Ach*, ya lo veo. Es un río, no una ciudad. Eger está en la frontera. —Señaló con el dedo un punto que rezaba «Cheb (Eger)»—. La ciudad que estás buscando ya no se llama Eger, y no está en Alemania. Está en Checoslovaquia. —Se mojó el dedo con la lengua y pasó las páginas hacia atrás hasta dar con otro mapa—. Bohemia. Mira, en 1859 todo esto era Bohemia, desde aquí hasta aquí. Y Eger estaba aquí mismo. Debo decir que prefiero el nombre antiguo. —Apoyó una mano en mi hombro sonriendo—. Pero la hemos encontrado. Un sitio con dos nombres. Eger es Cheb.

—¿Y cómo puedo llegar a Checoslovaquia?

—A menos que tengas los papeles adecuados, no podrás llegar. —Ella notó mi decepción—. Dime, ¿por qué Cheb es tan importante para ti?

—Estoy buscando a mi padre —dije—. Gustav Ungerland.

Su expresión radiante desapareció de su cara. Miró al suelo entre sus pies.

—Ungerland. ¿Murió en la guerra? ¿Lo mandaron a los campos de concentración?

—No, no. Somos católicos. Él es de Eger; quiero decir, de Cheb. Es decir, su familia. Emigraron a Estados Unidos el siglo pasado.

—Podrías probar en el registro de la iglesia de Cheb, si consiguieras entrar. —Arqueó una ceja—. Puede que haya una forma.

Tomamos unas copas en un café, y me dijo cómo cruzar la frontera sin ser detectado. Mientras realizaba el trayecto de vuelta a la calle Mendelssohn, me inventé una historia para explicar mi larga ausencia. Cuando llegué pasadas las diez, Tess estaba dormida, y me metí en la cama a su lado. Ella se despertó sobresaltada y a continuación se dio la vuelta y se situó de cara a mí.

—Lo siento —dije—. Me he perdido en la biblioteca.

Iluminada por la luna, su cara parecía hinchada, como si hubiera estado llorando.

—Me gustaría salir de esta ciudad gris y ver el campo. Ir de excursión, dormir bajo las estrellas. Conocer a auténticos alemanes.

—Conozco un sitio —susurré— lleno de castillos antiguos y bosques oscuros cerca de la frontera. Crucémosla sin que nos vean y descubramos sus secretos.

26

Aquella mañana se mantiene perfectamente en el recuerdo; un día de finales de verano en que el cielo azul pronosticaba el frío vivificante del inminente otoño. Mota y yo nos habíamos despertado el uno al lado del otro entre un mar de libros, y luego habíamos abandonado la biblioteca en los momentos de mágica tranquilidad comprendidos entre el instante en que los padres se van a trabajar, o los hijos parten hacia el colegio, y la hora en que las tiendas y los negocios abren sus puertas. Según mi calendario, habían transcurrido cinco largos y tristes años desde que nuestra reducida tribu había ocupado el nuevo hogar, y nos habíamos cansado de la oscuridad. El tiempo que pasaba lejos de la mina siempre alegraba a Mota, y esa mañana, cuando vi por primera vez su rostro sereno, deseé contarle cómo me latía el corazón por ella. Pero no lo hice. En ese sentido, aquel día se pareció a todos los demás, pero se convertiría en un día especial.

En lo alto, un avión dejó a su paso una estela de humo, cuya blancura contrastaba con la palidez del mes de septiembre. Avanzábamos al mismo paso hablando de nuestros libros. Sombras fugaces aparecían ante nosotros entre los árboles, soplaba una brisa tenue y unas pocas hojas caían de las alturas. Por un instante, me dio la impresión de que más adelante, en el camino, Kivi y Blomma estaban jugando en una parcela iluminada por el sol. El espejismo pasó muy rápidamente, pero el efecto de luz me recordó el misterio que se escondía tras su partida, y le conté a Mota la breve visión que había tenido de nuestras amigas desaparecidas. Le pregunté si alguna vez se había planteado si realmente querían que las atrapasen.

Mota se detuvo en una zona resguardada situada delante del terreno desprotegido que conducía a la entrada de la mina. El esquisto suelto que había a sus pies se movió y crujió. Una luna clara brillaba en el cielo despejado, y ascendíamos con cautela, vigilando por si aparecía un avión que pudiera descubrirnos. Mota me cogió del hombro y me hizo girar tan rápido que temí un peligro inminente. Me miró fijamente.

—No lo entiendes, Aniday. Kivi y Blomma no aguantaban más. Estaban desesperadas por ir al otro lado. Por estar con la gente que vive en el mundo de arriba, una familia de verdad, unos amigos de verdad. ¿A ti nunca te entran ganas de escapar, de volver al mundo siendo el hijo de alguien? ¿O de marcharte conmigo?

Sus preguntas brotaron como azúcar de un saco roto. El pasado había dejado de preocuparme, y las pesadillas con el mundo habían cesado. Hasta que me senté a escribir este libro no regresaron los recuerdos, limpios de polvo y pulidos de nuevo. Pero esa mañana mi vida estaba allí. Con ella. La miré a los ojos, pero ella parecía absorta en sus pensamientos, como si no me viera delante de ella, sino tan solo percibiera un espacio y un tiempo vivos en su imaginación. Me había enamorado de ella. Y en ese momento las palabras brotaron, y la confesión acudió a mis labios.

—Mota, tengo algo…

—Espera. Escucha.

El ruido nos envolvió: un rumor tenue procedente del interior de la montaña avanzó serpenteando por el suelo hasta donde estábamos, vibrando bajo nuestros pies, y luego se dispersó por el bosque. Un instante después, se oyó un crujido y un golpe que se vio apagado por la superficie exterior. La tierra se desplomó emitiendo un susurro. Mota me apretó la mano y tiró de mí, y echó a correr a toda velocidad en dirección a la entrada de la mina. Una columna de polvo se arremolinaba desde la fisura como una chimenea que echase humo suavemente una noche invernal. En lo alto, el polvo acre se volvía más denso e impedía respirar. Tratamos de meternos por la rendija, pero tuvimos que esperar en la zona donde soplaba el viento hasta que la bruma se disipó. Un sonido aflautado escapó del interior a través de la grieta y se desvaneció en el aire. Antes de que el hollín se asentase, apareció la primera persona. Una mano agarró el borde de la roca y luego la otra; la cabeza asomó, y el cuerpo salió al aire libre. Atravesamos la nube corriendo en dirección al cuerpo postrado bajo la tenue luz. Mota le dio la vuelta con el pie: era Béka. Al poco rato le siguió Cebollas, resollando y jadeando, y se tumbó junto a él, echando un brazo sobre su pecho.

Mota se inclinó para preguntar:

—¿Está muerto?

—Ha habido un derrumbamiento —susurró ella.

—¿Ha sobrevivido alguien?

—No lo sé. —Cebollas apartó hacia atrás el pelo sucio de Béka de sus ojos parpadeantes.

Penetramos en la oscuridad de la mina. Mota tanteó a su alrededor en busca del pedernal, lo golpeó y encendió las antorchas con las chispas. La luz del fuego reflejaba las partículas que flotaban en el aire. Llamé a gritos a los demás, y el corazón me empezó a latir a toda velocidad con la esperanza de que una voz contestara: «Aquí, aquí». Seguimos el sonido por el túnel principal como si avanzáramos por un paisaje nevado de pesadilla, giramos a la izquierda y entramos en la cámara donde dormía la mayoría del clan. Luchóg estaba en la entrada, con un polvo fino pegado al pelo y la ropa. Tenía los ojos brillantes, y las lágrimas le habían dejado unos regueros húmedos de suciedad en la cara. Sus dedos, enrojecidos y en carne viva, temblaban violentamente mientras nos esperaba. La ceniza flotaba en el halo que formaba la antorcha. Distinguí la ancha espalda de Smaolach, que se encontraba situado de cara a un montón de escombros donde antes se hallaba nuestro dormitorio. Arrojaba piedras a un lado a un ritmo frenético, tratando de mover la montaña de piedras poco a poco. No vi a nadie más. Corrimos en su ayuda y nos pusimos a quitar escombros del montón que llegaba hasta el techo.

—¿Qué ha pasado? —preguntó Mota.

—Están atrapados —dijo Luchóg—. Smaolach cree haber oído voces al otro lado. El techo se desplomó de repente. Nosotros también estaríamos ahí debajo si a mí no me hubieran entrado ganas de fumar esta mañana al despertarme.

—Cebollas y Béka ya han salido. Los hemos visto fuera —dije.

—¿Estáis ahí? —preguntó Mota dirigiéndose a las rocas—. Aguantad, os vamos a sacar.

Cavamos hasta crear una abertura lo bastante grande para que Smaolach metiera el brazo hasta el codo. Llenos de vigor, nos abalanzamos sobre las rocas y retiramos piedras hasta que Luchóg se metió por el espacio abierto y desapareció. Nosotros tres nos detuvimos y esperamos a oír un sonido durante lo que nos pareció una eternidad. Al final, Mota gritó al vacío:

—¿Ves algo, ratón?

—Cavad —gritó él—. Oigo a alguien respirar.

Sin decir nada, Mota se marchó súbitamente, y Smaolach y yo seguimos agrandando el pasaje. Oíamos a Luchóg al otro lado, escarbando por el túnel como un pequeño animal en las paredes de una casa. Cada pocos minutos, murmuraba unas palabras tranquilizadoras a alguien, y luego nos exhortaba a que siguiéramos excavando, y nosotros trabajábamos más duro, desesperadamente, con los músculos inflamados y la garganta llena de polvo. Con la misma rapidez con que había desaparecido, Mota regresó con otra antorcha en la mano para iluminar mejor nuestra obra. Con la cara tensa de la ira, estiró el brazo y se puso a extraer piedras.

—Béka, el muy cabrón —dijo—. Se han marchado. No está dispuesto a ayudar a nadie más que a sí mismo.

Tras mucho cavar, hicimos el agujero lo bastante ancho para que yo me arrastrase entre los escombros. Estuve a punto de caer de bruces, pero Luchóg detuvo mi caída.

—Ahí abajo —dijo en voz baja, y nos agachamos sobre una figura colocada de espaldas.

Medio enterrada bajo los escombros se encontraba Chavisory, inmóvil y fría al contacto. Cubierta de ceniza, parecía un fantasma, y su aliento desprendía un olor tremendamente acre.

—Está viva —susurró Luchóg—. Pero por poco, y creo que tiene las piernas rotas. No puedo mover estas piedras pesadas yo solo. —Parecía afectado por el miedo y la fatiga—. Tendrás que ayudarme.

La desenterramos piedra a piedra. Agobiado por el peso de los últimos escombros, le pregunté:

—¿Has visto a Ragno y Zanzara? ¿Han conseguido salir?

—Ni rastro de ellos.

Señaló hacia atrás en dirección al lugar donde dormíamos, que ahora se hallaba enterrado bajo una tonelada de tierra. Los chicos debían de estar dormidos cuando el techo se hundió, y recé para que no se hubieran movido y hubieran pasado del sueño a la muerte con la facilidad con que uno se da la vuelta en la cama. Pero no podíamos dejar de pensar en ellos. La posibilidad de que se produjera otro derrumbamiento nos instaba a continuar. Chavisory gimió cuando le quitamos la última roca de encima del tobillo izquierdo; había sufrido una fractura de tallo verde, y tenía los huesos y la piel en carne viva y blandos. Cuando la levantamos, el pie se le torció en un ángulo desagradable, y la sangre nos dejó una mancha viscosa en las manos. Gritaba a cada paso que dábamos, y perdió el conocimiento mientras ascendíamos con dificultad al túnel, medio tirando de ella, medio empujándola. Cuando Smaolach vio la pierna de Chavisory, con la carne atravesada por el hueso, se volvió y vomitó en el rincón. Mientras descansábamos antes del último esfuerzo, Mota preguntó:

—¿Hay alguien más vivo?

—Creo que no —dije.

Ella cerró los ojos un instante y a continuación ordenó que escapásemos rápidamente. La parte más difícil fue la relacionada con la salida de la mina, durante la cual Chavisory se despertó y se puso a gritar mientras la sacábamos. En ese momento deseé que todos hubiéramos estado dentro, dormidos unos al lado de los otros, enterrados para siempre y liberados de nuestras desgracias íntimas. Agotados, la dejamos con cuidado en la ladera de la montaña. Ninguno de nosotros sabía qué hacer, decir o pensar. En el interior se produjo otro desplome, y la mina dio las últimas boqueadas como si fuera un dragón moribundo.

Exhaustos y confundidos por la pena, esperamos a que anocheciera. A ninguno de nosotros le pasó por la cabeza que el derrumbamiento podía haber sido oído por la gente del pueblo o que podía atraer a los humanos a investigar. Luchóg fue el primero en divisar el punto de luz, una pequeña lumbre que ardía cerca del límite del bosque. Sin vacilar ni discutir en lo más mínimo, los cuatro cogimos a Chavisory, juntando los brazos a modo de camilla, y nos dirigimos hacia la luz. Aunque nos preocupaba que el fuego pudiera pertenecer a unos extraños, finalmente decidimos que sería mejor buscar ayuda. Avanzamos con cautela sobre el esquisto, causando más dolor a la pobre Chavisory, si bien con la esperanza de que la lumbre nos brindase un lugar donde pasar la noche protegidos del frío, así como un sitio donde pudiéramos ocuparnos de sus heridas.

El viento crujía entre las copas de los árboles y agitaba las ramas superiores como si fueran dedos que chasqueasen. Había sido Béka quien había encendido el fuego. No pidió disculpas ni dio explicaciones; se limitó a gruñir como un oso viejo al oír nuestras preguntas, antes de marcharse para estar solo. Cebollas y Mota prepararon una tablilla para el tobillo roto de Chavisory y se lo vendaron con la chaqueta de Luchóg, luego la cubrieron con hojas secas y permanecieron a su lado toda la noche para ofrecerle el calor de sus cuerpos. Smaolach se marchó sin rumbo y volvió mucho más tarde con una calabaza llena de agua. Nos quedamos sentados mirando el fuego, limpiándonos la suciedad reseca del pelo y la ropa, mientras esperábamos a que saliera el sol. Durante esas horas de silencio, lloramos a los muertos. Ragno y Zanzara se habían ido, al igual que Kivi, Blomma e Igel.

Al contrario que la mañana anterior, en que había una luz radiante, empezó a caer lentamente una lluvia tenue que se acabó asentando. Únicamente el trino ocasional de un pájaro lejano marcaba el paso del tiempo. En torno al mediodía, un tremendo grito de dolor interrumpió la quietud. Chavisory se despertó y descubrió lo ocurrido, y maldijo la roca, la mina, a Béka y a todos nosotros. No logramos acallar sus chillidos de angustia hasta que Mota le cogió la mano y le ordenó con determinación que guardara silencio. El resto de nosotros apartamos la vista de ella, lanzando miradas de soslayo a nuestras caras; máscaras de cansancio y pesar. Ahora éramos siete. Tuve que contar dos veces para convencerme.

27

No hizo falta convencer a Tess para que cruzara la frontera furtivamente, y la sola idea de cometer una transgresión introdujo un estímulo erótico en nuestra luna de miel. Cuanto más nos acercábamos a Checoslovaquia, más animado se volvía el sexo. El día que trazamos un mapa de nuestro pasaje secreto para llegar al otro lado, me tuvo en la cama hasta media mañana. Su deseo alimentaba mi curiosidad por mi herencia oculta. Necesitaba saber de dónde procedía, quién había sido. En cada paso del camino experimentaba la sensación de estar volviendo a casa. El paisaje resultaba familiar e irreal, como si los árboles, los lagos y las montañas se hallaran grabados en mis sentidos, pero sumidos en un largo sueño. La arquitectura de piedra y madera era exactamente como me la había imaginado, y, en las posadas y los cafés, la gente con la que coincidíamos compartía los mismos rasgos: complexión robusta, facciones bien marcadas, ojos azul claro y pelo rubio. Sus rostros me atraían cada vez más hacia Bohemia. Decidimos cruzar al territorio prohibido en el pueblo de Hohenberg, situado en la frontera alemana.

Desde su inauguración oficial en 1222, el castillo emplazado en el centro del pueblo había sido destruido y reconstruido en varias ocasiones, la más reciente de ellas después de la Segunda Guerra Mundial. Un sábado soleado, Tess y yo disfrutamos del lugar para nosotros solos, a excepción de una joven pareja alemana con varios hijos pequeños que nos seguían de edificio en edificio. Nos alcanzaron en el exterior, cerca de los desiguales muros blancos que recorrían la frontera de la parte trasera de la ciudad; una fortaleza contra los ataques procedentes del bosque y del río Eger situado más allá.

—Disculpe —dijo la madre a Tess en inglés—, son ustedes norteamericanos, ¿verdad? ¿Sería tan amable de hacernos una foto con mi cámara?

Palidecí al ver lo fácil que era reconocer nuestro origen norteamericano. Tess me sonrió, se quitó la mochila y la dejó en el suelo. Los seis miembros de la familia se colocaron al pie de uno de los parapetos originales. Los niños podrían haber sido mis hermanos y hermanas, y mientras posaban, la idea de que en el pasado yo hubiera formado parte de una familia como aquella se instaló en mi cabeza y luego se desvaneció. Tess dio unos cuantos pasos hacia atrás para encuadrarlos a todos, y los niños gritaron:

—*Vorsicht, der Igel! Der Igel!*

El niño, que no debía de tener más de cinco años, corrió directo hacia Tess con una expresión frenética en los ojos. Se detuvo a los pies de ella, introdujo la mano entre los tobillos de Tess y la metió en un pequeño parterre con flores, y recogió algo cuidadosamente con sus manitas.

—¿Qué tienes ahí? —Tess se inclinó para mirarlo a la cara.

Él alargó las manos, y un erizo salió de entre sus dedos. Todo el mundo se rió del drama menor que Tess había provocado al estar a punto de pisar a la espinosa criatura, pero yo apenas pude encender un cigarrillo debido al temblor que me entró. Igel. No había oído aquel nombre desde hacía casi veinte años. Todos ellos tenían nombres, y yo no los había olvidado del todo. Estiré la mano para tocar a Tess con la intención de dejar de pensar en ello.

Una vez que la familia se marchó, seguimos el mapa hasta los caminos de senderismo situados detrás del castillo. A lo largo del sendero nos encontramos con una pequeña cueva, delante de la cual hallamos los rastros de un campamento, o lo que me pareció un claro abandonado. Rápidamente nos alejamos de allí en dirección al este y descendimos por el bosque oscuro. El sendero se ensanchó y dio paso a una carretera de dos carriles sin tráfico. Al girar una curva, vimos un letrero en el que ponía EGER STEG que señalaba hacia un camino de tierra a la derecha, y topamos con los apacibles rápidos de un estrecho río cuyo cauce no superaba el de un arroyo ancho pero poco profundo. En la otra orilla se hallaba el bosque checoslovaco, y en las montañas que había detrás, Cheb. No se veía un alma y, tal vez debido al río o las rocas, no había ninguna alambrada de espino que protegiera la frontera. Tess me cogió de la mano y cruzamos.

Las rocas situadas por encima de la superficie del agua ofrecían un apoyo seguro, pero tuvimos que avanzar con cuidado. Cuando llegamos al lado checo, un escalofrío, agudo como una cuchilla de afeitar, me recorrió el cuerpo. Lo habíamos conseguido. Había llegado a mi casa, o lo más cerca posible de ella. En ese momento me sentía listo para transformarme —o volver a ser yo— y reclamar mi identidad. Esa mañana Tess y yo nos habíamos disfrazado lo mejor posible, aparentando una indiferencia europea con nuestro peinado y nuestra ropa, pero me preocupaba que los demás se percatasen de la treta. Visto en retrospectiva, no debería haberme preocupado tanto, pues 1968 fue el año de la Primavera de Praga, la ventana abierta mediante la que Dubček intentó acercar el «socialismo con cara humana» a los ignorantes checos y eslovacos. Los tanques rusos no entrarían hasta agosto.

A Tess le encantaba el peligro que entrañaba nuestra entrada ilegal y se movía furtivamente por el terreno cubierto de hojas como un prisionero fugado. Yo intenté seguir su ritmo, la cogí de la mano y adopté un aire de silenciosa astucia. Después de una caminata de aproximadamente un kilómetro y medio, comenzó a lloviznar de forma intermitente entre las hojas verdes, y luego cayó un auténtico chaparrón. Las gotas de lluvia daban en el manto de hojas situado sobre nuestra cabeza y caían de modo constante, pero por debajo de ese ritmo se hizo audible un sonido irregular de pisadas. Estaba demasiado oscuro para distinguir ninguna figura, pero oí que los pasos avanzaban entre la maleza, dando vueltas, siguiéndonos. Agarré a Tess del brazo y seguí adelante más deprisa.

—Henry, ¿oyes eso?

Tess movió los ojos rápidamente y giró la cabeza a un lado y al otro. Las pisadas seguían acercándose, y echamos a correr. Ella echó un último vistazo por encima del hombro y gritó. Me detuvo agarrándome de los codos y me hizo dar la vuelta para situarme de cara a nuestros torturadores. Tenían un aspecto desamparado bajo la lluvia. Tres vacas, dos moteadas y una blanca, nos miraban fijamente, rumiando con aire indiferente.

Escapamos empapados del bosque mojado y encontramos la carretera. Debíamos de tener un aspecto lastimoso, porque el camión de un granjero se detuvo, y el conductor nos indicó con su grueso pulgar que podíamos montarnos en la parte de atrás. Tess le gritó: «¿Cheb?» a través de la lluvia, y al ver que él asentía con la cabeza, nos subimos y viajamos encima de una montaña de patatas durante media hora hasta la pintoresca ciudad checa. Yo no quitaba los ojos del bosque que se perdía a lo lejos ni de la sinuosa carretera, convencido de que nos estaban siguiendo.

Como flores de un jardín primaveral, las casas y las tiendas estaban pintadas de claros tonos pastel, y los edificios viejos de blanco y amarillo, gris oscuro y verdete. Aunque muchas zonas de Cheb parecían intemporales, los edificios y los lugares destacados no me sonaban. Un sedán negro con una sirena roja se hallaba aparcado en una extraña posición delante del ayuntamiento. Para evitar a la policía, caminamos en la dirección opuesta, con la esperanza de encontrar a alguien que lograra entender nuestro alemán rudimentario. Esquivamos el rosado hotel Hvezda, asustados por unos policías serios que había fuera, quienes nos miraron fijamente durante treinta segundos. Al otro lado de la plaza, detrás de la estatua del bárbaro, había un hotel destartalado junto al río Ohře. Yo esperaba que aquellos lugares me despertasen recuerdos de Gustav Ungerland, pero nada me resultaba familiar. Las expectativas que había albergado a lo largo del viaje resultaron desmedidas. Parecía que nunca hubiera estado allí, o que no hubiera vivido mi infancia en Bohemia.

Dentro de un bar oscuro y lleno de humo, sobornamos al encargado con dólares americanos para que nos dejara cenar salchichas y patatas hervidas, acompañadas de media botella fría de vino de Alemania del Este. Después de comer nos condujeron por una escalera sinuosa a una diminuta habitación sin más muebles que una cama y una palangana. Cerré la puerta con llave, y Tess y yo nos tumbamos boca arriba con las chaquetas y las botas puestas sobre las mantas raídas, demasiado tensos, cansados y excitados para movernos. La oscuridad se apoderó lentamente de la luz, y el silencio se vio únicamente interrumpido por los sonidos de nuestra respiración y nuestro corazón acelerado.

—¿Qué estamos haciendo aquí? —preguntó ella finalmente.

Me incorporé y empecé a desvestirme. En mi vida anterior podría haberla visto a oscuras con la misma claridad que al amanecer, pero ahora dependía de mi imaginación.

—¿No es increíble? Esta ciudad perteneció antiguamente a Alemania, y antes de eso, a Bohemia.

Ella se sacó las botas y se quitó la chaqueta. Yo me metí debajo de las mantas de lana y las sábanas ásperas mientras ella se desvestía. Desnuda y temblorosa, Tess se introdujo en la cama y me frotó la pierna con su pie frío.

—Tengo miedo. Imagínate que la policía viene a llamar a la puerta.

—No te preocupes, cariño —le dije, adoptando mi mejor tono de James Bond—. Tengo licencia para matar. —Me di la vuelta y me coloqué encima de ella, e hicimos todo lo posible por disfrutar del peligro.

A la mañana siguiente nos despertamos tarde y nos dirigimos a toda prisa a la antigua e imponente iglesia de San Nicolás; llegamos cuando ya había dado comienzo una misa oficiada en checo y latín. Cerca del altar había unas cuantas ancianas con rosarios en las manos y, esparcidas aquí y allá, pequeñas familias sentadas por grupos, todas con aire receloso. En la entrada, dos hombres vestidos con trajes negros habían estado observándonos. Traté de corear los himnos, pero tan solo logré imitar las palabras. Aunque no entendía el oficio, la ceremonia y el ritual constituían un reflejo de las misas a las que había asistido hacía mucho tiempo con mi madre: los iconos colocados encima de velas, las lujosas vestiduras de los sacerdotes y los inmaculados monaguillos, el ritmo al que había que levantarse, arrodillarse y sentarse, la consagración anunciada por las campanas. Aunque para entonces sabía que no era más que una bobada romántica, visualicé a mi antiguo yo con ropa de domingo al lado de ella en el banco de la iglesia, con mi reticente padre suspirando y las gemelas retorciéndose las faldas. Lo que más me sorprendió de todo fue la música de órgano procedente de la galería, que caía en cascada como un río sobre las rocas.

Al salir de la iglesia, los feligreses se detenían a intercambiar unas palabras entre ellos y saludar al arrugado sacerdote, que aguardaba de pie al sol, detrás de la puerta. Una niña rubia se volvió hacia su hermana casi idéntica y nos señaló con el dedo, le susurró al oído, y las dos echaron a correr de la iglesia cogidas de la mano. Tess y yo nos entretuvimos contemplando las elaboradas estatuas de la Virgen María y san Nicolás que flanqueaban la entrada, y fuimos los últimos en abandonar el edificio. Cuando Tess tendió la mano al sacerdote, él la agarró y la atrajo hacia sí.

—Gracias por venir —dijo, y a continuación se volvió hacia mí con una extraña mirada en los ojos, como si conociera mi pasado—. Y que Dios lo bendiga, hijo.

Tess sonrió beatíficamente.

—Habla un inglés perfecto. ¿Cómo ha sabido que somos norteamericanos?

Él no le soltó la mano en ningún momento.

—Estuve cinco años en Nueva Orleans, en la catedral de San Luis, cuando me ordenaron. Soy el padre Karel Hlinka. ¿Han venido por el festival?

—¿Qué festival? —Tess se animó ante la idea.

—*Pražské Jaro*. El Festival Internacional de Música de la Primavera de Praga.

—Oh, no. No sabíamos nada. —Ella se inclinó y dijo en voz baja y tono confidencial—: Hemos cruzado la frontera a escondidas.

Hlinka se rió al interpretar su comentario como una broma, y Tess cambió rápidamente de tema y le preguntó por su experiencia en Norteamérica y la vida animada de Nueva Orleans. Mientras ellos charlaban y se reían, yo salí fuera y me quedé en una esquina fumando un cigarrillo, y contemplé cómo el humo azulado subía al cielo formando volutas. Las dos niñas rubias habían dado la vuelta, y ahora encabezaban un grupo de niños que habían recogido en las calles. Como una hilera de pájaros en un cable de teléfono, los pequeños se quedaron justo detrás de la puerta; una docena de cabezas asomándose por encima del muro bajo. Oí que parloteaban en checo y advertí que una frase que sonaba como *podvržené dítě* aparecía en su sonsonete como elemento recurrente. Tras lanzar una mirada a mi mujer, que estaba captando la atención de un absorto padre Hlinka, me dirigí hacia los niños, que se dispersaron como si fueran palomas al ver que me acercaba demasiado. Cuando les di la espalda, regresaron corriendo, y huyeron riéndose y gritando cuando me di la vuelta. Al salir por la puerta, vi a una niña encogida detrás del muro. Hablamos en alemán, y le dije que no tuviera miedo.

—¿Por qué corren todos y se ríen?

—Ella nos dijo que había un demonio en la iglesia.

—Pero yo no soy un demonio… solo un norteamericano.

—Ella dijo que eres del bosque. Un hada.

Más allá de las calles de la ciudad, el viejo bosque rebosaba de vida.

—Las hadas no existen.

La niña se levantó y me miró a la cara, con los brazos en jarras.

—No te creo —dijo, y se volvió y se fue corriendo con sus compañeros.

Con la cabeza hecha un lío, me quedé allí mirando cómo se marchaba. Temía haber cometido un error, pero habíamos llegado demasiado lejos para que me dejase asustar por unos simples niños o por la amenaza de la policía. En cierto sentido, ellos no se diferenciaban del resto de la gente. Las sospechas eran para mí como una segunda piel, y me sentía plenamente capaz de ocultar la realidad a todo el mundo.

Tess cruzó las puertas y me encontró en la acera.

—¿Qué te parece si hacemos una visita privada, cariño?

El padre Hlinka estaba a su lado.

—*Frau* Day me ha dicho que es usted músico, un compositor. Tiene que probar el órgano de tubos de la iglesia. El mejor de Cheb.

Subí a la galería situada en lo alto de la iglesia y me senté detrás del teclado, con los bancos vacíos que se extendían ante mí, el altar dorado y el enorme crucifijo, y toqué como un hombre poseído. Para manejar los pedales y extraer el tono adecuado del enorme órgano, tenía que balancearme y desplazar el peso contra el instrumento; pero, una vez que descubrí las complejidades de sus registros y sonidos y me dejé llevar por la música, se convirtió en una suerte de baile. Interpreté un fragmento sencillo de la *Berceuse* de Louis Vierne, y por primera vez en años volví a sentirme yo mismo. Mientras tocaba, me convertí en algo distinto, ajeno a todo y a todos excepto a la música, que me impregnaba como si fuera hielo caliente y descendía sobre mí como una extraña y maravillosa nieve. El padre Hlinka y Tess se hallaban sentados en la galería conmigo, observándome tocar y escuchando la música.

Cuando Tess se cansó del intenso sonido, me besó en la mejilla y bajó por la escalera para echar un vistazo al resto de la iglesia. Una vez que me quedé a solas con el sacerdote, rápidamente saqué a colación el motivo de mi visita. Le hablé de mi investigación sobre la historia de la familia y le conté que la bibliotecaria me había recomendado consultar el registro de la iglesia, pues no cabían muchas esperanzas de obtener acceso a los archivos centrales del gobierno.

—Es una sorpresa para ella —dije—. Quiero averiguar el árbol genealógico de Tess, y el eslabón perdido es su abuelo, Gustav Ungerland. Si pudiera buscar su fecha de nacimiento o algún dato sobre él, completaría su historia familiar.

—Es una idea maravillosa. Vuelva mañana. Yo hurgaré en los archivos, y usted podría tocar música para mí.

—Pero no puede decírselo a mi mujer.

Mientras cenábamos, le conté a Tess la parte estrictamente musical de la oferta del padre Hlinka, y se alegró de que tuviera ocasión de volver a tocar el órgano. El lunes por la tarde ella se quedó sentada abajo en el banco central y estuvo escuchando durante la primera hora aproximadamente, pero luego se marchó sola. Cuando se fue, el padre Hlinka susurró:

—Tengo algo para usted.

Dobló el dedo para indicarme que lo siguiera hasta un nicho que había junto a la galería. Yo sospechaba que había encontrado un documento sobre los Ungerland, y mi expectación aumentó cuando el sacerdote levantó un cofre de madera y lo colocó encima de un escritorio tambaleante. Quitó el polvo de la tapa soplando, mientras sonreía como un duende, y abrió la caja.

En lugar de los documentos de la iglesia que esperaba encontrar, me topé con música. Partituras y más partituras de música para órgano, y no solo himnos corrientes, sino también obras maestras sinfónicas que otorgaban vida y protagonismo al instrumento: un montón de piezas de Haendel, la *Resurrección* de Mahler, *La batalla de los hunos* de Liszt, la *Fantaisie symphonique* de François-Joseph Fétis y un par de solos para órgano de Guilmant. Había piezas de Gigout, Langlais, Chaynes, y el *Concierto para órgano, cuerdas y timbales* de Poulenc. Discos de la *First symphony* de Aaron Copland, la *Toccata festiva* de Barber, Rheinberger, Franck y una docena de Bach. Me sentía pasmado e inspirado. Para escucharlos todos —y no digamos ya para probar el imponente teclado— necesitaría meses o incluso años, y solo disponíamos de unas horas. Tenía ganas de meterme aquel botín en los bolsillos, de llenar mi cabeza de música.

—Mi único vicio y pasión —me dijo Hlinka—. Disfrute. Usted y yo no somos tan distintos. Unas criaturas extrañas con gustos raros. Solo usted, amigo mío, puede tocar, y yo puedo escuchar.

Toqué durante todo el día para el padre Hlinka, quien estuvo inspeccionando viejos libros mayores de la parroquia que hacían referencia a bautizos, bodas y funerales. Lo deslumbré con brillantez y extravagancia, apoyándome en la octava adicional de bajos, e interpreté el desenfrenado final de la *Symphonie concertante* de Joseph Jongen aporreando el órgano. Un cambio se operó en mí cuando estaba ante aquel teclado, y empecé a escuchar composiciones propias entre pieza y pieza. La música despertó en mí recuerdos que se remontaban más allá de la ciudad, y aquella gloriosa tarde improvisé variaciones de distintos temas y me entusiasmé tanto que me olvidé del padre Hlinka hasta que regresó con las manos vacías a las cinco en punto. Frustrado por su incapacidad para encontrar documentos sobre los Ungerland, llamó a sus colegas de la iglesia de San Wenceslao, quienes a su vez se pusieron en contacto con los archiveros de las abandonadas iglesias de San Bartolomeo y Santa Clara para que ayudaran a buscar en los registros.

Se me estaba acabando el tiempo. Pese a la relativa libertad de la que gozábamos, todavía corríamos el riesgo de que nos pidieran nuestros documentos, y no teníamos visado para entrar en Checoslovaquia. Tess se quejó durante el desayuno de que la policía la había estado espiando cuando había visitado la Torre Negra y la había seguido por el centro artístico que había en medio del *Ružový kopeček*. Los escolares la señalaban con el dedo en las calles. Yo también los veía corriendo entre las sombras y escondiéndose en las esquinas oscuras. El miércoles por la mañana se quejó de tener que pasar la mayor parte de nuestra luna de miel sola.

—Solo un día más —imploré—. No hay nada como el sonido de esa iglesia.

—Está bien, pero hoy me quedaré aquí dentro. ¿No preferirías volver a la cama?

A media tarde, cuando llegué a la galería, me sorprendió encontrar al sacerdote esperándome en el órgano de tubos.

—Debe dejarme decírselo a su mujer. —Sonrió—. Lo hemos encontrado. O por lo menos creo que es su abuelo. Las fechas no coinciden del todo, pero ¿cuántos Gustav Ungerland puede haber?

Me entregó una fotocopia de la lista de pasajeros del barco alemán *Albert*, que había zarpado el 20 de mayo de 1851 de Bremen a Baltimore, Maryland. Los nombres y las edades estaban escritos con buena letra:

212	*Abram Ungerland*	42	*Musikant*	*Eger*	*Boheme*
213	*Clara Ungerland*	40		”	”
214	*Friedrich* ”	14		”	”
215	*Josef* ”	6		”	”
216	*Gustav* ”	$\frac{1}{2}$		”	”
217	*Anna* ”	9		”	”

—A ella le va a encantar. Qué regalo de boda tan bonito.

Yo era incapaz de contestar a sus preguntas. Los nombres me despertaron una oleada de recuerdos. Josef, mi hermano: *Wo in der Welt bist du?* Anna, la criatura que había muerto en la travesía, la niña ausente que partió a mi madre el corazón. Mi madre, Clara. Mi padre, Abram, el músico. Nombres que acompañan mis sueños.

—Ya sé que usted dijo que él estaba aquí en 1859, pero a veces el pasado es un misterio. Creo que el año exacto de nacimiento de *herr* Ungerland es 1851, no 1859 —dijo el padre Hlinka—. La historia desaparece con el paso del tiempo.

Por un instante, los seis cobraron vida. Naturalmente, yo no me acordaba de Eger o Cheb. Era un bebé; cuando fui a Estados Unidos todavía no había cumplido un año. Había una casa, un salón, un piano. Me habían raptado allí, no en este sitio.

—No consta en las iglesias, pero deberíamos probar en los archivos de emigración, ¿no cree? La señora Day se va a emocionar. Estoy deseando verle la cara.

Doblé el papel y me lo metí en el bolsillo.

—Claro, padre, debería ser usted el que se lo dijera. Deberíamos celebrarlo… esta noche, si le apetece.

El gozo de su sonrisa casi me hizo arrepentirme de haberle mentido, y me sentí igual de desconsolado por tener que abandonar el espléndido órgano. Pero me marché de la iglesia de San Nicolás a toda prisa, con el fragmento de historia en el bolsillo pegado al corazón. Cuando me reuní con Tess, me inventé que la policía había estado husmeando por la iglesia en busca de dos norteamericanos, y nos escabullimos y volvimos sobre nuestros pasos en dirección a la frontera.

Cuando llegamos al bosque que había cerca del río, me sorprendió ver a un niño de unos siete años que se encontraba solo junto a un árbol grande. Él no reparó en nuestra presencia y permaneció inmóvil, como si estuviera escondiéndose de alguien. Me imaginaba lo que lo estaba persiguiendo, y una parte de mí deseaba rescatarlo. Casi estábamos a su lado cuando se sobresaltó y, llevándose un dedo a los labios, nos pidió que guardásemos silencio.

—¿Hablas alemán? —susurró Tess en dicha lengua.

—Sí. Por favor, no hagáis ruido. Me están buscando.

Miré de un árbol a otro, esperando encontrar un tropel de suplantadores.

—¿Quién te está buscando?

—*Versteckspiel* —susurró el niño y, al oírlo, una niña salió precipitadamente del fondo verde para perseguirlo y tocarlo en el hombro.

Cuando los demás niños salieron de sus refugios, me di cuenta de que estaban jugando al escondite. Pero al mirar al niño y la niña, no pude evitar recordar la facilidad con la que ellos cambiaban de apariencia. A Tess le parecieron simpáticos y quería quedarse un rato, pero yo le metí prisa para que siguiéramos adelante. En el río, salté de piedra en piedra y vadeé el río todo lo rápido que pude. Tess se tomó su tiempo, frustrada y molesta porque yo no la había esperado.

—Henry, Henry, ¿de qué estás huyendo?

—Date prisa, Tess. Nos están buscando.

Ella se esforzó por saltar a la siguiente roca.

—¿Quién?

—Ellos —dije, y volví para tirar de ella desde el otro lado.

Después de nuestro viaje de luna de miel, la vida rápidamente se complicó demasiado para continuar con mi investigación sobre los Ungerland o encontrar otro órgano de tubos. Nos quedaba el último y ajetreado semestre del curso, y, a medida que se aproximaba la graduación, nuestras conversaciones viraron hacia nuevas posibilidades. Tess estaba tumbada en la bañera, rodeada de volutas de vapor que se elevaban del agua caliente. Yo me apoyé en el borde del cesto de la ropa sucia, aparentemente para leer un borrador de una nueva partitura, aunque en realidad lo hacía por el puro placer de verla en su baño.

—Henry, tengo buenas noticias. Parece que me van a dar el trabajo.

—Eso es estupendo —dije, y pasé la página y tarareé unos cuantos compases—. ¿Qué vas a hacer exactamente?

—Al principio, trabajo social. La gente viene con sus problemas, yo los apunto, y luego hacemos las recomendaciones pertinentes.

—Bueno, yo tengo una entrevista en esa nueva escuela. —Dejé la composición y me quedé mirando su silueta desnuda medio sumergida—. Están buscando a un director de banda y un profesor de música para los cursos de séptimo y octavo. Es un trabajo bastante bueno y me dejaría tiempo para componer.

—Las cosas nos están saliendo bien, cariño.

Tenía razón, y fue entonces cuando lo decidí. Mi vida estaba tomando forma. Contra todo pronóstico y a pesar de la interrupción provocada por la muerte de mi padre, iba a terminar la universidad, y estaba a punto de empezar una nueva carrera. Y había una hermosa joven relajándose en mi bañera.

—¿De qué te ríes, Henry?

Empecé a desabotonarme la camisa.

—Hazme sitio, Tess. Quiero decirte algo al oído.

28

El amor es lo más cruel del mundo. Cuando el amor se desvanece, lo único que queda para compensarlo son los recuerdos. Nuestros amigos estaban desapareciendo o habían muerto; sus fantasmas eran lo mejor a lo que podían recurrir nuestras mentes para llenar la ausencia de amor. Todavía hoy me persiguen todos los que han desaparecido. Las pérdidas de Kivi, Blomma, Ragno y Zanzara también resultaron desgarradoras para Mota. Ella emprendía sus tareas con seriedad y determinación, como si estando ocupada consiguiera mantener a raya a los fantasmas.

Después del desastre de la mina, destituimos a Béka con su consentimiento, y el reducido clan eligió a Smaolach como nuestro nuevo líder. Vivíamos en la superficie por primera vez desde hacía años, obligados a permanecer en un pequeño claro del bosque debido a la inmovilidad de Chavisory. El deseo de volver a casa nos devoraba a todos. Habían pasado cinco años desde que habíamos abandonado nuestro campamento y creíamos que podíamos volver sin peligro. La última vez que habíamos visto nuestro antiguo hogar, habían arrasado con todo, pero seguro que había crecido nueva vegetación: donde había cenizas negras estarían creciendo poco a poco árboles jóvenes, entre las flores silvestres y la hierba fresca. Y, mientras la naturaleza reclamaba sus ruinas, la gente también se habría olvidado de aquel niño perdido en el río y de las dos hadas que habían aparecido en el supermercado. Las personas querrían que la vida siguiera como antes.

Creyendo que viajar volvía a ser seguro, Luchóg, Smaolach y yo partimos dejando a los otros tres en nuestro improvisado campamento para que cuidasen de Chavisory. Aunque ese día soplaba un viento frío, nos animamos ante la perspectiva de ver de nuevo nuestros antiguos dominios. Corrimos como ciervos por los senderos, riéndonos cuando uno pasaba a otro. El viejo campamento relucía en nuestra imaginación como una promesa de brillante redención.

Cuando estábamos trepando por la sierra del oeste, oí unas risas a lo lejos. Redujimos el paso y, al llegar al borde, los sonidos procedentes de abajo despertaron nuestra curiosidad. El valle apareció a través del velo rasgado formado por las ramas de los árboles. Hileras de casas y jardines serpenteaban a lo largo de franjas de pulcras calzadas. En el lugar exacto donde antes se hallaba nuestro campamento había cinco casas nuevas situadas enfrente de una rotonda. Otras seis casas flanqueaban una ancha carretera que atravesaba los árboles. De ella salían más calles y casas que descendían por la colina inclinada hasta la carretera principal que penetraba en el pueblo.

—Hogar, dulce hogar —dijo Luchóg.

Miré a lo lejos y vi una gran actividad. Una mujer descargaba paquetes atados con lazos de la parte trasera de una ranchera. Dos niños se lanzaban una pelota. Un coche amarillo con forma de bicho subía traqueteando por una carretera tortuosa. Oímos una radio en la que hablaban del partido de fútbol americano entre los equipos del ejército y la marina, y a un hombre que murmuraba maldiciones mientras fijaba con clavos una guirnalda de luces entre las tejas de su tejado. Fascinado por todo lo que vi, no me di cuenta de que el día dio paso a la noche. En todas las casas se encendieron luces, como si respondieran a una señal repentina.

—¿Vamos a ver quién vive en la rotonda? —preguntó Luchóg.

Descendimos sigilosamente al círculo de asfalto. Había dos casas que parecían vacías. Las otras tres mostraban señales de vida: coches en las entradas y siluetas iluminadas por lámparas que se movían detrás de las ventanas como si realizaran tareas vitales. En cada ventana veíamos la misma escena. Una mujer en una cocina removía algo en una cazuela. Otra sacaba un pájaro enorme del horno, mientras en la habitación contigua un hombre contemplaba unas figuras minúsculas que jugaban en una caja brillante, con la cara colorada de emoción o furia. Su vecino de al lado dormía en una butaca, ajeno al ruido y las imágenes parpadeantes.

—Ese me suena —susurré.

Cubierto hasta los dedos de los pies con un mono azul, había un niño sentado en una jaula pequeña en un rincón de la habitación. Jugaba distraídamente con juguetes de plástico de colores vivos. Por un instante, pensé que el hombre dormido se parecía a mi padre, pero no entendía cómo podía tener otro hijo. Una mujer salió de una habitación y entró en la otra, con el largo cabello rubio sujeto como si fuera una cola. Frunció los labios antes de inclinarse y susurrar algo al hombre, un nombre tal vez, y él se sobresaltó y se avergonzó ligeramente de que lo hubieran pillado durmiendo. Al abrir los ojos, me recordó todavía más a mi padre, pero ella sin duda no era mi madre. La mujer esbozó una sonrisa ladeada y levantó al niño por encima de los barrotes; la criatura se puso a hacer gorgoritos y a reír y rodeó el cuello de su madre con los brazos. Yo había oído aquel sonido antes. El hombre apagó el aparato; pero, antes de juntarse con los otros dos, se acercó a la ventana, limpió un círculo en los cristales húmedos con las dos manos y miró hacia la oscuridad. No creo que nos viera, pero no cabía duda de que yo lo había visto antes.

Volvimos al bosque y esperamos hasta que la luna estuvo en lo alto del cielo nocturno y la mayoría de las luces se apagaron. Las casas de la rotonda estaban a oscuras y en silencio.

—No me gusta esto —dije, y mi aliento se hizo visible a la luz violácea.

—Te preocupas demasiado —dijo Smaolach.

Soltó un grito y lo seguimos hasta una calle sin salida. Smaolach escogió una casa en cuya entrada no había coche, donde era probable que no encontrásemos humanos. Con cuidado de no despertar a nadie, entramos sin problemas por la puerta principal, que no estaba cerrada con llave. Había una fila ordenada de zapatos a un lado de la entrada. Cada uno de nosotros llenó una mochila con frutas y verduras en conserva, harina, sal y azúcar. Luchóg se metió puñados de bolsitas de té en los bolsillos de los pantalones y de camino a la puerta cogió un paquete de cigarrillos y una cajita de cerillas del aparador. Entramos y salimos en cuestión de minutos, sin molestar a nadie.

La segunda casa —donde vivía el niño del mono azul— resultó más difícil. Todas las puertas y las ventanas del piso de abajo estaban cerradas, de modo que tuvimos que meternos por el espacio existente entre el suelo y la casa y entramos en una habitación parecida a un armario que albergaba un laberinto de tuberías. Siguiendo las cañerías, finalmente penetramos en el interior de la casa y acabamos en el sótano. Para hacer menos ruido, nos quitamos los zapatos y nos los atamos alrededor del cuello antes de subir por la escalera y abrir despacio la puerta de la cocina. La estancia olía a pan; un aroma que todavía recordaba.

Mientras Smaolach y Luchóg asaltaban la despensa, yo recorrí las habitaciones de puntillas para localizar la puerta principal y una salida fácil. En las paredes de la sala de estar había colgada una galería de retratos fotográficos en la mayoría de los cuales solo se veían sombras de escaso interés, pero al pasar por delante de uno, iluminado por un rayo blanco de luz de luna, me quedé paralizado. Había dos figuras: una madre joven y su hijo de tierna edad, levantado a la altura del hombro de ella para que mirara a la cámara. El bebé era como cualquier otro bebé, redondo y suave como una bolita. La madre no miraba directamente al objetivo, sino que observaba a su hijo por el rabillo del ojo. Su peinado y su ropa hacían pensar que pertenecía a otra época, y con su sonrisa encantadora y su mirada llena de esperanza parecía poco más que una niña que sujetaba a otro niño. Tenía la barbilla alzada, como si estuviera a punto de romper a reír de alegría ante el pequeño que tenía en brazos. La fotografía desencadenó una serie de reacciones químicas en mi cerebro. Aturdido y desorientado, reconocí las caras aunque era incapaz de situarlas. Había otras fotografías —un largo vestido blanco al lado de una sombra, un hombre con una gorra de visera—, pero yo no hacía más que volver a la instantánea de la madre y el niño, ponía los dedos sobre el cristal y recorría el contorno de aquellas figuras. Quería recordar. Como un tonto, me dirigí a la pared y encendí la lámpara.

Alguien soltó un grito ahogado de sorpresa en la cocina en el mismo momento en que las fotos de la pared se iluminaron. Dos personas mayores con gafas. Un bebé regordete. Pero vi claramente la fotografía que tanto me había cautivado, y al lado de ella, otra que me afectó más. Aparecía un niño con los ojos hacia el cielo, alzando la mirada en espera de algo que no se veía. No debía de tener más de siete años cuando habían tomado la foto, y si la imagen no hubiera sido en blanco y negro, habría reconocido antes su cara. Era yo, con una chaqueta y una gorra, y los ojos aguardando… ¿qué? ¿Una nevada, una pelota lanzada al aire, una bandada de gansos en forma de uve, unas manos tendidas desde arriba? Qué cosa tan extraña para un niño, terminar en la pared de aquella casa ajena. El hombre y la mujer de la foto de boda no ofrecían la menor pista. Era mi padre con una novia distinta.

—Aniday, ¿qué estás haciendo? —susurró Luchóg—. Apaga esas luces.

Un colchón chirrió en el piso de arriba cuando alguien salió de la cama. Apagué las luces de golpe y me largué. Las tablas del suelo crujieron. Una voz de mujer murmuró algo en tono agudo e impaciente.

—Está bien —contestó el hombre—. Iré a mirar, pero yo no he oído nada. —Se dirigió a la escalera y bajó los escalones lentamente uno a uno. Probamos la puerta trasera que daba a la cocina, pero no conseguimos abrir el cerrojo.

—Este maldito cacharro no se mueve —dijo Smaolach.

La figura que se aproximaba llegó al pie de la escalera y encendió la luz. Entró en la sala de estar, de la que yo había salido segundos antes. Luchóg se puso a trastear con la barra giratoria y abrió el cerrojo con un suave clic. Nos quedamos inmóviles al oír el sonido.

—Eh, ¿quién anda ahí? —dijo el hombre desde la otra habitación. Se dirigió hacia nosotros caminando descalzo.

—Nadie —dijo Smaolach, y giró el pomo y empujó. La puerta se abrió quince centímetros, pero se quedó sujeta por una pequeña cadena de metal situada sobre nuestras cabezas—. Vámonos —dijo, y pasamos uno a uno por la rendija con dificultad, dejando un reguero de azúcar y harina.

Estoy seguro de que el hombre vio al último de nosotros, pues volvió a gritar: «Eh»; pero ya nos habíamos marchado y corríamos por el césped cubierto de escarcha. Un foco se encendió de repente como una lámpara de flash, pero ya habíamos dejado atrás el círculo de luz. Desde lo alto de la sierra, contemplamos cómo todas las habitaciones de la casa se encendían una detrás de otra, hasta que las ventanas brillaron como hileras de calabazas de Halloween. Un perro comenzó a aullar como loco en medio del pueblo, e interpretamos su reacción como una señal de que debíamos retirarnos a casa. El suelo nos helaba los pies descalzos, pero, entusiasmados como unos niños traviesos, escapamos con nuestros tesoros riéndonos bajo las frías estrellas.

Luchóg se detuvo en lo alto de la sierra a fumar uno de sus cigarrillos robados, y miré por última vez el pueblo ordenado donde antes estaba nuestro hogar. Era el lugar donde había comenzado todo: el robo de miel silvestre en lo alto de un árbol, el tramo de carretera donde el coche había atropellado al ciervo, el claro en el que había visto a once niños siniestros al abrir los ojos. Pero alguien lo había borrado todo, como si de una palabra o una línea se tratase, y había escrito otra frase en aquel espacio. Parecía que la urbanización de casas llevara en aquel lugar desde siempre. Hacía que uno dudase de su propia historia.

—El hombre que estaba dormido —dije— me ha recordado a alguien.

—A mí todos me parecen iguales —dijo Luchóg.

—A alguien que conozco. O conocía.

—Podría ser el hermano que perdiste hace tanto tiempo.

—No tengo ningún hermano.

—¿Tal vez un hombre que escribió un libro que leíste en la biblioteca?

—No sé qué aspecto tienen.

—¿Tal vez el hombre que escribió la libreta que llevas a todas partes?

—No, no es McInnes. No conozco a McInnes.

—¿Un hombre de una revista? ¿Una fotografía del periódico?

—Es alguien que he conocido.

—Podría ser el bombero. El hombre que te vio en el riachuelo. —Luchóg dio una calada a su cigarrillo y echó el humo como una vieja máquina de vapor.

—Pensaba que podría ser mi padre, pero no es posible. Y esa extraña mujer y su hijo con el traje azul…

—¿En qué año estamos, tesoro? —preguntó Luchóg.

Podría ser 1972, pero lo cierto era que ya no estaba seguro.

—A estas alturas deberías ser un hombre a punto de cumplir los cuarenta. ¿Y cuántos años tenía el hombre de la ventana?

—Supongo que más o menos esa edad.

—¿Y cuántos años tendría su padre?

—El doble —dije, y sonreí como un bobo.

—Ahora tu padre sería un viejo, casi tanto como yo.

Me senté en el suelo frío. Había pasado muchísimo tiempo desde la última vez que había visto a mis padres; su edad real era un misterio.

Luchóg se sentó a mi lado.

—Al cabo de un tiempo todo el mundo se olvida. Yo no puedo describirte mi querida infancia. Los recuerdos no son reales, sino solo personajes de un cuento. Mi madre podría acercarse a mí ahora mismo y decirme: «Hijo mío», y tendría que contestarle: «Lo siento, pero no la conozco, señora». Puede que mi padre también sea una patraña. Así que, como ves, en cierto sentido no tienes padre ni madre, o, si los tuviste, ya no podrás conocerlos, ni ellos a ti, desgraciadamente.

—Pero ¿y el tipo que estaba dormido en el sillón? Si me esfuerzo, puedo recordar la cara de mi padre.

—Podría ser cualquiera. O nadie.

—¿Y el niño?

—Para mí son todos iguales. Un estorbo sin dientes que se pasa todo el día con hambre. No pueden caminar, no pueden hablar, no pueden compartir un cigarrillo. Puedes quedártelos. Algunos dicen que un suplantador es mejor que un bebé (tiene menos que aprender), pero eso es como retroceder en el tiempo. Hay que moverse hacia delante. Y que Dios nos ayude si alguna vez tenemos que cuidar de un bebé todo un siglo.

—No quiero raptar a ningún niño. Solo me pregunto de quién es ese bebé. ¿Qué le ha pasado a mi padre? ¿Dónde está mi madre?

Para pasar la estación fría, robamos diez mantas y media docena de abrigos de niño de la tienda del Ejército de Salvación, y comíamos pequeñas cantidades, subsistiendo principalmente a base de infusiones aguadas de cortezas de árbol y ramitas. En enero y febrero, con su luz apagada, a menudo no nos movíamos en absoluto y nos quedábamos sentados o en grupos de dos o tres, empapados o fríos como un témpano, esperando a que llegara el sol y recuperáramos la vida. Chavisory cobró fuerzas con el tiempo y, cuando aparecieron las cebollas silvestres y los primeros narcisos, empezó a dar pasos con ayuda. Cada día Mota le hacía dar un paso más. Cuando estuvo lo bastante bien para que nos desplazásemos, escapamos de aquel miserable lugar lleno de recuerdos. A pesar de los riesgos, encontramos un hogar oculto y más apropiado cerca del agua, a un kilómetro y medio más o menos al norte de las nuevas casas. Las noches que hacía mucho viento, los ruidos de las familias llegaban hasta nuestro nuevo campamento, y aunque no estaba muy apartado, nos brindaba una adecuada protección. El primer día, mientras estábamos cavando, me invadió la inquietud. Smaolach se sentó a mi lado y me echó el brazo por encima de los hombros. El sol estaba poniéndose en el cielo.

—*Ni mar a síltear a bítear* —dijo.

—Smaolach, aunque viva mil años, nunca entenderé tu antigua lengua. Háblame en cristiano.

—¿Estás pensando en nuestros amigos fallecidos? Se encuentran mejor donde están que sufriendo esta eterna espera. ¿O te preocupa otra cosa, tesoro?

—¿Alguna vez has estado enamorado, Smaolach?

—Solo una vez, por suerte. Estábamos muy unidos, como toda madre e hijo.

—Luchóg dijo que mi madre y mi padre están muertos.

—Yo no me acuerdo mucho de ella. Tal vez del olor a lana y a un jabón fuerte. El aliento le olía a menta. Tenía un pecho enorme y yo apoyaba la… No, me equivoco. Era una mujer flacucha, todo piel y huesos. No me acuerdo.

—En cada sitio que dejamos desaparece una parte de mí.

—Bueno… mi padre era un tipo robusto con un gran bigote moreno rizado en las puntas, o quizá era mi abuelo, ahora que lo pienso. Fue hace mucho tiempo, y no estoy seguro de dónde ni de cuándo fue.

La oscuridad era absoluta.

—Así es la vida. Todas las cosas se acaban y dan paso a otras. No es aconsejable tomar apego a ningún sitio ni a su gente.

Desconcertado por la filosofía de Smaolach, me fui tambaleando a mi nueva cama y estuve dándole vueltas a lo ocurrido. Intenté visualizar a mi madre y mi padre, pero no lograba acordarme de sus caras ni sus voces. La vida recordada me parecía tan falsa como mi nombre. Esas sombras son visibles: el hombre dormido, la hermosa mujer y el niño que gritaba y se reía. Pero la vida real, y no simplemente lo que he leído sobre ella en los libros, sigue siendo para mí desconocida. Una madre canta una nana a su niño adormilado. Un hombre baraja un mazo de cartas y reparte una mano jugando al solitario. Una pareja de amantes se desabotonan entre ellos y se tiran en la cama. Irreal como un sueño.

No confesé a Smaolach el motivo de mi agitación. Mota prácticamente había renunciado a nuestra amistad, encerrándose en sí misma y adoptando una actitud de dureza y soledad. Incluso después de habernos trasladado, se dedicó a convertir nuestro nuevo campamento en un hogar, y pasaba las horas de sol enseñando a Chavisory a caminar de nuevo. Agotada por sus esfuerzos, Mota se quedaba profundamente dormida cada noche. Los días fríos y húmedos de marzo permanecía en su madriguera, trazando un complicado esbozo en un pergamino enrollado, y cuando le preguntaba por su dibujo, se mostraba callada y reservada. Cada mañana la veía en el lado oeste del campamento, con su chaqueta de abrigo y unos zapatos resistentes en los pies, contemplando pensativamente el horizonte. Recuerdo haberme acercado a ella por detrás y haberle puesto una mano en el hombro. Por primera vez, ella se estremeció ante mi roce, y cuando se volvió para mirarme, tembló como si estuviera reprimiendo las ganas de llorar.

—¿Qué pasa, Mota? ¿Te encuentras bien?

—He estado trabajando demasiado. Se avecina la última nevada. —Sonrió y me cogió la mano—. Nos marcharemos cuando lleguen las primeras rachas.

Cuando la nieve llegó por fin unos días más tarde, me había quedado dormido debajo de un montón de mantas. Ella me despertó, con su pelo moreno cubierto de copos blancos.

—Ha llegado la hora —murmuró, con la suavidad del delicado susurro que se oía entre los pinos.

Mota y yo caminamos sin rumbo por los senderos familiares, procurando mantenernos escondidos, y esperamos a que anocheciera en el linde del bosque, cerca de la biblioteca. La nevada ocultó la puesta de sol, y los faros de los pocos coches que había en la carretera nos engañaron e hicieron que saliésemos demasiado pronto. Nos metimos en el cuarto de la biblioteca apretujándonos y oímos pisadas encima de nosotros cuando los bibliotecarios empezaron a cerrar. Para mantenernos calientes, nos acurrucamos debajo de una manta, y ella rápidamente se quedó dormida contra mí. El ritmo de su corazón palpitante y su respiración y el calor de su piel no tardaron en adormecerme, y cuando los dos nos despertamos estaba oscuro como boca de lobo. Ella encendió las velas, y nos concentramos en nuestros libros.

Mota había estado leyendo a Flannery O'Connor, y yo estaba caminando en las aguas pantanosas de Wallace Stevens. Pero no me podía concentrar en sus abstracciones, y en lugar de leer me dedicaba a mirarla entre línea y línea. Tenía que decírselo, pero las palabras eran inadecuadas, incompletas y tal vez incomprensibles; y, sin embargo, no estaba dispuesto a conformarme con otra cosa. Ella era la mejor amiga que tenía en el mundo, pero un deseo de algo más me había acompañado durante años. No podía racionalizarlo ni justificarlo dejándolo para otro momento. Mota estaba absorta en la lectura de *Los profetas*. Estaba tumbada en el suelo, con la cabeza apoyada en un brazo doblado, y el pelo le ocultaba la cara.

—Mota, tengo algo que decirte.

—Un momento. Déjame acabar la frase.

—Mota, si pudieras dejar el libro un segundo.

—Ya casi estoy. —Metió el dedo entre las páginas y cerró la novela.

Me miró, y en un instante mi estado de ánimo pasó de la euforia al miedo.

—Hace muchísimo tiempo que pienso en ti, Mota. Quiero decirte cómo me siento.

Su sonrisa desapareció. Sus ojos escudriñaron mi persistente mirada.

—Aniday —dijo.

—Tengo que decirte lo…

—No.

—Decirte, Mota, lo mucho que…

—Por favor, no, Henry.

Me detuve, abrí la boca para formar las palabras y me detuve de nuevo.

—¿Qué has dicho?

—No estoy segura de que pueda oírlo.

—¿Cómo me has llamado?

Ella se tapó la boca, como para volver a capturar el nombre que se le había escapado.

—Me has llamado Henry. —Todo se desembrolló en un instante—. Ese soy yo, Henry. Es lo que has dicho, ¿verdad?

—Lo siento mucho, Aniday.

—Henry. No Aniday. Henry Day.

—Henry Day. No debías saberlo.

La impresión que me causó el nombre hizo que me olvidara de lo que había pensado decirle. Miles de pensamientos se agolparon en mi cabeza. Imágenes, soluciones a los diversos enigmas y misterios, y a las preguntas sin respuesta. Ella dejó el libro, cruzó la habitación y me envolvió con su abrazo. Me tuvo agarrado durante una eternidad, meciéndome y calmando mi imaginación febril con su suave roce, apartando la confusión con sus caricias.

Y luego me contó mi historia. La historia relatada en estas páginas es todo lo que ella consiguió recordar. Me contó lo que sabía, y mis recuerdos de sueños, visiones y encuentros completaron el resto. Me dijo por qué lo había mantenido todo en secreto durante tanto tiempo. Me dijo que es mejor olvidar quién es uno. Olvidar el pasado. Borrar el nombre. Todo ello revelado con una voz paciente y celestial, hasta que todo lo que podía ser respondido encontró su respuesta y ningún deseo quedó insatisfecho. Las velas se apagaron, pues habíamos hablado mucho, y la conversación continuó a oscuras. Lo último que recuerdo es haberme quedado dormido entre sus brazos.

Soñé que esa noche nos escapábamos, encontrábamos un lugar donde crecer juntos y nos convertíamos en la mujer y el hombre que estábamos destinados a ser. En el sueño ella me besaba en la boca, y yo deslizaba las puntas de mis dedos sobre su piel desnuda. Un mirlo se puso a cantar. Pero por la mañana ella no estaba donde yo esperaba que estuviera. Durante nuestra larga amistad, nunca me había escrito nada, pero en ese momento encontré a mi lado, donde ella debería haber estado, una nota de su puño y letra. Cada letra está grabada en mi cabeza, y aunque no pienso revelar todo su contenido, al final escribió: «Adiós, Henry Day».

Había llegado el momento de que ella se marchase. Mota ya no está.

29

La primera vez que lo vi estaba demasiado asustado para decir algo y demasiado impresionado para tocarlo. No era un monstruo ni un demonio, sino perfecto en todos los sentidos: un niño hermoso. Después de la larga espera que había tenido que aguantar para verlo, me sentí abrumado por el cambio repentino, no tanto por su presencia física, su llegada después de haber estado escondido, sino por el cambio que experimenté y que me convirtió en algo de una humanidad sublime. Tess sonrió al ver mi confusión y mi mirada mientras lo contemplaba.

—No lo vas a romper —dijo.

Mi hijo. Nuestro niño. Diez dedos en las manos y los pies. Buen color, estupendos pulmones, un don innato para mamar del pecho. Lo estreché entre mis brazos y me acordé de las gemelas con sus pañales amarillos a juego, de mi madre cantándome mientras me frotaba la espalda en la bañera y de mi padre cogiéndome de la mano cuando subíamos a la gradería a ver un partido de fútbol americano en otoño. Luego me acordé de Clara, mi primera madre, de lo mucho que me gustaba meterme debajo de su falda, y del olor a olmo escocés de la mejilla de mi padre Abram y la suavidad de su bigote al pegar los labios a mi piel. Besé a nuestro hijo y pensé en el milagro corriente del nacimiento humano, el prodigio de mi mujer, y di gracias por aquel niño humano.

Lo llamamos Edward, y se desarrolló sin problemas. Nació dos semanas antes del día de Navidad de 1970, y se convirtió en nuestro niño mimado. Durante aquellos primeros meses, los tres nos instalamos en la casa que mi madre y Charlie nos habían comprado en la nueva urbanización del bosque. Al principio no podía soportar la idea de vivir allí, pero nos sorprendieron en nuestro segundo aniversario de boda, y con Tess embarazada y las facturas que se amontonaban, no pude decir que no. La casa era más grande de lo que necesitábamos, sobre todo antes de la llegada del niño, y construí un pequeño estudio donde metí el viejo piano. Enseñaba música a estudiantes de séptimo curso y dirigía la orquesta de la escuela Mark Twain, y por las noches y los fines de semana, cuando no tenía que cuidar del niño, trabajaba en mi música, soñando con una composición que evocase el paso de una vida a otra.

Para inspirarme, a veces desplegaba la fotocopia de la lista de pasajeros y estudiaba los nombres. Abram y Clara, sus hijos Friedrich, Josef y Gustav. La legendaria Anna. Sus fantasmas aparecían de forma fragmentaria. Un médico escucha los latidos de mi corazón mientras mi madre mira con preocupación por encima de su hombro. Caras vueltas hacia mí, que hablan con cautela en una lengua que no entiendo. La falda verde oscuro de mi madre mientras baila un vals. El sabor fuerte de la sidra y el asado de carne marinada en el horno. A través de una ventana cubierta de escarcha, veo cómo mis hermanos se acercan a casa un día de invierno, formando nubes con su aliento mientras cuentan un chiste que solo ellos entienden. El piano está en el salón, y vuelvo a tocarlo.

Tocar música es el único recuerdo vívido que tengo de mi otra vida. No solo me acuerdo de las teclas amarillentas, las retorcidas enredaderas del atril ornamentado, la suavidad del acabado de la madera de palo de rosa, sino que también puedo volver a oír aquellas canciones y percibir las sensaciones que experimentaba tocando: pulsar las teclas, oír las notas resonando desde el interior del instrumento. La combinación de notas forma la melodía. Traducir los símbolos de la partitura en las teclas correspondientes y mantener el ritmo adecuado para crear la canción. El único vínculo que tengo con mi primera infancia es la sensación de dotar de vida al sueño de las notas. La canción que reverbera en mi cabeza se convierte en la canción que resuena en el aire. De niño, aquella era la forma que tenía de liberar mis pensamientos, y ahora, un siglo o más después, intentaba crear la misma expresión transparente por medio de la composición, pero era como si hubiera encontrado la llave y hubiera perdido el ojo de la cerradura. Estaba tan incapacitado como Edward antes de adquirir la facultad del habla, aprendiendo a comunicar mis deseos una y otra vez.

El tiempo que pasaba con nuestro hijo me recordaba aquella vida perdida y me hacía atesorar los recuerdos que Edward creaba cada día que pasaba. Gateaba, se ponía en pie, le salían dientes, le crecía pelo, se prendaba de nosotros. Caminaba, hablaba, crecía en un momento a nuestras espaldas. Durante un tiempo formamos la perfecta familia feliz.

Mis hermanas empañaron esa imagen ideal. Mary, que tenía una hija pequeña, y Elizabeth, que estaba esperando su primera criatura, fueron las primeras en señalar el curioso detalle. La familia ampliada se había reunido en casa de mi madre para cenar. Edward tenía aproximadamente dieciocho meses, pues recuerdo observar detenidamente cómo subía y bajaba la escalera del porche caminando como un pato una y otra vez. Charlie y los maridos de las gemelas estaban viendo los últimos minutos de un partido antes de cenar, y mi madre y Tess vigilaban las sartenes, de modo que yo estaba solo con las chicas por primera vez desde hacía mucho tiempo cuando una o la otra expresó su opinión, aun cuando nadie se la había pedido.

—¿Sabes? No se parece a ti ni de lejos.

—Y casi nada a ella.

Miré cómo Edward cogía briznas de hierba y las lanzaba al aire en calma.

—Fíjate en su barbilla —comentó Liz—. Ninguno de vosotros la tiene partida.

—Y no tiene los ojos del color de ninguno de vosotros —dijo Mary—. Son verdes como los de un gato. Esas pestañas no las ha heredado de nuestra familia. Tienes unas pestañas largas preciosas, cielo. Lástima que no sea niña.

—Pues tampoco son las pestañas de los Wodehouse. Fíjate bien en Tess.

—Son todo rímel.

—Y la nariz. Ahora no tiene mucha, pero ya verás más adelante. Tiene una auténtica napia. Pobrecito.

—Ningún Day ha tenido una nariz como esa.

—Pero ¿qué estáis diciendo? —Levanté tanto la voz que mi hijo se asustó.

—Nada.

—Es un poco raro que no se parezca a sus padres, ¿no crees?

Al atardecer, mi madre, Charlie y yo nos quedamos sentados en el porche mirando cómo las polillas volaban, y el tema del aspecto de Edward volvió a salir a colación.

—No hagas caso a esas dos —dijo mi madre—. Es tu vivo retrato, con una pizca de Tess en la zona de los ojos.

El tío Charlie bebió un trago de una botella de refresco y soltó un pequeño eructo.

—El chaval es clavado a mí. Todos mis nietos lo son. —Eddie se tambaleó sobre las tablas del suelo y se arrojó a las piernas de Charlie, y cuando consiguió equilibrarse rugió como un tigre.

A medida que se hacía mayor, Edward empezó a parecerse más a un Ungerland que a un Day, pero yo hice todo lo posible por ocultar la verdad. A lo mejor debería haberle explicado todo a

Tess, y tal vez aquello habría supuesto el fin de mi tormento. Pero ella aguantaba los comentarios sarcásticos sobre nuestro hijo con elegancia. Días después de su segundo cumpleaños, invitamos a Oscar Love y a Jimmy Cummings a cenar. Después de comer, nos entretuvimos con un arreglo que yo había compuesto con la esperanza de despertar el interés de algún cuarteto de música de cámara de la ciudad. Naturalmente, nos faltaba un músico, pues hacía tiempo que George se había ido a California. Pero volver a tocar con ellos después de unos cuantos años resultaba sencillo y agradable. Tess se disculpó y se fue a la cocina a echar un vistazo a un merengue de limón. Cuando Edward se percató de que se había marchado, rompió a llorar en su parque, golpeando con los puños contra los barrotes.

—¿No crees que se está haciendo un poco mayor para eso? —preguntó Oscar.

—Después de cenar da un poco de guerra. Además, a él le gusta estar ahí. Se siente seguro.

Oscar movió la cabeza con gesto de incredulidad y sacó a Edward de detrás de los barrotes, lo hizo saltar sobre sus rodillas y le dejó toquetear las teclas de su clarinete. Al ver cómo mis amigos solteros reaccionaban ante mi hijo, no pude evitar sentir que estaban poniendo en la balanza su libertad frente al atractivo de la familia. A ellos les encantaba el niño, pero le tenían un poco de miedo, a él y a todo lo que representaba.

—Le atrae el clarinete —dijo Oscar—. Este niño sí que es listo. No querrás probar el piano. Pesa demasiado para llevarlo encima.

—¿Seguro que es tuyo? —preguntó Cummings—. No se parece nada a ti, ni a Tess, de hecho.

Oscar se unió a la diversión.

—Ahora que lo dices… Fíjate en su barbilla partida y sus ojos grandes.

—Venga, chicos, basta ya.

—Tranquilo —susurró—. Que viene la parienta.

Tess sirvió el postre, ajena al giro de nuestra conversación. Yo debería haber sacado a colación la duda que me corroía, haber bromeado sobre el tema, haber dicho algo delante de ella, pero no lo hice.

—Bueno, Tess —dijo Jimmy, balanceando el plato de su tarta sobre la rodilla—, ¿a quién crees tú que ha salido Eddie?

—Tienes una mancha de merengue en la comisura de la boca. —Ella cogió a nuestro hijo y lo colocó sobre su regazo, le acarició el pelo y pegó la cabeza de Eddie a su pecho—. ¿Qué tal está mi hombrecito?

Edward metió la mano directamente en el pastel, cogió un pedazo de la masa amarilla y pegajosa y se la introdujo en la boca.

Ella se rió.

—Igualito que su padre.

Gracias, amor mío. Ella me devolvió la sonrisa.

Después de que los chicos nos desearon buenas noches y Edward se quedó dormido en su cuna, Tess y yo fregamos los platos juntos, mirando por la ventana de la cocina. Las estrellas brillaban como alfileres en el cielo negro y frío, y el agua caliente del fregadero, junto con el ruidoso horno, conferían a la estancia una vaporosa languidez. Dejé el paño y rodeé a Tess con los brazos por detrás, besé su nuca caliente y húmeda, y ella se estremeció.

—Espero que no te hayas enfadado porque Jimmy ha dado la tabarra con el tema del parecido de Edward.

—Lo sé —dijo—. Es muy raro.

Por un segundo, pensé que sospechaba que algo iba mal, pero se dio la vuelta para tenerme de frente y me cogió la cara con los guantes de goma.

—Te preocupas por unas cosas de lo más extrañas. —Me besó, y la conversación derivó a otro tema.

Varias noches más tarde, Tess y yo estábamos dormidos en la cama, y Edward se encontraba en su habitación al final del pa-

297

sillo. Ella me despertó sacudiéndome el hombro y hablando bruscamente en un tono a medio camino entre el susurro y el grito.

—Henry, Henry, despierta. He oído ruidos abajo.

—¿Qué pasa?

—¿No lo oyes? Hay alguien ahí abajo.

Gruñí que no pasaba nada.

—Te estoy diciendo que hay alguien en casa. ¿Quieres ir a mirar?

Me di la vuelta y salí de la cama y me quedé quieto un instante, tratando de despertar mis sentidos, y a continuación pasé por delante de la puerta cerrada de Edward en dirección a lo alto de la escalera. No vi nada, pero tenía la sensación de que una luz se había apagado abajo y de que algo se movía de forma borrosa de una habitación a otra. Inquieto, bajé los escalones de uno en uno en una suerte de trance hipnótico, mientras mis emociones variaban a medida que se hacía cada vez más oscuro. Cuando llegué al pie de la escalera, entré en la sala de estar y encendí las luces. No parecía que hubiera nada distinto en la habitación a excepción de unas fotografías de las paredes que estaban ligeramente torcidas. Habíamos colocado una especie de galería familiar con instantáneas de nuestros padres, imágenes de Tess y de mí de niños, una foto de la boda y una serie de retratos de Edward. Volví a alinear los marcos y en ese mismo instante oí que el cerrojo de la puerta de la cocina giraba.

—Eh, ¿quién anda ahí? —chillé, y salí corriendo a toda prisa justo a tiempo para ver el trasero de un niño que pasaba con dificultad por entre la puerta y la jamba.

Afuera, en la noche fría y oscura, tres figuras corrían a toda velocidad por el césped cubierto de escarcha. Encendí los focos y les grité que se detuvieran, pero habían desaparecido. La cocina estaba hecha un desastre, y en la despensa faltaban conservas, cereales y azúcar, así como un pequeño cazo de cobre, pero poco más. Una bolsa de harina había estallado cuando habían pasado por la puerta, dejando un reguero polvoriento salpicado de pisadas. Un robo de lo más extraño perpetrado por una pandilla de ladrones hambrientos. Tess bajó y se quedó pasmada al ver el desbarajuste, pero me sacó de la cocina para volver a ponerla en orden. Cuando regresé a la sala de estar, revisé nuestras pertenencias, pero todo seguía en su sitio: el televisor, el equipo de música; no había desaparecido nada de valor.

Examiné las fotografías con más detalle. Tess lucía prácticamente el mismo aspecto que el día de nuestra boda. El sargento William Day miraba fijamente, detenido en el pasado con su uniforme militar. Ruth Day observaba por el rabillo del ojo a su hijo; apenas era algo más que una niña con un niño, pero rebosaba amor y orgullo. En el siguiente marco aparecía yo, de niño nuevamente, mirando hacia arriba y lleno de esperanza. Pero, naturalmente, aquel no era yo. El niño era demasiado pequeño. Y en aquel instante comprendí quién había ido a casa y por qué.

Tess entró en la habitación y me apoyó una mano en la espalda.

—¿Llamamos a la policía? ¿Falta algo?

Yo fui incapaz de contestar, pues el corazón me latía a toda velocidad y un miedo sobrecogedor me dejó clavado en el sitio. No habíamos echado un vistazo a nuestro hijo. Subí la escalera a toda prisa hasta su habitación. Estaba dormido, con las rodillas flexionadas contra el pecho, como si no hubiera pasado nada. Al ver su rostro inocente, supe de inmediato que era sangre de mi sangre. Casi se parecía al niño que todavía hoy veo en mis pesadillas. El niño del piano.

30

Metí la carta en el libro y fui a buscar a Mota. El pánico superaba la lógica, y salí corriendo al césped de la biblioteca, con la esperanza de que se hubiera marchado momentos antes. La nieve había dado paso a una lluvia fría que había destruido todas las huellas que ella pudiera haber dejado. No se veía un alma. Nadie contestó cuando grité su nombre, y las calles estaban extrañamente vacías, mientras las campanas de la iglesia empezaban a repicar un domingo más. Seguí el laberinto de aceras, pero no tenía ni idea de qué dirección seguir. Un coche dobló una esquina y redujo la velocidad cuando la conductora me vio caminando bajo la lluvia. Frenó, bajó la ventanilla y gritó:

—¿Necesitas que te lleven? Vas a pillar un catarro de muerte.

Me acordé de hacer mi voz inteligible; el único golpe de suerte de aquel triste día.

—No, gracias, señora. Me voy a casa.

—No me llames señora —dijo ella. Tenía una cola de caballo rubia como la mujer que vivía en la casa donde habíamos robado meses antes, y sonreía de lado—. Hace una mañana horrible para salir, y no llevas gorro ni guantes.

—Vivo a la vuelta de la esquina. Gracias.

—¿Te conozco?

Negué con la cabeza, y ella empezó a subir la ventanilla.

—No habrá visto a una niña por aquí, ¿verdad? —grité.

—¿Con esta lluvia?

—Es mi hermana gemela —mentí—. He salido a buscarla. Es más o menos de mi estatura.

—No. No he visto a nadie. —Me miró detenidamente—. ¿Dónde vives? ¿Cómo te llamas?

Vacilé y consideré oportuno zanjar el tema.

—Me llamo Billy Mota.

—Más vale que vuelvas a casa, hijo. Ya aparecerá.

El coche dobló la esquina y se marchó. Frustrado, caminé en dirección al río, lejos de todas aquellas calles caóticas y de la posibilidad de encontrarme con otro humano. Caía una llovizna constante, aunque no tan fría como para volver a aumentar de intensidad, y estaba empapado y helado. Las nubes tapaban el sol, lo que hacía que me resultara difícil orientarme, de modo que usé el río a modo de brújula, siguiendo su curso durante todo el día hasta que empezó a oscurecer. Desesperado por encontrarla, no me detuve hasta altas horas de la noche. Descansé debajo de una hilera de árboles de hoja perenne atestados de gorriones y arrendajos, a la espera de que cambiase el tiempo.

Alejado del pueblo, lo único que oía era el ruido del río al lamer las orillas pedregosas. En cuanto dejé de buscar, empezaron a asaltarme las preguntas que hasta entonces había evitado. Dudas sin respuesta que durante los siguientes años me atormentarían en los momentos de tranquilidad. ¿Por qué nos había abandonado Mota? ¿Por qué querría abandonarme? Ella no había corrido el riesgo que habían asumido Kivi y Blomma. Ella había decidido estar sola. Aunque Mota me había dicho mi nombre real, yo no sabía el suyo. ¿Cómo iba a encontrarla? ¿Debería haberme quedado callado o habérselo contado todo y haberle dado un motivo para quedarse? Notaba un dolor cada vez más intenso detrás de los ojos que atenazaba mi cráneo dolorido. Aunque solo fuera para dejar de obsesionarme, me levanté y seguí dando traspiés por la oscuridad húmeda, sin encontrar nada.

Frío, cansado y hambriento, llegué al recodo del río al cabo de dos días de trayecto a pie. Mota había sido la única persona del clan que había llegado tan lejos, y de algún modo había conseguido vadear las aguas hasta el otro lado. El agua de color zafiro corría rápidamente, rompiendo sobre las rocas y los obstáculos ocultos, y las pequeñas olas espumosas lanzaban destellos. Si Mota se encontraba en la otra orilla, significaba que había cruzado el río a fuerza de valor. En la lejana ribera apareció una visión de mis recuerdos: un hombre, una mujer y un niño, la huida veloz de un ciervo, una mujer con un abrigo rojo.

—¡Mota! —grité a través del río, pero ella no estaba en ninguna parte.

Más allá de aquel punto se extendía el mundo entero, demasiado vasto e inescrutable. Toda esperanza y valor me abandonaron. No me atreví a cruzar, de modo que me quedé sentado en la orilla y esperé. Al tercer día, volví a casa sin ella.

Entré en el campamento tambaleándome, agotado y deprimido, con la esperanza de no tener que hablar. Los demás se habían preocupado durante los primeros días, pero al final de la semana se habían puesto nerviosos e intranquilos. Después de que encendieron lumbre y me dieron de comer sopa de ortigas de una cazuela de cobre, conté toda la historia, salvo el detalle de la revelación de mi nombre y lo que no le había dicho a Mota.

—En cuanto me di cuenta de que se había ido, fui a buscarla y viajé hasta el recodo del río. Puede que haya desaparecido para siempre.

—Tesoro, ve a dormir —dijo Smaolach—. Ya se nos ocurrirá un plan. El nuevo día trae nuevas esperanzas.

A la mañana siguiente no había plan ni esperanzas, ni tampoco ninguna otra mañana. Los días se sucedían. Yo interpretaba cada momento de tensión, cada crujido y chirrido, cada susurro, cada luz de la mañana como su regreso. Los demás respetaban mi dolor y me esquivaban, procurando mantenerse al margen y permitiendo que yo me tomase mi tiempo. Ellos también la echaban de menos, pero la pena ajena me parecía insignificante, y me molestaban sus vagos recuerdos y su incapacidad para acordarse bien de las cosas. Detestaba a los cinco por no haberla detenido, por haberme introducido en aquel tipo de vida, por mi imaginación infernal. Me parecía verla constantemente. Cada vez que confundía a uno de ellos con Mota, me daba un vuelco el corazón, y cuando me daba cuenta de mi error, se me caía el alma a los pies. O creía ver el color moreno de su pelo en el ala de un cuervo. Un día, mientras contemplaba cómo el agua corría sobre las piedras, me encontré con su silueta familiar, con los pies ocultos debajo de ella. La imagen resultó ser un cervatillo que se había parado a descansar al sol. Ella estaba en todas partes, eternamente. Y nunca presente.

Su ausencia deja un agujero en la piel que recubre mi relato. He pasado una eternidad intentando olvidarla, y otra intentando recordarla. No existe bálsamo para semejante deseo. Los demás sabían que no debían hablar de ella delante de mí, pero los sorprendí después de una tarde de pesca en medio de una conversación que no estaba destinada a ser oída por mí.

—Nuestra Mota ha muerto —dijo Smaolach a los demás—. Y, si está viva, no va a volver con nosotros.

Las hadas y los elfos me lanzaron miradas furtivas, sin saber lo que yo había oído. Dejé mi ristra de peces y empecé a quitarles las escamas, fingiendo que su charla no me había afectado. Pero las palabras de Smaolach me hicieron vacilar. Era posible que ella no hubiera sobrevivido, pero prefería pensar que había ido al mundo de arriba o había llegado a su querido mar. La imagen del océano me recordó el intenso color de sus ojos, y un atisbo de sonrisa se dibujó en mis labios.

—Se ha ido —dije al silencioso grupo—. Lo sé.

El día siguiente lo pasamos dando la vuelta a las piedras del lecho del riachuelo y recogiendo las salamandras y los tritones escondidos para cocinarlos todos en un guiso. Hacía un día caluroso, y el esfuerzo tuvo un grave efecto sobre nosotros. Muertos de hambre como estábamos, disfrutamos del sustancioso y pegajoso rancho, lleno de huesecitos que crujían al masticarlos. Cuando salieron las estrellas, todos nos fuimos a la cama, con el estómago lleno y los músculos cansados por el largo día. A la mañana siguiente me desperté muy tarde y, medio dormido, me di cuenta de que el día anterior no había pensado en ella ni una sola vez mientras estábamos buscando comida. Respiré hondo. Estaba olvidando.

La presencia de Mota se vio sustituida por el tedio. Me quedaba sentado mirando el cielo o viendo desfilar a las hormigas, y practicaba la forma de apartarla de mi cabeza. Cualquier cosa que despertase un recuerdo se podía despojar del significado personal que llevaba aparejado. Una frambuesa es una frambuesa. Un mirlo no es una metáfora de nada. Las palabras significan lo que uno desea. También intenté olvidar a Henry Day y aceptar mi situación como el último de mi especie.

Ninguno de nosotros esperaba nada. Smaolach nunca lo dijo, pero yo sabía que no le entusiasmaba la idea de hacer el cambio. Y no tramaba ningún plan de raptar a otro niño. A lo mejor consideraba que éramos demasiado pocos para realizar complicados preparativos, o quizá tenía la sensación de que el propio mundo estaba cambiando. En la época de Igel, el tema salía a relucir constantemente con cierta energía incesante, pero apareció menos durante el mandato de Béka y nunca durante el de Smaolach. Ni misiones de reconocimiento en el pueblo, ni operaciones de búsqueda de niños solitarios, abandonados u olvidados. Ni estiramientos de la cara, ni contorsiones, ni informes. Emprendíamos nuestra eterna actividad como si nos hubiésemos resignado, confiando en que nos aguardase otro desastre o deserción.

A mí me daba igual. Me invadía cierta audacia, y no dudaba en ir corriendo al pueblo en solitario, aunque solo fuera para birlar un cartón de cigarrillos para Luchóg o una bolsa de caramelos para Chavisory. Robaba cosas superfluas: una linterna y pilas, un cuaderno de dibujo y carboncillos, una pelota de béisbol y seis anzuelos, y una vez en Navidad, una deliciosa tarta con forma de leño. En los confines del bosque, me dedicaba a perder el tiempo con actividades de ocio: tallar un feroz murciélago en el puño de un bastón de nogal, colocar un círculo de piedras alrededor de la circunferencia de nuestro campamento, buscar viejos caparazones de tortuga y confeccionar un collar con los fragmentos. Subí solo a la ladera de la montaña cubierta de escoria y la mina abandonada, que permanecía inalterada, tal como la habíamos dejado, y dejé el collar hecho con el caparazón de la tortuga donde Ragno y Zanzara estaban enterrados. Ya no me despertaba en mitad de la noche por culpa de los sueños, pero aquello solo se debía a que la vida se había convertido en una pesadilla de sonámbulo. Habían pasado unas cuantas estaciones, cuando un encuentro casual hizo que me diera cuenta de que era imposible olvidar a Mota.

Estábamos ocupándonos de las delicadas plantas de semillero cultivadas en una pendiente bañada de sol a varios cientos de metros del campamento. Cebollas había robado nuevas semillas, y al cabo de unas semanas salieron los primeros brotes tiernos: guisantes, zanahorias, cebolletas, una planta de sandías y una hilera de judías. Chavisory, Cebollas, Luchóg y yo estábamos desherbando el huerto esa mañana de primavera, cuando el ruido de unos pasos que se acercaban hizo que nos levantáramos a toda prisa y olfateáramos el aire, preparados para huir o escondernos. Los intrusos eran unos excursionistas perdidos que habían salido del sendero y se encaminaban en dirección a nosotros. Desde que habían levantado la urbanización, rara vez nos cruzábamos con un viajero, pero nuestra parcela cultivada podía parecer un tanto peculiar a aquellos extraños en medio de ninguna parte. Ocultamos el huerto con ramas de pinos y nos escondimos debajo de unos árboles.

Dos chicos y una chica con gorros en la cabeza y unas mochilas enormes sujetas a los hombros aparecieron, alegres y despreocupados. Pasaron tranquilamente por delante de las hileras de plantas y de nosotros. El primer individuo miraba al frente. El segundo —la chica— lo miraba a él, y el tercero miraba el trasero de esta. Aunque estaban perdidos, el joven parecía absorto únicamente en aquella parte. Los seguimos con prudencia, y al final se pusieron cómodos en una colina para beber agua de unas botellas, desenvolver sus chocolatinas y aligerar la carga. El primer joven sacó un libro y leyó algo a la chica, mientras el tercer excursionista se iba detrás de los árboles a hacer sus necesidades. Desapareció durante un largo rato, pues el joven del libro tuvo ocasión no solo de terminar el poema sino también de besar a la chica. Cuando terminaron de descansar, los tres cogieron sus bártulos y se fueron resueltamente. Esperamos un tiempo considerable antes de correr al lugar que ellos habían dejado libre.

Había dos botellas de agua vacías tiradas en el suelo, y Luchóg las cogió y encontró los tapones cerca. Se habían deshecho de los envoltorios de celofán de sus aperitivos, y el chico había dejado su fino volumen de poesía en la hierba. Chavisory me lo dio. *Los estuarios azules*, de Louise Bogan. Hojeé unas páginas y me detuve en los versos «Que más cosas se mueven / Que sangre en el corazón».

—Mota —dije para mí. Hacía siglos que no pronunciaba su nombre en voz alta.

—¿Qué pasa, Aniday? —preguntó Chavisory.

—Estoy intentando recordar.

Los cuatro regresamos al huerto. Me volví para ver si mis compañeros seguían el mismo camino y descubrí que Luchóg y Chavisory caminaban animadamente cogidos de la mano. Mota inundó mis pensamientos. Sentí el deseo de encontrarla de nuevo, aunque solo fuera para comprender por qué se había ido. Para decirle que seguía manteniendo conversaciones íntimas con ella en mi cabeza. Debería haberle pedido que no se fuera, haber hallado las palabras adecuadas para convencerla, haberle confesado todo lo que se movía en mi corazón. Y, con la esperanza de que no fuera demasiado tarde, decidí empezar de nuevo.

31

No me gustaría volver a ser un niño, pues la existencia de un niño se desarrolla en medio de la incertidumbre y el peligro. No podemos evitar temer por nuestros retoños, mientras deseamos que se abran camino en esta vida. Después del robo, empecé a preocuparme por nuestro hijo a todas horas. Edward no es quien decimos que es porque su padre es un impostor. No es un Day, sino el hijo de un suplantador. Le transmití mis genes originales y le di la cara y las facciones de los Ungerland, y quién sabe qué otros rasgos pasaron a él saltándose generaciones enteras. Sé poco de mi infancia aparte de un nombre escrito en un trozo de papel: Gustav Ungerland. Me raptaron hace mucho tiempo. Y cuando los suplantadores volvieron, comencé a pensar que consideraban a Edward uno de los suyos y querían reclamarlo. El desorden que dejaron en la cocina fue un subterfugio para ocultar un objetivo más siniestro. Las fotografías movidas de la pared indicaban que estaban buscando a alguien. El mal rondaba en el jardín y recorría sigilosamente el bosque, planeando el rapto de mi hijo.

Un domingo de primavera perdimos a Edward. Aquella tarde hacía un calor espléndido y nos encontrábamos en la ciudad por casualidad, pues yo había descubierto un órgano de tubos pasable en una iglesia de Shadyside y, después de los oficios religiosos, el organista me permitía practicar durante una hora con el instrumento, probando los nuevos sonidos que salían de mi imaginación. Después, Tess y yo llevamos a Edward al zoo para que viera por primera vez en persona a los elefantes y los monos. A una enorme cantidad de gente se le había ocurrido la misma idea, y las aceras estaban atestadas de parejas empujando cochecitos, adolescentes con escaso entusiasmo, e incluso una familia con seis hijos pelirrojos, separados entre ellos por un año de diferencia, una infinidad de pecas y ojos azules. Había demasiadas personas para mi gusto, pero avanzamos dando empujones sin rechistar. Edward se quedó fascinado por los tigres y se entretuvo delante de la valla de hierro, comiendo su algodón de azúcar y rugiendo a las fieras para animarlas a que salieran de su estado de sopor. Un tigre movió nerviosamente la cola en pleno sueño negro y anaranjado, molesto por las peticiones de mi hijo. Tess aprovechó que Edward estaba distraído para enfrentarse a mí.

—Henry, quiero hablar contigo de Eddie. ¿A ti te parece que está bien? Últimamente ha sufrido un cambio, y hay algo… no sé… que no es normal.

Yo podía verlo por encima de su hombro.

—Es totalmente normal.

—O a lo mejor eres tú —dijo—. Últimamente has estado distinto con él. Sobreprotegiéndolo, sin dejar que se porte como un niño. Eddie debería salir a coger renacuajos y a trepar por los árboles, pero parece que te diera miedo perderlo de vista. Necesita que le demos la oportunidad de ser más independiente.

La llevé aparte, fuera del alcance del oído de nuestro hijo.

—¿Te acuerdas de la noche que entraron a robar en casa?

—Lo sabía —dijo ella—. Dijiste que no había por qué preocuparse, pero tú has estado intranquilo por eso, ¿verdad?

—No, no, solo me estaba acordando de que esa noche, cuando estaba mirando las fotos de las paredes, me puse a pensar en mis sueños de la infancia: los años que pasé al piano, buscando la música adecuada para expresarme. He estado buscando respuestas, Tess, y las tenía al alcance de la mano. Hoy, en la iglesia, el órgano sonaba como el de la iglesia de San Nicolás de Cheb. El órgano es la respuesta a la sinfonía. Órgano y orquesta.

Ella me rodeó con los brazos y se apretó contra mi pecho. Tenía los ojos llenos de luz y esperanza; en mis distintas vidas, nadie había mostrado tanta confianza en mí, en la esencia de la persona que yo mismo me consideraba. En ese momento me sentía tan enamorado de ella que me olvidé del mundo y de todo lo que había en él, y entonces, al echar un vistazo por encima de su hombro, me di cuenta de que nuestro hijo había desaparecido. Se había esfumado del lugar donde estaba. Lo primero que pensé fue que se había cansado de los tigres y estaba en el suelo o cerca de nosotros, a punto de pedirnos que lo dejásemos participar de un abrazo familiar. Esa esperanza se desvaneció y se vio sustituida por la espantosa idea de que Edward había pasado por entre los barrotes y había sido devorado al instante por los tigres. Pero al echar un vistazo rápido a la jaula descubrí que no había nada aparte de dos gatos indolentes que dormían tumbados al pálido sol. En mi imaginación, vi a los suplantadores. Miré hacia atrás en dirección a Tess y temí que lo que iba a decir le partiera el corazón.

—Edward ha desaparecido —le dije, al tiempo que me apartaba.

Ella se dio la vuelta y se dirigió al lugar donde lo había visto por última vez.

—Eddie —gritó—, ¿dónde demonios estás?

Recorrimos el sendero hacia la zona de los leones y los osos, llamándolo a gritos; la voz de ella subía una octava cada vez que pronunciaba su nombre, asustando así a los demás padres. Tess detuvo a una pareja de edad avanzada que caminaba en dirección contraria.

—¿Han visto a un niño solo? Tiene tres años. Lleva un algodón de azúcar.

—Aquí no hay más que niños —dijo el anciano, señalando con su fino dedo detrás de nosotros.

Había una fila de niños que se reían y corrían persiguiendo algo por un camino con sombra. Delante del grupo, un guarda del parque zoológico se afanaba intentando retener a los niños mientras seguía a su presa. Edward corría delante de la pandilla, trotando de forma impetuosa y desgarbada detrás de un pingüino que se había escapado de su redil y caminaba como un pato, libre y despreocupado, tal vez con la intención de regresar al mar o de buscar pescado fresco. El guarda pasó a Edward corriendo y alcanzó al ave, que se puso a rebuznar como un burro. Agarrando el pico con una mano y abrazando al pájaro contra su pecho, el guarda pasó por delante de nosotros a toda prisa cuando llegamos junto a nuestro hijo.

—Menudo lío —nos dijo—. Este se escapa y se va adonde le da la gana. Desde luego hay cosas que tienen mucha voluntad.

Cogimos a Edward de las manos, decididos a no dejarlo marchar nunca.

Edward era como una cometa atada a una cuerda, siempre amenazando con soltarse. Antes de que empezara a ir a la escuela, Eddie se encontraba a salvo en casa. Tess cuidaba de él por la mañana, y entre semana yo estaba en casa para vigilarlo por la tarde. Cuando Eddie cumplió cuatro años, empecé a llevarlo conmigo de camino al trabajo. Lo dejaba en la guardería y luego pasaba a recogerlo cuando acababan mis clases de música en la escuela Mark Twain. Durante nuestras pocas horas de intimidad, le enseñaba escalas, pero cuando se aburría del piano se marchaba con sus juguetes de construcción y sus dinosaurios, y se ponía a inventar juegos y amigos imaginarios para pasar sus horas de soledad. De vez en cuando, invitaba a algún compañero de juegos por la tarde, pero aquellos niños nunca volvían. A mí me parecía perfecto, pues nunca llegué a confiar del todo en aquellos pequeños. Cualquiera de ellos podría haber sido un suplantador disfrazado.

Curiosamente, mi música floreció con el magnífico aislamiento del que disfrutábamos. Mientras él se entretenía con sus juguetes y sus libros, yo componía. Tess me animaba a dar con mi propio sonido. Aproximadamente cada semana, traía a casa un nuevo álbum de música de órgano que había encontrado en alguna polvorienta tienda de discos. Compraba entradas para las actuaciones del teatro Heinz, encontraba hojas de partitura y libros sobre orquestación e instrumentación, e insistía en que fuera a las iglesias y al conservatorio de la ciudad a trabajar en la música que sonaba en mi cabeza. En esencia, ella estaba recreando el repertorio del cofre de la iglesia de Cheb. Compuse docenas de obras, aunque mis esfuerzos obtuvieron escaso éxito y atención: una interpretación forzada de un nuevo arreglo por parte de un coro local, o una sesión nocturna de órgano eléctrico acompañado de un conjunto de viento del norte del estado. Lo probé todo con tal de que me oyesen, como mandar cintas y partituras a las discográficas e intérpretes de todo el país, pero normalmente recibía cartas formales de rechazo, como mucho. Todos los grandes compositores adquieren su aprendizaje de un modo u otro, pero en lo más profundo de mi corazón sabía que mis composiciones todavía no habían alcanzado mis objetivos.

Una llamada telefónica lo cambió todo. Acababa de entrar por la puerta con Edward después de recogerlo en la guardería. Una voz de otro mundo sonó al otro lado de la línea. Un prometedor cuarteto de cámara de California, especializado en música experimental, expresó interés por grabar una de mis composiciones, una pieza atonal de ambiente que había compuesto poco después del robo. George Knoll, mi viejo amigo de The Coverboys, les había pasado mi partitura. Cuando lo llamé para darle las gracias, nos invitó a visitarlo y quedarnos en su casa para que yo pudiera estar en la sesión de grabación. Tess,

Edward y yo viajamos a la casa de los Knoll en San Francisco aquel verano de 1976 y pasamos unos días estupendos con George y su familia. Su modesto café en North Beach era el único restaurante andaluz genuino que había entre el montón de garitos italianos, y su despampanante mujer y jefa de cocina tampoco suponía un perjuicio para el negocio. Era estupendo verlos, y los pocos días que pasamos lejos de casa calmaron mis inquietudes. Nada raro rondaba por California.

El pastor de la catedral de la Gracia de San Francisco nos permitió dedicar una tarde a la grabación; el órgano de tubos de la basílica rivalizaba en cuanto a tono y equilibrio con el antiguo instrumento que había tocado en Cheb. Cuando pisé los pedales me invadió la misma sensación de haber regresado a mi hogar, y desde las notas iniciales experimenté nostalgia del teclado. El cuarteto cambió unos cuantos compases, adaptó unas cuantas notas, y después de que tocamos mi fuga para órgano y cuerdas por séptima vez, todo el mundo pareció quedar satisfecho con el resultado. Mi contacto con la fama terminó al cabo de noventa minutos. Cuando nos despedimos, todo el mundo se mostró optimista con relación a nuestras limitadas perspectivas. Puede que apenas mil personas comprasen el disco y escuchasen mi pieza, pero la emoción de editar un disco por fin pesaba más que cualquier inquietud por el número de público.

El violonchelista del grupo nos dijo que no nos perdiéramos la región de Big Sur, de modo que nuestro último día antes de volar de vuelta a casa alquilamos un coche y viajamos al sur por la autopista de la costa del Pacífico. Durante la mayor parte de la mañana, el sol estuvo asomándose y desapareciendo entre las nubes, pero el paisaje marino era espectacular. Tess siempre había querido ver el océano, así que decidimos salir de la autopista y relajarnos un poco en una cala del páramo de Ventana. Mientras nos dirigíamos a pie a la arena, apareció una tenue bruma que ocultó el Pacífico. En lugar de volvernos atrás, decidimos comer en una pequeña playa con forma de medialuna situada junto a las cataratas de McWay, una cascada de veinticinco metros de altura en la que el agua cae al mar desde el acantilado de granito. No vimos ningún coche en la entrada y pensamos que estábamos solos en el lugar. Después de comer, Tess y yo nos tumbamos en una manta, y Eddie, que tenía cinco años y estaba lleno de energía, echó a correr por la arena. Unas gaviotas se rieron de nosotros desde las rocas, y, en medio de aquel aislamiento, me sentí en paz por primera vez desde hacía siglos.

Quizá el ritmo de la marea o el aire fresco del mar nos afectaron después de comer. Tess y yo nos dormimos sobre la manta. Yo tuve un extraño sueño que no me visitaba desde hacía mucho tiempo. Me encontraba de nuevo entre los trasgos y estábamos acechando a un niño como una manada de leones. Metí la mano dentro de un árbol hueco y tiré de su pierna hasta que el pequeño salió debatiéndose como un recién nacido colocado al revés. Cuando el niño contempló su vivo reflejo, el terror inundó sus ojos. El resto de nuestra tribu salvaje permaneció alrededor, mirando y cantando una canción diabólica. Yo estaba a punto de adoptar su vida y dejarle la mía. El niño gritó.

Una gaviota que volaba aprovechando las corrientes termales en las alturas soltó un chillido y a continuación se marchó por encima de las olas. Tess estaba dormida, preciosa en estado de reposo junto a mí, y me embargó el deseo. Oculté mi cara en su nuca y la desperté acariciándola con la nariz, y ella me rodeó la espalda con los brazos casi para protegerse. Tras envolver nuestros cuerpos con la manta, me coloqué encima de ella mientras le quitaba la ropa. Empezamos a reírnos y a mecernos el uno contra el otro. De repente, ella se detuvo y me susurró:

—Henry, ¿sabes dónde estás?

—Estoy contigo.

—Henry, Henry, para. Henry, ¿dónde está Eddie?

Me di la vuelta para apartarme de ella y me situé. La bruma

había aumentado ligeramente, desdibujando los contornos de una península rocosa que sobresalía en el agua. Un terreno resistente con coníferas se aferraba a su cráneo de granito. Detrás de nosotros, la cascada caía hasta la arena con la marea baja. No se oía más sonido que el de las olas contra la orilla.

—¿Eddie? —Ella ya se había puesto en pie—. ¡Eddie!

Me levanté junto a ella.

—Edward, ¿dónde estás? Ven aquí.

Se oyó un grito tenue procedente de los árboles y luego tuvimos que hacer frente a una espera insoportable. Yo ya estaba lamentando la pérdida de Eddie cuando apareció corriendo por la arena hacia nosotros, con la ropa y el pelo mojados de espuma salada.

—¿Dónde has estado? —preguntó Tess.

—He ido hasta el final de esa isla.

—¿No sabes lo peligroso que es eso?

—Quería ver hasta dónde se puede ver. Hay una niña allí.

—¿En esa roca?

—Estaba sentada mirando al mar.

—¿Sola? ¿Dónde están sus padres?

—De verdad, mamá. Ha recorrido un camino muy, muy largo para llegar aquí. Como nosotros.

—Edward, no deberías inventarte esa clase de historias. No hay ninguna persona en kilómetros a la redonda.

—De verdad, papá. Ven a ver.

—No pienso ir a esas rocas. Hace frío, están mojadas y son resbaladizas.

—Henry —Tess señaló los abetos—, fíjate en eso.

Una niña apareció entre los abetos, con el pelo moreno volando tras ella, y bajó corriendo por la superficie inclinada, ligera y ágil como la brisa. A aquella distancia parecía irreal, como si la hubiese creado la bruma. Cuando nos vio se detuvo y, aunque no se acercó, no era ninguna extraña. Nos miramos entre nosotros por encima del agua; fue un instante tan breve como el disparo de una fotografía. Visto y no visto al mismo tiempo. Se volvió hacia la cascada y se puso a correr, y desapareció en medio de un montón confuso de rocas y árboles de hoja perenne.

—¡Espera! —gritó Tess—. No te vayas. —Echó a correr en dirección a la niña.

—Déjala —chillé yo, y retuve a mi mujer—. Se ha marchado. Parece que conoce este sitio.

—Estupendo, Henry. Dejas que se marche en este sitio perdido de la mano de Dios.

A Eddie le entró un escalofrío con la ropa mojada. Lo envolví con la manta y lo hice sentar en la arena. Le preguntamos todo sobre la niña, y las palabras brotaron atropelladamente de su boca mientras entraba en calor.

—Yo había salido de expedición y fui a la roca grande que hay en la orilla. Y ella estaba allí sentada. Justo detrás de esos árboles, mirando las olas. Me dijo «hola» y yo le dije «hola». Y luego dijo: «¿Te gustaría sentarte conmigo?».

—¿Cómo se llama? —preguntó Tess.

—¿Habéis oído hablar de alguna niña que se llame Mota? Le gusta venir aquí en invierno a ver las ballenas.

—Eddie, ¿te dijo dónde estaban sus padres? ¿O cómo había llegado aquí ella sola?

—Vino caminando, y tardó más de un año. Luego me preguntó de dónde era, y se lo dije. Luego me preguntó mi nombre, y le dije que me llamaba Edward Day. —De repente apartó la vista de nosotros y miró la roca y la marea, como si estuviera recordando una sensación secreta.

—¿Te dijo algo más?

—No. —Se envolvió los hombros con la manta.

—¿Nada de nada?

—Dijo: «¿Qué tal es la vida en el gran mundo?», y me hizo gracia.

—¿Hizo algo… raro?

316

—Sabe reírse como una gaviota. Entonces oí que me estabais llamando. Y ella dijo: «Adiós, Edward Day». Y yo le dije que esperara allí mientras yo iba a buscar a mi mamá y mi papá.

Tess abrazó a nuestro hijo y le frotó los brazos desnudos a través de la manta. Y volvió a mirar al lugar por el que se había marchado corriendo la niña.

—Se escapó. Como un fantasma.

Desde ese momento hasta que el avión aterrizó en nuestra ciudad, no pensé en otra cosa que en aquella niña perdida. Lo que me preocupaba no era tanto su misteriosa aparición y desaparición como la familiaridad que despertaba en mí.

Cuando nos instalamos en casa, empecé a ver suplantadores por todas partes.

El sábado por la mañana fui al pueblo a cortarme el pelo con Edward, y me puse nervioso al ver a un muchacho rubio que esperaba su turno chupando una piruleta sin hacer ruido mientras miraba fijamente a mi hijo, imperturbable. Cuando las clases se reanudaron en otoño, una pareja de gemelos de sexto curso empezó a asustarme con su asombroso parecido y la capacidad que ambos tenían para acabar las frases del otro. Una noche oscura, al volver a casa en coche de una actuación de la banda, vi a tres niños en el cementerio y por un instante me pregunté qué estarían tramando a esas horas. En las fiestas o las raras salidas nocturnas que nos permitíamos con otras parejas, trataba de introducir referencias veladas a la leyenda de las dos niñas salvajes y los tarros de comida para bebés, con la esperanza de encontrar a otra persona que la creyera o que pudiera confirmar los rumores, pero todo el mundo se burlaba cuando mencionaba la historia. Todos los niños, a excepción de mi hijo, se volvieron ligeramente sospechosos. Podían llegar a ser criaturas maliciosas. Detrás de los ojos brillantes de todo niño existe un universo oculto.

El disco del cuarteto, *Tales of Wonder*, llegó por Navidad, y casi desgastamos el surco de tanto ponerlo a nuestros amigos y familiares. A Edward le encantaba escuchar la disonancia de los violines en contraste con la línea constante de violonchelo y la rotunda aparición del órgano. Incluso anticipando su aparición, el movimiento resultaba sorprendente por muchas veces que uno escuchara el disco. En Nochevieja, bien entrada la medianoche, la casa estaba en un silencio sepulcral cuando de repente mi canción empezó a sonar a todo volumen y me despertó sobresaltado. Bajé en pijama esperando lo peor y, blandiendo un bate de béisbol, encontré a mi hijo con los ojos desorbitados delante de los altavoces, hipnotizado por la música. Cuando bajé el volumen, empezó a parpadear rápidamente y a sacudir la cabeza como si hubiera despertado de un sueño.

—Eh, colega —dije en voz baja—. ¿Sabes qué hora es?

—¿Estamos ya en 1977?

—Desde hace horas. La fiesta ha terminado, amigo. ¿Cómo es que has puesto esa música?

—He tenido una pesadilla.

Lo senté en mi regazo.

—¿Quieres contármela?

Él no contestó y se acurrucó contra mí, de modo que lo abracé más fuerte. La última nota prolongada resonó al concluir la pieza, y estiré el brazo para apagar el equipo de música.

—Papá, ¿quieres saber por qué he puesto tu música? Porque me trae recuerdos.

—¿Recuerdos de qué, Edward? ¿Del viaje a California?

Él se volvió para situarse de cara a mí hasta que nos miramos a los ojos.

—No. De Mota —dijo—. El hada.

Lo atraje hacia mí lanzando un tenue gemido y noté en su pecho caliente cómo se le aceleraba el corazón.

32

A Mota le encantaba estar cerca del agua en movimiento. Lo que más recuerdo de ella es contemplarla animada por las corrientes, en sintonía con su flujo. Hace años la vi una vez, totalmente desnuda, sentada sobre sus piernas, mientras el agua se mecía alrededor de su cintura y el sol le acariciaba los hombros. En circunstancias normales, yo habría saltado al riachuelo y me habría puesto a chapotear con ella, pero en aquel momento fui incapaz de moverme, impresionado por la elegancia de su cuello y sus miembros, y los contornos de su cara. En otra ocasión, cuando los habitantes del pueblo lanzaron fuegos artificiales por la noche, contemplamos las explosiones río arriba y ella se mostró más cautivada por la corriente que por las estruendosas flores que se abrían en el cielo. Mientras la gente miraba hacia arriba, ella observaba la luz que se reflejaba en las ondas y las chispas al apagarse en la superficie. Desde el principio me había imaginado adónde había ido y por qué, pero no había seguido mi intuición por mi intrínseca falta de valor. Los mismos temores que me habían impedido cruzar el lecho del río también me hicieron interrumpir la búsqueda y volver al campamento. Debería haber seguido las aguas.

El trayecto hacia la biblioteca nunca me había parecido tan largo y funesto como la noche que regresé por primera vez. El camino había cambiado desde que nos habíamos marchado. El bosque se volvía menos espeso en la zona del linde, y había latas oxidadas, botellas y otros desperdicios en la maleza. Ninguno de nosotros había visitado el cuarto en los años que habían pasado desde la partida de Mota. Los libros estaban donde ella los había dejado, aunque los ratones habían roído los márgenes de mis papeles y habían dejado sus excrementos en nuestros viejos candelabros y tazas de café. Su volumen de Shakespeare se encontraba en un estado pésimo debido a las lepismas. El de Stevens se había hinchado por culpa de la humedad. Me pasé la noche restableciendo el orden a la tenue luz de las velas, quitando telarañas, ahuyentando a los grillos, entreteniéndome con las cosas que antaño ella había sostenido en las manos. Me quedé dormido envuelto en la manta con olor a humedad que desde hacía mucho tiempo había perdido la fragancia de ella.

Las vibraciones de arriba anunciaron la llegada de la mañana. Los bibliotecarios empezaron la jornada, y las vigas crujieron con su peso y la pauta de su rutina. Me imaginaba sus actividades: fichaban, saludaban, se colocaban en sus puestos. Pasó una hora más o menos hasta que las puertas se abrieron y los humanos entraron. Cuando el ritmo me pareció normal, empecé a trabajar. Una fina capa de polvo cubría mis papeles, y pasé la mayor parte del día ordenando los fragmentos y juntando las hojas sueltas con las entradas del diario de McInnes. Muchas cosas habían quedado atrás, perdidas, olvidadas y enterradas después de nuestra partida. Reducidas a un pequeño montón, las palabras documentaban el paso del tiempo con grandes lagunas y enormes silencios. Por ejemplo, quedaba muy poco de la primera época de mi estancia: tan solo unos cuantos dibujos toscos y notas patéticas. Habían pasado años enteros que carecían de la más mínima mención. Después de revisar todos los documentos, comprendí que tenía una larga tarea por delante.

Cuando los bibliotecarios se marcharon por la noche, abrí rápidamente la trampilla situada debajo de la sección infantil. A diferencia de otras incursiones, no tenía el menor deseo de escoger un libro nuevo, sino de robar material de escritura nuevo. Tras el escritorio del bibliotecario jefe se encontraba el tesoro: cinco cuadernos amarillos alargados y suficientes bolígrafos para el resto de mi vida. Con el fin de introducir un pequeño elemento de intriga, también coloqué de nuevo en su estante el libro de Wallace Stevens que había desaparecido.

Las palabras salían a borbotones del bolígrafo, y escribí hasta que me entraron calambres en la mano y noté dolor. El final, la noche que Mota se había marchado, se convirtió en el principio. A partir de entonces, la historia retrocedía hasta el punto en que me había dado cuenta de que estaba enamorado de ella. Una buena parte del manuscrito original, que por suerte ha desaparecido, estaba dedicado a las tensiones físicas resultantes de ser un hombre adulto en el cuerpo de un niño. Me detuve justo en medio de una frase sobre el deseo. ¿Y si Mota hubiera querido que fuese con ella? Le habría suplicado que se quedase, le habría dicho que no tenía valor para escapar. Pero una idea opuesta aguijoneaba mi conciencia. Tal vez ella no tenía intención de que yo lo descubriese. Había escapado por mi culpa y sabía desde el principio que yo la quería. Dejé el bolígrafo y deseé que Mota estuviera allí para hablar conmigo y responder a todas aquellas dudas impenetrables.

Aquellas obsesiones se retorcían como parásitos en mi cerebro, y en lugar de dormir daba vueltas sobre el suelo duro. Me despertaba por la noche y empezaba a escribir en un cuaderno nuevo, decidido a despejar mi cabeza de pensamientos sombríos. Las horas pasaban y los días se sucedían rápidamente. Durante los siguientes seis meses, me repartí entre el campamento y la biblioteca, tratando de reconstruir la historia de mi vida para ofrecérsela a Mota. El letargo de la estación fría retrasaba mi progreso. En diciembre me cansaba y dormía hasta marzo. Antes de que pudiera volver al libro, el libro volvía a mí.

Una mañana Luchóg y Smaolach se acercaron a mí con mirada seria cuando estaba masticando una tarta de avena y apurando los restos de una taza de té. Haciendo gala de una gran parsimonia, se sentaron uno a cada lado con las piernas cruzadas, preparándose para mantener una larga conversación. Luchóg se puso a juguetear con un brote nuevo de centeno que sobresalía entre las hojas viejas, y Smaolach apartó la vista, fingiendo que observaba el rielar de la luz entre las ramas.

—Buenos días, chicos. ¿Por qué estáis preocupados?

—Hemos estado en la biblioteca —dijo Smaolach.

—Hacía mucho tiempo que no íbamos —dijo Luchóg.

—Sabemos lo que estás haciendo.

—Hemos leído la historia de tu vida.

Smaolach se volvió hacia mí.

—Te pido mil disculpas, pero teníamos que saberlo.

—¿Quién os ha dado permiso? —pregunté.

Ellos apartaron la cara, y no supe adónde mirar.

—Te has equivocado en unos cuantos datos —dijo Luchóg—. ¿Puedo preguntarte por qué has escrito ese libro? ¿A quién va dirigido?

—¿En qué me he equivocado?

—Tengo entendido que un escritor no escribe un libro sin pensar en uno o más lectores —dijo Luchóg—. Uno no dedica tanto tiempo y esfuerzo para ser el único lector de su propio libro. Incluso el que escribe un diario espera que alguien fuerce el candado.

Smaolach se tocó la barbilla, como si estuviera absorto en sus pensamientos.

—En mi opinión, sería un gran error escribir un libro que nadie va a leer nunca.

—Tienes mucha razón, viejo amigo —prosiguió Luchóg—. Y ha habido veces en que me he preguntado por qué el artista se atreve a ofrecer algo nuevo a un mundo en el que todo se ha hecho ya y todas las respuestas son de sobra conocidas.

Me levanté e interrumpí sus indagaciones.

—¿Seríais tan amables de decirme qué tiene de malo el libro? —grité.

—Me temo que es lo referente a tu padre —dijo Luchóg.

—Mi padre. ¿Qué pasa con él? ¿Le ha ocurrido algo?

—No es quien tú crees.

—Lo que mi amigo quiere decir es que el hombre que crees que es tu padre no es en absoluto tu padre. Es otro hombre.

—Ven con nosotros —dijo Luchóg.

Mientras avanzábamos por un sinuoso camino, intenté dilucidar las múltiples consecuencias que tendría su intromisión en mi libro. En primer lugar, siempre habían sabido que yo era Henry Day, y ahora sabían que yo lo sabía. Habían leído sobre mis sentimientos por Mota y sin duda habían supuesto que le estaba escribiendo a ella. Y también sabían lo que pensaba de ellos. Afortunadamente, aparecían como personajes por lo general comprensivos, un tanto excéntricos, cierto, pero aliados firmes en mis aventuras. Sin embargo, su interrogatorio planteaba una intrigante cuestión, pues yo no había pensado cómo iba a hacer llegar el libro a Mota o, más concretamente, no había reflexionado sobre las razones que se ocultaban tras mi deseo de ponerlo todo por escrito. Smaolach y Luchóg, que iban delante de mí por el camino, habían vivido en aquel bosque durante décadas y habían aguantado una eternidad sin aquellas preocupaciones ni la necesidad de escribirlo todo y darle sentido. Ellos no escribían libros, ni pintaban en las paredes, ni bailaban ningún baile de actualidad, y, no obstante, vivían en paz y armonía con el mundo natural. ¿Por qué no era yo como los demás?

Al atardecer, salimos al descubierto y pasamos por delante de la iglesia hasta llegar a la zona verde contigua al cementerio cercada por una tapia de piedra, donde había tumbas esparcidas aquí y allá. Había estado allí antes en una ocasión, muchos años antes, creyendo que se trataba de un atajo que llevaba a un lugar seguro o un buen escondite. Pasamos entre los barrotes de hierro y entramos en un jardín tranquilo y descuidado. Muchas de las inscripciones de las lápidas estaban desgastadas y deterioradas, y sus ocupantes yacían desde hacía muchos años bajo sus nombres mientras estos se desvanecían. Mis amigos me llevaron por un camino sinuoso que avanzaba en medio de las tumbas, y nos detuvimos repentinamente entre los monumentos conmemorativos y las malas hierbas. Smaolach me acompañó a una parcela y me enseñó la lápida: WILLIAM DAY, 1917-1962. Me arrodillé en la hierba, recorrí con los dedos los surcos de las letras y pensé en aquellos números.

—¿Qué pasó?

Luchóg habló en voz baja.

—No tengo ni idea, Henry Day.

—Hacía tiempo que no oía ese nombre.

Smaolach puso una mano en mi hombro.

—Aun así prefiero Aniday. Eres uno de los nuestros.

—¿Cuánto hace que lo sabéis?

—Nos pareció que debías saberlo por la veracidad de tu libro. La noche que nos marchamos del antiguo campamento no viste a tu padre.

—Y, como comprenderás —dijo Luchóg—, el hombre de la casa nueva con el bebé no puede ser tu padre.

Me senté y me apoyé contra la losa para evitar desvanecerme. Por supuesto, ellos tenían razón. Según mi calendario, habían pasado catorce años desde la fecha de la muerte que aparecía en la lápida. Si él había muerto hacía tanto tiempo, significaba que William Day no podía ser quien yo creía que era, y que aquel hombre no era William Day, sino su doble. Me preguntaba cómo podía ser aquello posible. Luchóg abrió su bolsita, lió un cigarrillo y se lo fumó tranquilamente entre las lápidas. Las estrellas salieron y aclararon el cielo. Mis amigos parecían a punto de revelarme más secretos, pero no dijeron nada para que yo pudiera descubrirlos por mí mismo.

—Vámonos, muchachos —dijo Smaolach—. Mañana pensaremos en esto.

Saltamos por encima de la puerta de la esquina y volvimos a

casa caminando, mientras nuestra conversación viraba hacia los errores más pequeños de mi relato. La mayoría de sus sugerencias no recibieron un examen detallado por mi parte, pues mi mente vagaba por senderos olvidados hacía mucho tiempo. Mota me había dicho lo que recordaba, pero muchas cosas seguían siendo un misterio. Mi madre aparecía y desaparecía, aunque ahora veía con bastante claridad las caras de mis hermanas gemelas. Mi padre era un vacío prácticamente total. Había habido una vida antes de aquella vida, y yo no había logrado dragar lo bastante el río de mi subconsciente. Ya entrada la noche, mientras los demás dormían, permanecí despierto en mi madriguera. La imagen de Oscar Love apareció ante mí. Habíamos pasado meses investigando a aquel niño, averiguando cómo era su vida hasta el más mínimo detalle, el pasado de su familia, sus costumbres; todo para ayudar a Igel a realizar el cambio. Si conocíamos a Oscar tan bien, los demás debían de haber llegado a conocer mi historia infinitamente mejor que yo. Ahora que sabía mi auténtico nombre, no había ningún motivo para que ellos siguieran escondiendo la verdad. Habían conspirado para ayudarme a olvidar, y ahora podían ayudarme a recordar. Salí a gatas de mi agujero y me acerqué al rincón de Luchóg, pero lo encontré vacío. Estaba en la madriguera contigua, envuelto en los brazos de Chavisory, y por un instante dudé si debía perturbar su sosiego.

—Luch —susurré. Él parpadeó—. Despiértate y cuéntame una cosa.

—Aniday, por el amor de… ¿No ves que estoy durmiendo?

—Tengo que saberlo.

Para entonces ella también se había despertado. Esperé hasta que se separaron y él se levantó y se situó a la altura de mis ojos.

—¿De qué se trata? —preguntó.

—Tienes que contarme todo aquello que recuerdas de Henry Day.

Él bostezó y observó cómo Chavisory se acurrucaba y adoptaba una posición fetal.

—Ahora mismo voy a volver a la cama. Pídemelo otra vez por la mañana, y te ayudaré en la escritura de tu libro. Pero ahora lo que quiero es dormir.

Desperté a Smaolach, a Béka y a Cebollas con la misma petición y fui rechazado por cada uno de forma bastante parecida. A pesar de mi ansiedad, a la mañana siguiente me limité a lanzar miradas cansadas de odio durante el desayuno, y no me atreví a volver a pedirlo hasta que todo el clan se hartó de comer.

—Estoy escribiendo un libro —anuncié— sobre Henry Day. Conozco la historia general que me contó Mota antes de marcharse, y ahora necesito que vosotros completéis los detalles. Imaginaos que estoy a punto de hacer el cambio y tenéis que presentarme un informe sobre Henry Day.

—Ah, yo me acuerdo de ti —empezó Cebollas—. Te abandonaron en el bosque cuando eras un bebé. Tu madre te puso unos pañales y te dejó en el santuario del galgo.

—No, no, no —dijo Béka—. Te equivocas. El Henry Day original no era ningún Henry, sino una de las hermanas gemelas, Elspeth y Maribel.

—Los dos estáis equivocados —aseguró Chavisory—. Era un niño; un niño muy mono y listo que vivía en una casa del bosque con su madre, su padre y dos hermanas gemelas.

—Así es —dijo Luchóg—. Mary y Elizabeth. Dos bebés con el pelo rizado, gordas como cerditos.

—No debías de tener más de ocho o nueve años —dijo Chavisory.

—Siete —concretó Smaolach—. Tenía siete años cuando lo cogimos.

—¿Estás seguro? —preguntó Cebollas—. Juraría que era solo un bebé.

La conversación prosiguió de aquella manera durante el resto del día, con retazos de información contradictorios, y al final de la charla la verdad resultante difería mucho de la versión inicial. Desde el verano hasta el otoño, me dediqué a acribillarlos a preguntas por separado y juntos. En ocasiones, una respuesta combinada con mi pródiga memoria o la pista visual de un dibujo o un fragmento de escritura confirmaban un dato en mi cerebro. Con el paso del tiempo, surgieron unas pautas y mi infancia acudió de nuevo a mí. Pero había un detalle que seguía siendo un misterio.

Me marché antes del largo sueño invernal, decidido a escalar el pico más alto de las montañas que rodeaban el valle. Los árboles se habían despojado de sus hojas y alzaban sus ramas desnudas al cielo gris. Hacia el este, la ciudad parecía compuesta de bloques de construcción de juguete. En dirección al sur se hallaba el pueblo compacto dividido en dos por el río. Hacia el este se encontraba el recodo del río y, más allá, el vasto campo. Al norte estaba el bosque descuidado, y una o dos granjas asomaban entre los árboles y las piedras. Me quedé sentado en la cima de la montaña leyendo, y por la noche soñé con dos Motas y dos Day, lo que somos, lo que seríamos. Guardé ayuno, ingiriendo únicamente el agua de un termo, y reflexioné sobre el enigma de la existencia. Al tercer día, mi cabeza se despejó y halló la respuesta. Si el hombre que se parecía a mi padre no era mi padre, ¿quién era? ¿Con quién me había encontrado entre la niebla? ¿Quién era el hombre que había visto cerca del riachuelo la noche que perdimos a Igel y a Oscar Love? El que nos persiguió por la puerta de la cocina. Se parecía a mi padre. Un ciervo, asustado por el movimiento brusco de mi cabeza, escapó entre las hojas caídas. Un pájaro cantó; la nota se alargó y luego desapareció. Las nubes siguieron avanzando y dejaron al descubierto el sol pálido. ¿Quién había ocupado mi lugar cuando me habían raptado?

Entonces lo supe. Aquel hombre poseía lo que estaba destinado para mí. Él era quien me había robado el nombre, quien se había apoderado de mi historia: Henry Day.

33

Yo había sido uno de ellos. Mi hijo había conocido a uno cara a cara al otro lado del país, y era imposible saber la distancia que estarían dispuestos a recorrer para seguirnos. Los suplantadores habían venido a buscar a Edward aquella noche de hacía años, y al bajar por la escalera yo los había espantado. Pero volverían. Estaban observándonos, esperando a mi hijo. Él no estaría a salvo mientras aquellas criaturas merodeasen cerca de nuestra casa. Edward no estaría a salvo con ellos en el mundo. Una vez que se decidían por un niño, el pequeño podía darse por desaparecido. No podía dejar que Edward escapase de mi vista, y empecé a echar el pestillo a las puertas y a cerrar con seguro las ventanas de nuestra casa cada noche. Los suplantadores poblaban mi imaginación y perturbaban mi descanso. El piano era lo único que me ofrecía consuelo. Albergaba la esperanza de mantener la cordura por medio de la composición, pero a cada falsa señal le seguía otra. Me esforzaba por mantener aquellos dos mundos separados.

Por suerte, tenía a Tess y a Edward, que me ayudaban a mantener los pies en el suelo. El día de mi cumpleaños, una furgoneta de reparto entró en nuestra calle, y Edward, que estaba en la ventana, se puso a gritar: «¡Ya está aquí, ya está aquí!». Insistieron en que me quedase en el dormitorio con las persianas bajadas hasta que mi regalo hubiese sido introducido en casa, y obedecí sumisamente, loco de amor ante el entusiasmo de mi hijo y la sonrisa sensual de complicidad de Tess. Tumbado en la cama a oscuras, cerré los ojos y me pregunté si merecía aquel amor, temiendo verme privado de él si se descubría la verdad.

Edward subió la escalera dando brincos y golpeó en la puerta cerrada. Me cogió del brazo con sus dos manitas y me llevó al estudio. Un gran lazo verde atravesaba la puerta y, haciendo una reverencia, Tess me entregó las tijeras.

—Como alcalde de esta ciudad —entoné—, me gustaría que mi distinguido hijo me acompañara en los honores. —Cortamos juntos el lazo y abrimos la puerta.

El pequeño órgano no era nuevo ni sofisticado, pero se veía embellecido por el amor con que me lo ofrecían. Y me resultaría perfecto para aproximarme a los sonidos que estaba buscando. Edward empezó a probar los distintos registros del instrumento, y llevé a Tess aparte y le pregunté cómo había podido permitirse semejante lujo.

—Desde que estuvimos en San Francisco —dijo—, incluso desde que estuvimos en Checoslovaquia, he querido hacer esto. Un penique de aquí, un dólar de allá y mis dotes para el regateo. Eddie y yo lo encontramos en venta en una vieja iglesia de Coudersport. Debes saber que tu madre y Charlie nos ayudaron a pagarlo, pero todos queríamos que lo tuvieras. Sé que no es perfecto, pero…

—Es el mejor regalo…

—No te preocupes por el precio. Simplemente tócalo.

—Yo he puesto el dinero de mis pagas —dijo Edward.

Los abracé a los dos y los estreché con fuerza, invadido por la dicha, y a continuación me senté y toqué un fragmento de *El arte de la fuga*, de Bach, abstraído de nuevo.

Días más tarde, enamorado aún del nuevo instrumento, volví con Edward de la guardería a casa, que se encontraba vacía y en silencio. Le di de comer un tentempié, puse *Barrio Sésamo* y me fui a mi estudio a trabajar. Sobre el teclado del órgano reposaba una hoja de papel doblada con una nota adhesiva amarilla pegada encima. «¡Tenemos que hablar!», había garabateado ella. Había encontrado la lista de pasajeros con los nombres de toda la familia Ungerland, que yo había escondido y guardado bajo llave entre mis papeles; no tenía ni idea de cómo había ido a parar a las manos de Tess.

La puerta principal se abrió chirriando y se cerró de golpe, y por un instante se me pasó por la cabeza que habían venido a llevarse a Edward. Me dirigí corriendo a la puerta justo cuando Tess entraba lentamente en el comedor, cargando en los brazos con la compra. Le cogí unas cuantas bolsas para aligerar su peso, y las llevamos a la cocina y nos pusimos a danzar el uno alrededor del otro en un paso a dos mientras guardábamos la comida. Ella no parecía especialmente preocupada por nada que no fueran las conservas de guisantes y zanahorias.

Cuando terminamos, Tess se limpió un polvo imaginario de las manos.

—¿Has leído mi nota?

—¿La de los Ungerland? ¿De dónde has sacado la lista?

Ella se apartó el flequillo de los ojos con un soplo.

—¿Cómo que de dónde la he sacado? La dejaste en el aparador, al lado del teléfono. La pregunta es «¿De dónde la has sacado tú?».

—La conseguí en Cheb. ¿Te acuerdas del padre Hlinka?

—¿En Cheb? Eso fue hace nueve años. ¿Es eso lo que estuviste haciendo? ¿Lo que te llevó a investigar sobre los Ungerland?

Un silencio total me delató.

—¿Tan celoso estabas de Brian? Porque, sinceramente, es un poco absurdo, ¿no te parece?

—No estaba celoso, Tess. Dio la casualidad de que estábamos allí, y simplemente estaba intentando ayudarlo a completar su árbol genealógico. A encontrar a su abuelo.

Ella cogió la lista, y sus ojos la escudriñaron hasta el final.

—Es increíble. ¿Cuándo has hablado tú con Brian Ungerland?

—Todo eso es agua pasada, Tess. Me encontré con él en el bar de Oscar cuando estábamos prometidos. Le dije que íbamos a ir a Alemania, y me pidió que si tenía tiempo me pasase por el Archivo Nacional y buscase a su familia. Al no encontrarlos allí, pensé que a lo mejor esas personas eran de otro lugar, así que le pregunté al padre Hlinka cuando estuvimos en Cheb. Él las encontró. No fue nada del otro mundo.

—Henry, no creo una palabra de lo que estás diciendo.

Di un paso hacia ella, deseoso de estrecharla entre mis brazos, ansioso por poner fin a la conversación.

—Tess, siempre te he dicho la verdad.

—Pero ¿por qué Brian no le preguntó a su madre?

—¿Su madre? No sabía que tuviera madre.

—Todo el mundo tiene una madre. Vive aquí, en el pueblo. Todavía está viva, creo. Puedes decirle a ella lo celoso que estabas.

—Pero si yo la busqué en el listín telefónico.

—Estás de guasa. —Se cruzó de brazos y sacudió la cabeza—. Se casó hace años, cuando Brian estaba en el instituto. Déjame pensar. Se llama Blake, Eileen Blake. Y se acordará del abuelo. Ese hombre vivió cien años, y ella solía hablar de ese viejo loco a todas horas. —Tras darse por vencida, se dirigió a la escalera.

—¿Gustav? —grité detrás de ella.

Ella lanzó una mirada por encima del hombro, arrugó la cara y buscó el nombre en su memoria.

—No, no… Joe. Joe Ungerland el Loco es el abuelo de Brian. Claro que en esa familia todos están locos, incluso la madre.

—¿Estás segura de que no te refieres a Gustav Ungerland?

—Voy a empezar a llamarte Henry Day el Loco… Podrías habérmelo preguntado. Mira, si tanto te interesa, ¿por qué no vas a hablar con la madre de Brian? Eileen Blake. —Se inclinó por encima del pasamano en lo alto de la escalera, y su largo cabello rubio quedó colgando como el de Rapunzel—. Es un detalle que estuvieras tan celoso, pero no tienes de qué preocuparte. —Esbozó su sonrisa torcida y puso fin a mis preocupaciones—. Saluda a la vieja de mi parte.

Enterrada hasta el cuello entre hojas caídas, miraba fijamente al frente sin parpadear, y la tercera vez que pasé por delante de ella me di cuenta de que era una muñeca. Había otra atada con una comba roja al tronco de un árbol situado cerca, y brazos y piernas desmembrados colocados en extrañas posiciones que asomaban entre la hierba larga y descuidada. En el otro extremo de una cuerda atada a una rama de capulí, colgaba una cabeza que daba vueltas movida por la brisa, y el cuerpo decapitado se hallaba metido en el buzón, aguardando al cartero de los sábados. Los artífices de aquel descalabro se rieron entre dientes desde el porche cuando aparqué el coche delante de su casa, pero conforme me acercaba por la acera me parecieron casi catatónicas.

—¿Podéis ayudarme, chicas? Me parece que me he perdido —dije desde el escalón inferior.

La niña mayor echó el brazo por encima del hombro de su hermana en actitud protectora.

—¿Están vuestra mamá o vuestro papá en casa? Estoy buscando a alguien que vive por aquí. ¿Sabéis cuál es la casa de los Blake?

—Está encantada —dijo la hermana pequeña. Le faltaban dos dientes incisivos y ceceaba.

—Allí vive una bruja, señor. —La hermana mayor debía de tener aproximadamente diez años, era flaca como un palo, tenía el pelo negro, y poseía unos círculos oscuros alrededor de los ojos. Si había alguien que supiera sobre brujas, era ella—. ¿Por qué quiere ver a una bruja, señor?

Puse un pie en el siguiente escalón.

—Porque yo soy un duende.

Las dos sonrieron de oreja a oreja. La hermana mayor me indicó que buscase una curva antes de llegar a la siguiente esquina de la calle, un callejón escondido que era en realidad un camino.

—Se llama calle Asterisco —dijo— porque es demasiado pequeña para tener un nombre de verdad.

—¿Se la va a comer? —preguntó la pequeña.

—Me la voy a comer y voy a escupir los huesos. La noche de Halloween podéis acercaros por allí y haceros un esqueleto. —Se volvieron y se miraron la una a la otra, sonriendo con regocijo.

Una plaga de bojes de tamaño descomunal ocultaba la calle Asterisco. Cuando el coche empezó a rozar los setos que había a ambos lados, salí del vehículo y fui caminando. A lo largo del camino había esparcidas casas medio escondidas, y la última a la izquierda era una deteriorada vivienda cuadrada con la palabra BLAKE escrita en el buzón. Ocultas por los arbustos, un par de piernas aparecieron fugazmente delante de mí corriendo por el jardín, y luego una segunda persona se movió haciendo susurrar los matorrales. Pensé que las inquietantes hermanas me habían seguido, pero de repente un tercer movimiento entre la maleza me puso nervioso. Cogí las llaves del coche y estuve a punto de abandonar aquel lugar oscuro; pero, después de haber llegado hasta allí, decidí llamar a la puerta principal.

Una mujer elegante con una tupida melena canosa abrió la puerta. Ataviada con un vestido de lino almidonado, permaneció erguida en la puerta, con sus ojos brillantes y penetrantes, y me invitó a entrar en su casa.

—Henry Day. ¿Has tenido problemas para encontrar la casa? —En su voz resonaba un ligero acento de Nueva Inglaterra—. Pasa, pasa.

La señora Blake poseía un encanto intemporal, una presencia física y un comportamiento que resultaban tranquilizadores. Para conseguir aquella entrevista le había mentido y le había dicho que había ido al instituto con su hijo Brian, que nuestra clase estaba organizando una reunión, y que estábamos localizando a los compañeros que se habían ido a vivir fuera. Ante su insistencia, charlamos mientras tomábamos la comida que ella había preparado, y me puso completamente al día con respecto a Brian, su mujer y sus dos hijos, y todo lo que había conseguido con los años. Nuestros sándwiches de ensalada de huevo duraron más que su información, e intenté llevar la conversación al motivo oculto de mi visita.

—Bueno, señora Ungerland...

—Llámame Eileen. Hace años que dejé de ser la señora Ungerland, desde que mi primer marido falleció. Y luego el desafortunado señor Blake tuvo un extraño accidente con la horca. Esos niños tan malos me llaman «la viuda negra» a mis espaldas.

—Bruja, para ser exactos... Lo siento mucho, Eileen. Me refiero a lo de sus maridos.

—No lo sientas. Me casé con el señor Blake por su dinero, que Dios lo acoja en su seno. Y, en cuanto al señor Ungerland, era mucho mayor que yo y estaba... —Apuntó a su sien con su largo y fino dedo.

—Yo fui a la escuela de enseñanza primaria católica y no coincidí con Brian hasta el primer año de instituto. ¿Cómo era de pequeño?

Su rostro se iluminó, y se levantó tan rápido que creí que iba a perder el equilibrio.

—¿Te gustaría ver unas fotos?

En cada etapa de su vida —desde el día de su nacimiento hasta la escuela primaria—, Brian Ungerland podría haber sido mi hijo a tenor de su aspecto. Su parecido con Edward era asombroso: las mismas facciones, la misma postura, incluso la misma forma de comer mazorcas de maíz o de lanzar una pelota. A medida que hojeábamos el álbum, mi convicción aumentaba con cada nueva imagen.

—Brian solía contarme anécdotas familiares bastante disparatadas —dije—. Sobre los Ungerland, los alemanes.

—¿Te habló de Opa Josef? Su abuelo Joe. Brian todavía era un bebé cuando murió, pero yo me acuerdo de él. Estaba chiflado. Todos lo estaban.

—Vinieron de Alemania, ¿verdad?

Ella se recostó en su silla, mientras hacía memoria.

—La historia de esa familia es muy triste.

—¿Triste? ¿En qué sentido?

—Por una parte estaba Joe el Loco, mi suegro. Vivió con nosotros cuando nos casamos, hace muchos años. Lo teníamos en una habitación al lado del ático. Debía de tener noventa años, tal vez cien, y despotricaba sobre cosas que no existían. Fantasmas, cosas así, como si algo fuera a venir a atraparlo. Pobrecillo. Y murmuraba cosas sobre su hermano pequeño, Gustav, como que no era su hermano de verdad y que el Gustav real había sido raptado por *die Wechselbalgen*. Suplantadores. Mi marido decía que todo se debía a lo que le pasó a la hermana. Si mal no recuerdo, la hermana murió en la travesía desde Alemania, y aquello sumió a toda la familia en el dolor. Nunca se recuperaron. Incluso Josef seguía viendo espíritus después de todos aquellos años.

En la habitación empezó a notarse un calor fuera de lo normal, y se me revolvió el estómago. Me dolía la cabeza.

—Deja que piense. Sí, también estaban la madre y el padre, otro pobre hombre. Se llamaba Abram. Y los hermanos. No sé nada del mayor; murió en la guerra civil, en Gettysburg. Luego estaba Josef, que estuvo soltero hasta casi los cincuenta, y el hermano tonto, el más pequeño. Qué familia más triste.

—¿Tonto? ¿Qué quiere decir con que era tonto?

—Ahora no se llama así, pero por aquel entonces se decía eso. Ellos no paraban de hablar de lo maravillosamente que tocaba el piano, pero lo único que hacían era engañarse. Él era lo que se dice un tonto ilustrado. Se llamaba Gustav, el pobrecillo. Josef aseguraba que podía tocar como Chopin, pero por lo demás era callado y muy introvertido. A lo mejor era autista, si es que entonces existía algo así.

La sangre me subió a la cabeza y empecé a sentirme débil.

—O a lo mejor era muy nervioso. Pero, después del incidente de los suplantadores, dejó de tocar el piano y se encerró por completo en sí mismo, no volvió a pronunciar una palabra durante el resto de su vida y llegó a vivir muchos años. Dicen que el padre se volvió loco cuando Gustav dejó de tocar música y que empezó a dejar que la vida pasara por delante de sus ojos. Yo fui a verlo una o dos veces al manicomio donde estaba el pobrecillo. Se notaba que estaba pensando en algo, pero solo Dios sabe qué. Parecía que viviera en su pequeño mundo. Murió cuando yo era una joven recién casada. Fue alrededor de 1934, creo, pero parecía más viejo que Matusalén.

Se inclinó por encima del álbum de fotos y lo hojeó hasta llegar al principio. Señaló a un hombre de mediana edad con un sombrero de fieltro gris.

—Aquí está mi marido, Harry: el hijo del chiflado de Joe. Era muy mayor cuando nos casamos, y yo no era más que una cría. —A continuación señaló una figura arrugada que parecía el hombre más viejo del mundo—. Gustav. —Por un instante fugaz, pensé que aquel era yo, pero entonces comprendí que el anciano de la fotografía no era ningún pariente de la familia. Debajo de él se hallaba la imagen rayada de una anciana con una prenda de cuello alto—. *La belle dame sans merci.* Murió mucho antes de que yo naciera, pero de no haber sido por la madre y la forma en que llevó las cosas, los Ungerland no habrían sobrevivido. Y entonces no estaríamos aquí hablando, ¿verdad?

—Pero —dije tartamudeando—, pero ¿cómo consiguieron seguir adelante después de tantas desgracias?

—Como hacemos todos. Como hice yo después de perder a mis dos maridos, y Dios sabe todas las cosas que han pasado. Hay un momento en que hay que desprenderse del pasado, hijo, y estar dispuesto a abrazar la vida que a uno le queda. En los años sesenta, cuando todo el mundo estaba perdido, Brian solía decir que iba a marcharse para encontrarse a sí mismo. Decía: «¿Llegaré a conocer mi yo real? ¿Llegaré a saber quién se supone que soy?». Esas preguntas tan tontas exigen respuestas directas, ¿no te parece, Henry Day?

Me sentía débil, paralizado, destruido. Me levanté del sofá lentamente, salí por la puerta principal, volví a casa y me metí en la cama. Si llegamos a despedirnos, el recuerdo se desvaneció rápidamente con la conmoción residual del relato de la mujer.

A la mañana siguiente, para despertarme de mi profundo sueño, Tess preparó café caliente y un desayuno tardío consistente en huevos y galletas, que devoré como un niño hambriento. Me sentía privado de fuerzas y de voluntad, confundido por la noticia de que Gustav era un tonto ilustrado. Demasiados fantasmas en el desván. Nos sentamos en la terraza con el fresco de la mañana, mientras consultábamos las secciones del periódico del domingo. Yo hice ver que leía, pero tenía la cabeza en otra parte, tratando desesperadamente de sopesar todas las posibilidades, cuando se armó un jaleo en el vecindario. Los perros empezaron a aullar de uno en uno como si algo hubiera pasado por delante de sus casas; una reacción en cadena de exasperante intensidad.

Tess se levantó y miró la calle a un lado y a otro, pero no vio nada.

—No lo soporto —dijo—. Me voy dentro hasta que paren. ¿Te lleno la taza de café?

—Claro.

Sonreí y le entregué mi taza. En cuanto desapareció, vi lo que había vuelto locos a los perros. En la calle, a plena luz del día, dos diablillos atravesaban los jardines del vecindario haciendo eses. La hembra corría cojeando, y el otro, un monstruo parecido a un ratón, le hacía señas para que se diera prisa. La pareja se detuvo cuando me vieron en el porche, a dos casas de ellos, y me miraron fijamente por un instante. Eran unas criaturas espantosas con unos horribles agujeros en los ojos y una cabeza bulbosa encima de su maltrecho cuerpo. Estaban cubiertos de suciedad y sudor resecos. El viento arrastraba su olor silvestre a putrefacción y almizcle. La que cojeaba me apuntó con un dedo huesudo, y el otro se la llevó rápidamente por el hueco situado entre las casas. Cuando Tess regresó con el café ya no se les veía, y, una vez que las criaturas desaparecieron, los perros se calmaron, volvieron a instalarse en sus casetas y dejaron de tirar de sus cadenas.

—¿Has descubierto a qué venía todo ese alboroto?

—Había dos cosas corriendo por el vecindario.

—¿Cosas?

—No sé. —Bebí un sorbo—. Unos pequeños monstruos.

—¿Monstruos?

—¿No notas su olor espantoso? Como si alguien acabara de atropellar una mofeta.

—Henry, ¿de qué estás hablando? No huelo nada.

—No sé lo que ha provocado a esos perros. ¿Histeria colectiva, imaginaciones de sus cerebros caninos? ¿Un ratón y un murciélago? Una pareja de niños.

Ella me puso su mano fresca en la frente.

—¿Te encuentras bien, Henry? Hoy no pareces tú.

—Es que no lo soy —dije—. Tal vez debería volver a la cama.

Cuando me quedé dormido, los suplantadores me visitaron en sueños. Una docena de ellos salieron sigilosamente del bosque y aparecieron detrás de cada árbol. La banda de niños no dejaba de acercarse, rodeando mi casa, avanzando hacia las puertas y ventanas. Atrapado en el interior, yo corría de un piso a otro y miraba por las mirillas y por detrás de las cortinas mientras ellos avanzaban en silencio y se reunían formando un círculo. Corrí por el pasillo hasta la habitación de Eddie y descubrí que era un bebé de nuevo, acurrucado en forma de bola en su cuna. Lo sacudí para despertarlo y llevármelo conmigo, pero cuando el niño se dio la vuelta tenía la cara de un hombre adulto. Grité y me encerré en el cuarto de baño. Por la pequeña ventana, vi que los monstruos empezaban a trepar por la barandilla del porche y a escalar por los muros como arañas, con sus caras perversas vueltas hacia mí y sus ojos brillantes rebosantes de peligro y odio. Las ventanas de las otras habitaciones se hicieron añicos; los cristales estallaron y cayeron al suelo en un *crescendo* de extraña delicadeza. Miré el espejo y vi que mi reflejo se transformaba en mi padre, mi hijo, Gustav. Detrás de mí, en el espejo, se alzó una de las criaturas y alargó sus garras para rodearme el cuello.

Tess estaba sentada en el borde de la cama, sacudiéndome el hombro. Yo estaba empapado en sudor y, aunque notaba un calor del demonio, ella dijo que estaba frío.

—Has tenido una pesadilla. Ya pasó, ya pasó.

Oculté mi cara en su pecho, y ella me acarició el pelo y me meció hasta que recobré el sentido por completo. Por un momento, no supe dónde estaba ni quién era.

—¿Dónde está Edward?

Ella se quedó perpleja al oír mi pregunta.

—En casa de mi madre, ¿no te acuerdas? Está pasando allí el fin de semana. ¿Qué te pasa?

Me estremecí entre sus brazos.

—¿Ha sido la vieja arpía de los Ungerland? Tienes que concentrarte en lo importante y dejar de perseguir lo que pertenece al pasado. ¿No sabes que es a ti a quien quiero? Siempre te he querido.

Todo el mundo tiene un secreto innombrable que resulta demasiado terrible para confesárselo a su amigo o su amante, su sacerdote o su psiquiatra; algo demasiado arraigado en su interior para extirparlo sin sentir dolor. Algunas personas optan por no darle importancia; otras lo entierran en lo más profundo y se lo llevan con ellas a la tumba. Lo ocultamos tan bien que incluso el cuerpo a veces se olvida de que el secreto existe. No quiero perder a nuestro hijo, ni quiero perder a Tess. Mi temor a que se descubra que soy un suplantador y Tess me rechace ha convertido el resto de mi vida en un secreto.

Después de oír la verdadera historia de Gustav, no me extraña que recordara tan poco de aquella época. Me había encerrado dentro de mi cabeza y solo contaba con la música como medio de autoexpresión. Si no me hubieran raptado, no habría vivido entre los suplantadores ni habría tenido la oportunidad de convertirme en Henry Day. Y, si no me hubiera cambiado por aquel niño, nunca habría conocido a Tess, ni habría tenido un hijo, ni habría vuelto a este mundo. En cierto sentido, los suplantadores me habían dado una segunda oportunidad, y su reaparición —el robo en nuestra casa, el encuentro de Edward en California, la pareja que corría por el jardín— suponía tanto una amenaza como un recordatorio de todo lo que había en juego.

Cuando empecé a ver de nuevo a los suplantadores, lo atribuí al estrés de haber descubierto mi pasado. Parecían alucinaciones, pesadillas o tan solo un producto de mi imaginación, pero luego aparecieron las auténticas criaturas y dejaron su rastro tras ellas. Me estaban provocando: una piel de naranja en medio de la mesa del comedor; una botella abierta de cerveza encima del televisor; colillas de cigarrillos encendidas en el jardín. O las cosas desaparecían. Mi trofeo de piano cromado de la competición estatal. Fotografías, cartas, libros. Una vez oí que la puerta del frigorífico se cerraba de golpe a las dos de la madrugada cuando todos estábamos dormidos, bajé al piso de abajo y encontré un jamón asado medio comido en la encimera. Muebles que no habían sido movidos desde hacía mucho tiempo de repente aparecían al lado de ventanas abiertas. En Nochebuena, en casa de mi madre, a los niños les pareció oír a un reno en el tejado y salieron a investigar. Veinte minutos más tarde, los críos volvieron a entrar sin aliento, jurando que habían visto a dos duendes meterse en el bosque. En otra ocasión, uno de ellos entró a gatas por un hueco cuyo tamaño no superaba el de una madriguera, por debajo de una puerta de nuestro jardín trasero. Cuando salí a atraparlo, la criatura había desaparecido. Se estaban volviendo insolentes y despiadados, y lo único que quería era que se marcharan y me dejaran en paz.

Había que hacer algo con mis viejos amigos.

34

M e propuse aprender todo lo que pudiera sobre el otro Henry Day. La historia de mi vida y su narración están ligadas a la suya, y solo comprendiendo lo que le había pasado a él sabría todo lo que me había perdido. Mis amigos accedieron a ayudarme, pues somos espías y agentes secretos por naturaleza. Como sus dotes habían permanecido inactivas desde el cambio frustrado con Oscar Love, las hadas y los elfos disfrutaron especialmente espiando a Henry Day. En otra época él había sido uno de ellos.

Luchóg, Smaolach y Chavisory le siguieron la pista hasta un viejo vecindario situado en el lado opuesto del pueblo, donde se dedicó a dar vueltas por las calles como si estuviera perdido. Se paró a hablar con dos niñas adorables que jugaban con sus muñecas en el jardín de su casa. Tras observar cómo se marchaba en su coche, Chavisory se acercó a las niñas, creyendo que podían ser Kivi y Blomma bajo apariencia humana. Inmediatamente, las hermanas adivinaron que Chavisory era un hada, y ella huyó riéndose y gritando hasta nuestro escondite detrás de unos zarzales con moras. Poco después, nuestros espías vieron a Henry Day hablando con una mujer que parecía haberlo disgustado. Cuando Henry se marchó de la casa de la mujer, tenía cara de angustia y estuvo sentado en su coche una eternidad, con la cabeza inclinada sobre el volante y sacudiendo los hombros mientras sollozaba.

—Parecía agotado, como si la mujer le hubiera absorbido la energía —nos contó Smaolach más tarde.

—Yo también me he fijado —dijo Luchóg— en que últimamente ha cambiado, como si se sintiera culpable por el pasado y estuviera preocupado por el futuro.

Les pregunté si creían que la anciana era mi madre, pero me aseguraron que se trataba de la madre de otra persona.

Luchóg se lió un cigarrillo.

—Entró siendo un hombre y salió siendo otro distinto.

Chavisory removió la hoguera.

—A lo mejor son dos personas distintas.

Cebollas se mostró de acuerdo.

—O solo medio hombre.

Luchóg encendió el cigarrillo y lo dejó colgando de su labio inferior.

—Es un rompecabezas al que le falta una pieza. Es un reloj parado.

—Nosotros nos encargaremos de abrir la cerradura de su cerebro —dijo Smaolach.

—¿Habéis podido averiguar algo más sobre su pasado? —les pregunté.

—No mucho —dijo Luchóg—. Vivía en tu casa con tu madre y tu padre y tus dos hermanas pequeñas.

—Nuestro Chopin ganó un montón de premios tocando música —dijo Chavisory—. Hay un piano pequeño en la repisa de la chimenea, o al menos lo había. —Se llevó la mano a la espalda y nos mostró el trofeo para que lo admiráramos, cuyo exterior reflejaba la luz del fuego.

—Un día lo seguí al colegio —dijo Smaolach—. Enseña a los niños a tocar música; pero, a juzgar por la interpretación de los críos, no se le da muy bien. Los de los instrumentos de viento soplan demasiado fuerte y los violinistas no saben tocar.

Todos nos echamos a reír. Con el tiempo, me contaron muchas más historias de aquel hombre, pero existían grandes lagunas en el relato y surgieron preguntas concretas. ¿Seguía viva mi madre, o se había reunido con mi padre bajo tierra? No sabía nada de mis hermanas y me preguntaba cómo habrían crecido. A esas alturas podrían ser madres, pero en mi imaginación seguían siendo unos bebés.

—¿Te he dicho que nos vio? —preguntó Luchóg—. Estábamos en nuestro antiguo territorio, al lado de su casa, y estoy seguro de que nos miró a Chavisory y a mí. No es precisamente un adonis.

—Di la verdad —añadió Chavisory—, da bastante miedo. Como cuando vivía con nosotros.

—Y es viejo.

—Y se está estropeando —dijo Smaolach—. Estás mejor con nosotros. Siempre joven.

El fuego crepitaba, y las ascuas saltaban y subían flotando en medio de la oscuridad. Me lo imaginé arrebujado en la cama con su mujer, y aquel pensamiento me recordó a Mota. Volví a mi madriguera y traté de hallar consuelo en el suelo duro.

Tuve un sueño en el que subía una escalera con mil escalones esculpidos en la ladera de una montaña. La vertiginosa vista de abajo me dejó sin aliento, y el corazón empezó a golpearme contra las costillas. Solo el cielo azul y unos cuantos escalones más se hallaban ante mí. Continué subiendo con esfuerzo y llegué a lo alto; vi que la escalera seguía hacia abajo por la otra ladera de la montaña, increíblemente empinada y todavía más temible que la subida. Paralizado, me veía incapaz de dar marcha atrás y de seguir adelante. De repente, Mota apareció por un lado como salida de la nada y se juntó conmigo en la cima. Había sufrido una transformación. Los ojos le brillaban de vitalidad; me sonrió como si no hubiera pasado el tiempo.

—¿Bajamos rodando los dos juntos?

Yo no podía pronunciar palabra. Si me movía, parpadeaba o abría la boca, ella desaparecería y yo me caería.

—No es tan difícil ni tan peligroso como parece.

Me envolvió con sus brazos y cuando me quise dar cuenta estábamos a salvo al pie de la montaña. Cuando ella cerró los ojos, el paisaje del sueño cambió, y me caí en lo hondo de un pozo. Me quedé allí solo, esperando a que ocurriera algo en lo alto. Se abrió una puerta y la luz inundó el espacio. Alcé la vista y vi a Henry Day mirándome desde arriba. Al principio parecía mi padre, y luego se convirtió en él. Me gritó y empezó a agitar el puño. La puerta se cerró de golpe, y la luz desapareció. Entonces, por debajo de mis pies, el pozo empezó a llenarse de agua que entraba fluyendo como si fuera un río. Me puse a dar patadas, presa del pánico, y me di cuenta de que tenía las extremidades atadas por una fuerte cuerda hecha con telaraña. El agua me cubrió hasta el pecho y luego hasta la barbilla, y me quedé sumergido. Incapaz de contener la respiración más tiempo, abrí la boca y llené los pulmones.

Me desperté respirando con dificultad. Pasaron unos segundos hasta que aparecieron las estrellas, las ramas extendidas, el borde de mi madriguera a un par de centímetros por encima de mi cara. Me quité la manta de encima, me levanté y salí a la superficie. Todo el mundo estaba dormido en sus guaridas. En el lugar donde había estado encendido el fuego se veía un tenue fulgor anaranjado debajo de la leña negra. En el bosque iluminado por las estrellas reinaba tal silencio que oía la respiración regular de los pocos elfos y hadas que quedaban en el lugar. El aire frío me arrebató el calor de la cama, y la capa de sudor de los nervios se secó y se evaporó de mi piel. No sé cuánto tiempo me quedé allí quieto, pero tenía la vaga esperanza de que alguien apareciera en la oscuridad para cogerme o abrazarme.

Volví a trabajar en el libro, que había dejado interrumpido en medio de una frase en el punto en que Igel se disponía a cambiarse por el pequeño Oscar Love. Durante mi primera visita al cuarto de debajo de la biblioteca, releí las páginas a la luz de lo que había descubierto sobre Henry Day y todo lo que me habían revelado los demás miembros del clan sobre mi vida anterior y sus circunstancias. Huelga decir que mi relato inicial estaba lleno de falsas impresiones. Recogí los papeles y el manuscrito plagado de errores y pensé detenidamente en el problema. En mi versión original, había dado por supuesto que mis padres seguían vivos y que se habían pasado la vida buscando a su hijo desaparecido. De los escasos encuentros casuales que había tenido con mi padre natural, solo uno podía ser verdadero. Y, por supuesto, el relato inicial había sido escrito sin un conocimiento real del farsante y el impostor que había ocupado mi lugar.

Empezamos a vigilarlo de nuevo y nos encontramos con un hombre preocupado. Mantenía conversaciones consigo mismo, moviendo los labios en medio de violentas discusiones. Antes tenía varios amigos, pero desaparecieron a medida que su rareza aumentaba. Henry pasaba la mayor parte del tiempo encerrado en una habitación, leyendo libros o tocando un resonante órgano, y garabateando notas en hojas de papel pautado. Su mujer vivía al margen; trabajaba en casa y cada día se marchaba en coche y regresaba horas más tarde. Cebollas creía que una infelicidad manifiesta pesaba sobre la mujer, pues cuando estaba sola solía quedarse mirando a lo lejos, como si buscase en el aire la respuesta a las preguntas que no formulaba. El niño, Edward, resultaba ideal para el cambio, ya que era solitario y no estaba al tanto de los altibajos de la vida, absorto en sus pensamientos y vagando por la casa de sus padres como si buscase a un amigo.

Una vez me desperté en medio de una noche de luna llena y oí a Béka y a Cebollas hablar del niño en susurros. Cobijados en su guarida, creían gozar de intimidad, pero el murmullo de sus intrigas avanzaba por el suelo como el sonido lejano de un tren al acercarse.

—¿Crees que nosotros solos podríamos conseguirlo? —preguntó Cebollas.

—Si lo cogemos en el momento adecuado. Cuando el padre esté dormido o haciendo ruido con ese órgano del demonio.

—Pero, si tú te cambias por Edward Day, ¿qué pasará conmigo? —dijo Cebollas, más quejumbrosa que nunca.

Tosí para advertirles mi presencia y me dirigí al lugar donde se hallaban acurrucados, aparentando estar dormidos, inocentes como dos gatitos recién nacidos. Cabía la posibilidad de que fueran tan osados como para intentarlo, y decidí vigilar más de cerca y descubrir cualquier complot que pudieran tramar.

Antiguamente, los elfos y las hadas se negaban a espiar a un miembro que había abandonado la tribu. Dejaban solo al suplantador, se olvidaban de él y le daban la oportunidad de vivir su vida de humano. El peligro de ser descubiertos por esas personas era muy grande, pues después de hacer el cambio llegaban a mirar con malos ojos la estancia que habían pasado entre nosotros y temían que los demás humanos averiguasen su oscuro secreto. Pero aquellas preocupaciones, que antaño nos habían parecido tan cruciales, se volvieron menos importantes para nosotros. Estábamos desapareciendo. Nuestro número había disminuido de una docena a tan solo seis miembros. Decidimos crear nuestras propias normas.

Les pedí que encontraran a mi madre y mis hermanas, y en Navidad por fin las descubrieron. Mientras el resto de nosotros dormitaba, Chavisory y Luchóg se marcharon furtivamente al pueblo, que resplandecía con sus luces parpadeantes mientras la gente cantaba villancicos. Y, a modo de obsequio, decidieron explorar mi hogar de la infancia con la esperanza de hallar pistas que pudieran arrojar más luz sobre mi pasado. La vieja casa permanecía en el claro, si bien no tan solitaria como antiguamente. Las granjas de las proximidades habían sido vendidas una a una, y en todas las direcciones se alzaban los armazones de nuevas viviendas. Al ver que había varios coches aparcados en la entrada, creyeron que en mi antigua casa tenía lugar una celebración, de modo que se acercaron sigilosamente a las ventanas para ver al grupo de gente allí reunida. Henry Day, su mujer y su hijo estaban presentes. Y Mary y Elizabeth. En el centro había una mujer con el pelo canoso sentada en una butaca junto a un abeto brillante. Los gestos de la mujer recordaron a Luchóg los de mi madre, a la que había espiado muchos años antes. Trepó a un roble y saltó de sus ramas al tejado, y se dirigió gateando a la chimenea, cuyos ladrillos todavía estaban calientes. El fuego de abajo se hallaba apagado, lo que le permitió escuchar a escondidas más fácilmente. Según dijo, mi madre estaba cantando a los niños a la antigua usanza, sin instrumentos de ninguna clase. Cómo me habría gustado volver a oírla.

—Toca una canción, Henry —dijo ella cuando terminaron—, como en los viejos tiempos.

—Lo que me faltaba. Tener que tocar el piano también en vacaciones —dijo él—. ¿Qué va a ser, mamá? ¿«Navidad en Killarney» o alguna bobada por el estilo?

—Henry, no deberías burlarte —dijo una de las hermanas.

—«Ángeles cantando están» —dijo un hombre mayor desconocido que le puso una mano en el hombro.

Henry tocó la canción y luego empezó a interpretar otra. Cuando Luchóg se cansó de escuchar, saltó de nuevo al roble y bajó al suelo para reunirse con Chavisory. Echaron un último vistazo a la fiesta, examinaron a los personajes y la escena para describírmelos, y a continuación volvieron a casa. Al día siguiente, cuando relataron la historia, me alegré enormemente de tener noticias de mi madre, por desconcertantes que fueran los detalles. ¿Quién era aquel hombre mayor? ¿Quiénes eran todos aquellos niños? Hasta el más mínimo dato me trajo recuerdos del pasado. Me escondí en un árbol hueco. Ella se enfadó conmigo, y me escapé y no volví jamás. ¿Dónde están tus hermanas? ¿Dónde están mis niñas? Recordaba haber estado sentado entre sus piernas, escuchando la leyenda de Oisín en Tirnanoge. No es justo tener que añorar a una persona durante tantos años.

Pero la nuestra es una vida doble. Me sentaba y me ponía a trabajar en la narración de la verdadera historia de mi mundo y el mundo de Henry Day. Las palabras fluían lenta, dolorosamente, a veces letra a letra. Perdía mañanas enteras sin una sola frase digna de ser conservada. Estrujaba y tiraba tantas hojas que tenía que ir constantemente a la biblioteca a robar más papel, y el montón de basura del rincón amenazaba con ocupar todo el cuarto. Al reconstruir mi historia, me sorprendía cansándome pronto y con facilidad, de forma que, si conseguía relacionar quinientas palabras, podía considerar que la escritura había triunfado sobre la indecisión y la falta de convicción.

A veces cuestionaba mis motivos para dejar una prueba escrita de mi existencia. De niño, los cuentos me parecían tan reales como cualquier otro elemento de mi vida. Escuchaba cómo Juan trepaba por el tallo de las habichuelas, y más tarde me preguntaba cómo trepar por los chopos que crecían al otro lado de la ventana. Hansel y Gretel eran para mí unos héroes valientes, y me estremecía al imaginarme a la bruja dentro del horno. Soñaba despierto que luchaba contra dragones y rescataba a la princesa encerrada en su torre. Cuando no podía dormir por culpa de mi desbocada y extravagante imaginación, despertaba a mi padre, quien siempre decía: «Solo es un cuento». Como si aquellas palabras hicieran que fuera menos real. Pero ni siquiera entonces le creía, pues los cuentos estaban puestos por escrito, y las palabras impresas en la página eran una prueba lo bastante sólida de su veracidad. Fijadas e imborrables en el tiempo, las palabras, en todo caso, hacían que los personajes y los lugares fuesen más reales que el mundo en constante transformación. Mi vida con las hadas es para mí más real que mi vida como Henry Day. Y si la puse por escrito fue para demostrar que somos algo más que una leyenda, un cuento de niños, una pesadilla o una fantasía. Del mismo modo que nosotros necesitamos sus historias para existir, los humanos nos necesitan para dar forma a sus vidas. Escribí mi vida para dar sentido al cambio que experimenté y a lo que ocurrió con Mota. Al decir esto en lugar de aquello, podía controlar lo importante. Y demostrar que la verdad subyace bajo la vida de la superficie.

Finalmente decidí conocer al hombre en persona. Había visto a Henry Day años antes, pero ahora sabía que en otra época había sido un suplantador que me había secuestrado cuando yo era un niño de siete años. Lo habíamos descubierto, lo habíamos seguido a todas partes y habíamos averiguado su rutina diaria. Las hadas habían ido a su casa, habían cogido una partitura al azar de la música que componía y le habían dejado una señal de su travesura. Pero yo quería enfrentarme a él, aunque solo fuera para despedirme de mi madre y mis hermanas por medio de él.

Iba de camino a la biblioteca para terminar mi relato. Un hombre salió de un coche y cruzó la puerta principal del edificio. Parecía viejo y cansado, consumido por las preocupaciones. Nada que ver conmigo, o con el aspecto que me imaginaba que yo tendría. Caminaba con la cabeza gacha, la mirada clavada en el suelo y un ligero encorvamiento en los hombros, como si lo distrajeran profundamente las cosas más simples. Se le cayó un montón de papeles, y al inclinarse para recogerlos murmuró una sarta de maldiciones. Pensé en salir del bosque, pero parecía demasiado frágil para asustarlo por la noche, de modo que opté por meterme por la grieta para emprender mi tarea.

Él había empezado a frecuentar la biblioteca ese verano, y apareció varios días seguidos, tarareando fragmentos de la sinfonía que le habíamos robado. Las tardes calurosas y húmedas, cuando la gente sensata se encontraba nadando o tumbada en la cama con las persianas bajadas, Henry solía estar leyendo solo en una mesa bañada por el sol. Yo notaba su presencia arriba,

350

separado de mí únicamente por el fino techo, y cuando la biblioteca cerró por la noche, subí por la trampilla a investigar. Él había estado trabajando en un lugar tranquilo situado en el rincón del fondo. Sobre un escritorio reposaba un montón de libros intacto, con pulcros trocitos de papel que asomaban entre las páginas como si fueran lenguas. Me senté donde él había estado sentado y contemplé el batiburrillo de títulos sobre todo tipo de temas, desde volúmenes acerca de diablillos y demonios a un grueso libro sobre «tontos ilustrados». Aquellos títulos no tenían nada en común, pero él había garabateado notas abreviadas en los puntos de lectura.

> *Hada no, sino trasgo.*
> *Gustav: ¿ilustrado?*
> *Me arruinó la vida.*
> *Encontrar a Henry Day.*

Las frases eran fragmentos descartados de distintos enigmas, y me guardé las notas en el bolsillo. Por la mañana, sus expresiones de consternación atravesaron el suelo. Henry murmuraba sobre los puntos de lectura que habían desaparecido, y sentí un placer lleno de culpabilidad por habérselos robado. Echó pestes de los bibliotecarios, pero al final recobró el dominio de sí mismo y emprendió su tarea. Yo me alegré de poder gozar de aquella tranquilidad, que me permitió terminar el libro durante las horas de sosiego. Al cabo de poco me libraría de Henry Day. Esa noche guardé las hojas en una caja de cartón y coloqué unos cuantos dibujos viejos encima del manuscrito; a continuación doblé la carta de Mota con cuidado y me la metí en el bolsillo. Tenía pensado volver a recoger mis pertenencias y despedirme definitivamente de aquel querido cuarto después de hacer un viaje rápido a casa. Pero con las prisas, no me acordé del tiempo. Cuando salí al aire libre era la última hora de luz del día. Teniendo en cuenta el riesgo que corría, no debería habérmela jugado, pero me alejé de la escalera de la parte de atrás y emprendí el camino de vuelta a casa.

Henry Day se hallaba delante de mí a menos de cuatro metros de distancia, mirándome fijamente y observando la grieta de debajo de la biblioteca. Yo reaccioné instintivamente como una liebre acorralada y eché a correr directamente hacia él para luego girar bruscamente y salir a la calle. Él no dio un solo paso. Sus reflejos embotados le fallaron. Atravesé el pueblo corriendo, sin atender en lo más mínimo a ninguna persona, crucé los jardines cuyos aspersores rociaban la hierba seca, salté por encima de las vallas y crucé a toda velocidad delante de un par de coches en marcha. No me detuve hasta estar en lo profundo del bosque, y entonces me desplomé en el suelo, jadeando y riéndome hasta que se me saltaron las lágrimas. Recordaba la expresión de sorpresa, furia y miedo de su cara. No tenía ni idea de quién era yo. Lo único que me quedaba por hacer era regresar más tarde a buscar el libro, y así pondría fin a la historia.

35

e l monstruo no respira», dijo supuestamente el compositor Berlioz acerca del órgano, pero yo descubrí que la verdad era todo lo contrario. Cuando tocaba, me sentía vivo y en armonía con el instrumento, como si fuera yo el que emitiera la música. Tess y Edward visitaban el estudio para oír la extensa estructura de mi composición y, cuando la interpretación terminaba, mi hijo decía: «Tocabas como si fuera lo más fácil del mundo». En el transcurso de un año, trabajé en la sinfonía durante las horas que pude arañar, corrigiéndola constantemente a partir del deseo de confesarme, intentando crear una textura que me permitiera explicarme. Sentía que, si Tess pudiera escuchar mi historia a través de la música, sin duda me entendería y me perdonaría. Dentro de mi estudio, me refugiaba ante el teclado. Cerraba la puerta con cerrojo y corría las cortinas para sentirme de nuevo a salvo y pleno. Para perderme, para encontrarme en la música.

Para la primavera había conseguido una pequeña orquesta —un conjunto de viento de la Universidad de Duquesne, unos timbales de la Universidad Carnegie-Mellon y unos cuantos músicos locales— con la que interpretar la pieza cuando estuviera terminada. Después de que Edward terminó su primer curso escolar en junio, Tess se lo llevó de visita a casa de su prima Penny durante dos semanas con el fin de dejarme un tiempo solo en casa para que pudiera concluir la sinfonía: una obra sobre un niño atrapado en su silencio, la imposibilidad de extraer unos sonidos de su imaginación, el hecho de vivir en dos mundos y la vida interna incomunicada de la realidad exterior.

Después de luchar durante años para encontrar la música de aquel niño robado, finalmente terminé. La partitura se hallaba desplegada sobre el órgano; las notas garabateadas en los pentagramas eran una maravilla de belleza y precisión matemática. Dos historias contadas al mismo tiempo: la vida interior en contraposición al mundo exterior. Mi método no consistía en yuxtaponer cada acorde con su doble, pues la realidad no es así. A veces nuestros pensamientos y sueños son más reales que el resto de nuestra experiencia, y en otras ocasiones lo que nos sucede ensombrece cualquier cosa que podamos imaginar. No había sido capaz de escribir lo bastante rápido para plasmar los sonidos de mi cabeza, las notas que fluían de lo más profundo de mi ser, como si una parte de mí hubiera estado componiendo y la otra hubiera estado haciendo de amanuense. Todavía tenía que transcribir por completo la taquigrafía musical y asignar las partes correspondientes a cada instrumento —tareas que podrían llevarme meses de ensayo hasta su perfeccionamiento—, pero el proceso inicial de poner por escrito el esqueleto de la sinfonía me había dejado aturdido y agotado, como si estuviera soñando despierto. Su lógica implacable, ajena a las normas corrientes del lenguaje, me parecía lo que había estado esperando componer desde el principio.

A las cinco en punto de la tarde de aquel día caluroso y sofocante fui a la cocina en busca de una botella de cerveza y me la bebí de camino al piso de arriba. Mi plan consistía en ducharme, tomar otra cerveza con la cena y luego volver a trabajar. Al abrir el armario del dormitorio, los espacios vacíos que habían estado ocupados por la ropa de ella me recordaron a Tess, y deseé que hubiera estado allí para compartir el repentino arrebato de creatividad y satisfacción. Momentos después de entrar en la ducha caliente, oí un sonoro estruendo abajo. Sin tan siquiera cerrar el agua, salí de la ducha, me envolví la cintura con una toalla y me apresuré a investigar. Una de las ventanas del salón estaba rota, y había cristales por toda la alfombra. La brisa agitaba las cortinas. Medio desnudo y empapado, permanecí inmóvil, desconcertado, hasta que me asustó un súbito aporreo de las teclas del piano, como si un gato hubiera pasado por encima del teclado, pero el estudio estaba vacío y en silencio. Miré detenidamente a mi alrededor.

La partitura había desaparecido: no estaba en la mesa donde la había dejado, ni caída en el suelo, ni en ninguna otra parte. La ventana se abrió de par en par, y corrí a mirar el jardín. Una página solitaria revoloteaba sobre la hierba, empujada por una tenue brisa, pero no se veía nada más. Mientras bramaba de ira y me paseaba por la habitación, me di con el pie contra la pata del piano y empecé a dar brincos por la alfombra. Estuve a punto de clavarme un trozo de cristal en el pie cuando sonó otro estruendo arriba. Con el pie dolorido, subí la escalera hasta el descansillo, temeroso de lo que podía haber en mi casa y preocupado por mi manuscrito. Nuestro dormitorio estaba vacío. En la habitación de nuestro hijo había otra ventana rota, pero no había cristales esparcidos por el suelo. Los trozos de vidrio que había sobre el tejado indicaban que la ventana había sido hecha pedazos desde dentro. Me senté un momento en el borde de la cama de Edward para que se me despejara la cabeza. La habitación tenía el mismo aspecto que el día que él se había marchado de vacaciones, y al pensar en Edward y Tess me embargó una repentina tristeza. ¿Cómo iba a explicar que mi sinfonía había desaparecido? Sin ella, ¿cómo iba a confesar mi auténtica naturaleza? Me tiré del pelo mojado hasta que me dolió el cuero cabelludo. En mi cabeza, mi mujer, mi hijo y mi música se hallaban entrelazados formando una cadena que ahora amenazaba con romperse.

En el cuarto de baño, el agua seguía saliendo. Una nube de vapor entraba en el pasillo, y atravesé la neblina dando traspiés para cerrar el grifo. Alguien había escrito unas palabras con el dedo sobre la superficie empañada del espejo del armario: «*Savemos* tu secreto». Debajo, copiado nota por nota, se hallaba el primer compás de mi partitura.

—Hijos de puta —dije para mí, mientras el mensaje desaparecía del espejo.

Después de una noche agitada y solitaria, cogí el coche y fui a casa de mi madre cuando amaneció. Al llamar a la puerta y ver que no contestaba inmediatamente, pensé que a lo mejor seguía dormida y me acerqué a la ventana para mirar. Ella me vio desde la cocina, sonrió y me hizo una señal para que entrara.

—La puerta nunca está cerrada con llave —dijo—. ¿Qué te trae por aquí en medio de la semana?

—Buenos días. ¿Es que uno no puede venir a ver a la niña de sus ojos?

—Oh, mientes fatal. ¿Te apetece una taza de café? ¿Quieres que te fría un par de huevos?

Mi madre se mantuvo ocupada en los fogones, y yo me senté a la mesa de la cocina, cuya superficie se hallaba surcada de marcas dejadas por las cazuelas y las sartenes, llena de muescas de cuchillos y cubierta de las débiles huellas de las cartas allí escritas. La luz de la mañana me recordó nuestro primer desayuno juntos.

—Perdona por haber tardado tanto en contestar a la puerta —dijo por encima del chisporroteo—. Estaba hablando por teléfono con Charlie. Está en Filadelfia, atando los cabos sueltos. ¿Va todo bien?

Sentí la tentación de contárselo todo, empezando por la noche que nos habíamos llevado a su hijo, remontándome hasta el niño alemán raptado por los suplantadores y terminando con el relato de la partitura robada. Pero ella parecía demasiado agobiada por las preocupaciones para hacer frente a semejantes confesiones. Puede que Tess la soportara, pero la historia partiría el corazón a mi madre. Aun así, necesitaba contarle a alguien, al menos provisionalmente, mis errores del pasado y los pecados que estaba a punto de cometer.

—Últimamente he estado sometido a mucha presión. He estado viendo visiones; la verdad es que no me encuentro bien. Como si me persiguiera un mal sueño.

—Sentirse perseguido por los problemas es señal de remordimientos de conciencia.

—Estoy obsesionado. Y tengo que solucionarlo.

—Cuando naciste fuiste la respuesta a mis oraciones. Y cuando eras un niño solía cantarte cada noche, ¿te acuerdas? Eras monísimo; intentabas cantar conmigo, pero eras incapaz de hacerlo bien. Desde luego, eso cambió. Y tú también. Como si te hubiera pasado algo la noche que te escapaste.

—Es como si los demonios me estuvieran vigilando.

—Déjate de cuentos. El problema está dentro de ti, Henry. En tu cabeza. —Me acarició la mano—. Una madre conoce a su hijo.

—¿He sido un buen hijo, mamá?

—Henry. —Puso la palma de su mano en mi mejilla, un gesto de mi infancia, y la pena por haber perdido la partitura remitió—. Eres quien eres, para bien o para mal, y no sirve de nada martirizarte con tus imaginaciones. Diablillos. —Sonrió como si un pensamiento le hubiera pasado por la cabeza—. ¿Alguna vez has pensado si tú eres real para ellos? Quítate esas pesadillas de la cabeza.

Me levanté para marcharme, me incliné y le di un beso de despedida. Ella me había tratado bien a lo largo de los años, como si hubiera sido su propio hijo.

—Lo he sabido desde el principio, Henry —dijo.

Salí de la casa sin contestar.

Decidí enfrentarme a ellos y averiguar por qué me estaban atormentando. Iba a volver al bosque para hacer salir a aquellos monstruos. El Servicio Forestal me proporcionó mapas topográficos de la región; las zonas de color verde indicaban los bosques, los caminos aparecían dibujados con todo lujo de detalles, y tracé una cuadrícula en las zonas idóneas, dividiendo el terreno en parcelas controlables. A pesar de mi odio por el bosque y mi aversión a la naturaleza, durante dos días exploré unas cuantas de aquellas zonas, buscando su guarida. El bosque estaba más vacío que cuando yo vivía allí: el martilleo aislado de un pájaro carpintero, unas lagartijas tomando el sol encima de unas piedras, la bandera blanca izada de un ciervo que huía, y el zumbido solitario de las moscas verdes. No había mucha vida, pero se veían montones de basura: un ejemplar deteriorado de *Playboy*, una carta del cuatro de corazones, un jersey blanco hecho jirones, un montoncito de cajetillas de cigarrillos vacías, una cantimplora, un collar hecho con concha de tortuga encima de una pila de piedras, un reloj parado y un libro en cuyo sello se leía «Propiedad de la biblioteca de la comarca».

Aparte de la suciedad de la cubierta y del ligero olor a moho de sus páginas, el libro estaba intacto. El relato giraba en torno a un fanático religioso llamado Tarwater o Tearwater. De niño había dejado de leer novelas, pues sus mundos artificiales ocultaban la verdad en lugar de revelarla. Los novelistas construyen elaboradas mentiras para despistar a los lectores e impedir que descubran el significado que se oculta detrás de las palabras y los símbolos, como si alguien pudiera llegar a conocerlo. Pero el libro que encontré podía ser justo lo que necesitaba un muchacho revoltoso de catorce años o un inadaptado religioso, de modo que lo devolví a la biblioteca. Allí no había prácticamente nadie aquel día de pleno verano, salvo una chica mona situada detrás del mostrador.

—He encontrado esto en el bosque. Es vuestro.

Ella miró la novela como si fuera un tesoro perdido, le quitó la suciedad con la mano y abrió la contraportada.

—Un momento. —Se puso a hojear una pila de fichas selladas—. Se lo agradezco, pero este libro no ha sido solicitado en préstamo. ¿Se olvidó de hacerlo?

—No —expliqué—. Me lo he encontrado y quería devolvérselo a sus propietarios legítimos. Estaba buscando otra cosa, en realidad.

—A lo mejor yo puedo ayudarlo. —Su sonrisa me recordó a tantas otras bibliotecarias, y sentí una pequeña punzada de culpabilidad en las costillas.

Me incliné y le sonreí.

—¿Tenéis libros sobre trasgos?

Ella se quedó desconcertada.

—¿Trasgos?

—O hadas. Diablillos, gnomos, duendes, suplantadores, esa clase de cosas.

La chica me miró como si estuviera hablando en una lengua extranjera.

—No debería inclinarse así sobre el escritorio. Hay un fichero allí mismo. Está ordenado alfabéticamente por tema, título o autor.

En lugar de proporcionar atajos que remitiesen a una información útil, cada consulta daba lugar a otra, y cuanta más curiosidad tenía, más agujeros se abrían. Mi búsqueda de obras relacionadas con las hadas dio como resultado cuarenta y dos títulos, de los cuales una docena aproximadamente podían resultar útiles, pero dicha búsqueda se ramificaba en duendes y trasgos, que a su vez se ramificaban en psicología patológica, niños prodigio y autismo. La hora de comer había pasado, y me sentía aturdido y necesitaba tomar el aire. Compré un sándwich y un refresco en una tienda de ultramarinos que había cerca de la biblioteca y me senté en un banco del parque vacío, meditando sobre la tarea que tenía por delante. Había tantas cosas por saber, tantas cosas ya olvidadas. Me quedé dormido bajo el sol implacable y me desperté tres horas más tarde con unas desagradables quemaduras en un brazo y en el lado izquierdo de la cara. En el espejo del cuarto de baño de la biblioteca, contemplé a una persona dividida en dos, con una mitad de la cara pálida y la otra de color carmesí. Pasé por delante de la joven bibliotecaria y salí del recinto, tratando de mostrar únicamente mi perfil bidimensional.

Esa noche el sueño acudió de nuevo a mí con todo lujo de detalles. Tess y yo hablábamos en voz baja en la terraza de una piscina del barrio. Unas cuantas personas más se apiñaban en el jardín, bronceándose o zambulléndose en el agua fresca. Eran como comparsas: Jimmy Cummings, Oscar Love, el tío Charlie, Brian Ungerland. Todas las bibliotecarias con biquinis.

—¿Cómo te ha ido, mi amor? —bromeó ella—. ¿Te siguen persiguiendo los monstruos?

—Tess, no tiene gracia.

—Lo siento, pero nadie más puede verlos, cielo. Solo tú.

—Pero son tan reales como tú y yo. ¿Y si vienen a atrapar a Edward?

—No quieren a Eddie. Te quieren a ti.

Se levantó, tiró de la parte de abajo de su bañador y saltó a la piscina. Cuando yo me lancé detrás de ella, me sorprendí de lo fría que estaba el agua y me dirigí al centro buceando. Tess nadó hacia mí, moviendo el cuerpo de forma estilizada y grácil, y cuando sacó la cabeza a la superficie, tenía el pelo pegado al cuero cabelludo. Al levantarse, la capa de agua se deslizó por su cara y se separó como si fuera una cortina, pero no dejó al descubierto su rostro, sino el de un trasgo, horrible y espantoso. Palidecí y grité sin querer; a continuación, ella volvió a adoptar su aspecto de siempre.

—¿Qué pasa, amor? ¿No te das cuenta de que sé quién eres? Dime.

Regresé a la biblioteca, busqué unos cuantos libros y me

senté en una mesa de un rincón. La información, especialmente la concerniente a los trasgos, resultaba errónea prácticamente en todos los detalles y no consistía más que en mitos e invenciones. Nadie escribía fielmente sobre sus hábitos y costumbres, su forma de vida en la oscuridad, el modo en que espiaban a los niños, o la búsqueda de la persona adecuada con la que realizar el cambio. No había ni una palabra que indicase cómo librarse de los visitantes inoportunos. O cómo proteger al propio hijo de los riesgos y peligros. Absorto en la lectura de aquellos cuentos de hadas, me volví hipersensible a la quietud de mi entorno y empezaron a ponerme nervioso los sonidos que penetraban el silencio. Al principio, los ruidos parecían el papeleo aleatorio de otro lector al pasar lánguidamente las páginas de un libro, o el sonido de una de las bibliotecarias muerta de aburrimiento que se paseaba por los pasillos o salía furtivamente a fumar. Al poco tiempo, el más mínimo sonido se veía intensificado en medio del silencio sepulcral.

A menudo alguien respiraba hondo, como si estuviera dormido, y el ruido procedía de una dirección indeterminada. Más tarde oí un chirrido en las paredes, y cuando pregunté a la bibliotecaria dijo que no eran más que ratones, pero el sonido era cada vez más estridente, como el de una pluma estilográfica al deslizarse por encima de un cuaderno. Esa misma tarde alguien empezó a cantar de forma poco melodiosa desde una altura inferior. Seguí la melodía hasta un lugar de la sección infantil. No había ni un alma alrededor, y me tumbé en el suelo, pegué la oreja, deslicé los dedos a lo largo de la vieja alfombra y mi pulgar topó con un bulto duro, parecido a una bisagra o un clavo doblado. Cuidadosamente cortado y casi imperceptible a la vista, había un cuadrado de alfombra que había sido pegado en aquel sitio para tapar un panel o una trampilla situada debajo. La habría abierto, pero la bibliotecaria que pasaba por allí me asustó al carraspear. Me levanté con una sonrisa tímida, murmuré una disculpa y volví de nuevo a mi rincón. Convencido de que algo vivía debajo del edificio, me puse a darle vueltas al modo de atraparlo y hacerlo hablar.

A la mañana siguiente, mis libros estaban totalmente revueltos, los títulos no se encontraban colocados por orden alfabético y todos mis puntos de lectura habían desaparecido. Durante el resto del día fingí que leía, aunque en realidad estuve atento por si oía algún ruido abajo, y en una ocasión volví paseando a la sección infantil. El cuadrado de alfombra se hallaba ligeramente levantado por encima de la superficie. Me puse a gatas y, al golpear suavemente el panel, me di cuenta de que había un espacio hueco debajo de las tablas del suelo. Tal vez uno o más de aquellos demonios se encontraban debajo, tramando intrigas y artimañas para seguir acosándome. Un niño con el cabello ligeramente pelirrojo silbó a mi espalda, y rápidamente me levanté, pisé la trampilla y me marché sin decir palabra.

Aquel niño me puso nervioso, de modo que salí y me quedé en el parque hasta que la biblioteca cerró. La joven bibliotecaria se percató de que estaba en los columpios, pero se alejó y aparentó desinterés. A solas de nuevo, registré el terreno en busca de pistas. Si me habían seguido hasta la biblioteca, debían de haber cavado un agujero o hallado una entrada secreta al edificio. Cuando estaba dando la tercera vuelta alrededor del recinto, lo vi entre las sombras del sol. Detrás de la escalera de la parte de atrás, salió con dificultad por una grieta abierta en los cimientos como un recién nacido y se quedó inmóvil por un momento, parpadeando a la luz cada vez más tenue. Temiendo que fuera a atacarme, miré a un lado y a otro en busca de una vía de escape. Él echó a correr directamente hacia mí, como si pensara agarrar mi cuello entre sus fauces, y acto seguido se apartó como una flecha con la velocidad de un pájaro en pleno vuelo. Se movió demasiado rápido para que pudiera verlo con claridad, pero no cabía duda de quién era. Un trasgo. Cuando pasó el peligro, no pude evitar reírme.

Estuve nervioso durante horas y me dediqué a dar vueltas con el coche, y cerca de medianoche me encontraba en casa de mi madre. Mientras ella dormía en el piso de arriba, recorrí la casa sigilosamente para abastecerme de material: un cúter, una palanca de hierro y un rollo de cuerda resistente. Me llevé del viejo granero la antigua lámpara de queroseno de mi padre, con su mango de alambre oxidado y frío al tacto. Cuando intenté encender la lámpara, la mecha chisporroteó, pero cobró vida y bañó de una luz sobrenatural el descuidado rincón.

El insomnio se apoderó de mí durante esas últimas horas, en las cuales mi mente y mi cuerpo se negaron a descansar hasta que el trabajo estuviera acabado. Regresé a la biblioteca con la penumbra que precede al amanecer y memoricé la distribución del edificio, planeando paso a paso lo que iba a hacer. Estuve a punto de perder la paciencia. Era posible que el duende se hubiera espantado, de modo que emprendí mi labor como si no hubiera pasado nada. Me pasé el día leyendo un libro sobre niños extraordinarios, como los superdotados cuyos cerebros se hallaban dañados de tal forma que solo podían contemplar el mundo a través del prisma único de los sonidos, las matemáticas u otro sistema abstracto. Iba a exigir al trasgo que me explicase lo que realmente nos había pasado a Gustav Ungerland y a mí.

Pero, más que obtener una explicación, lo que quería simple y desesperadamente era recuperar mi sinfonía, pues sería incapaz de escribir una nota sabiendo que había desaparecido. Iba a obligarlo a que me devolviera la partitura y nada me lo iba a impedir. Razonaría si era posible, suplicaría si era necesario, o la robaría si hacía falta. A esas alturas ya no era una criatura salvaje y peligrosa, pero estaba decidido a recuperar mi vida.

Unos ruidos inconfundibles me estuvieron provocando desde debajo del suelo durante todo el día. Él había vuelto. Cuando la biblioteca se vació, dormité en el asiento delantero de mi coche. El calor sofocante del mes de agosto entraba a raudales por las ventanillas, y dormí más de lo que pretendía. Las estrellas habían salido, y el sueñecito me había revitalizado. Me enrollé la cuerda alrededor del cuerpo como un bandolero, saqué las herramientas y me dirigí furtivamente a la ventana lateral el edificio. Era imposible saber si su submundo se hallaba muy abajo. Me cubrí el puño con una toalla, atravesé el cristal de un puñetazo, abrí la ventana y entré por la abertura. Las estanterías aparecieron de forma amenazante como un laberinto de túneles; los libros me observaban entre la oscuridad mientras avanzaba sigilosamente hacia la sección infantil. Inquieto, gasté tres cerillas intentando encender la lámpara de queroseno. La mecha grasienta empezó a echar humo y finalmente prendió. La camiseta se me pegaba a la espalda sudorosa, y el aire denso me impedía respirar. Corté el cuadrado de alfombra con el cúter y vi que había sido pegado encima de una pequeña trampilla; la abrí fácilmente levantándola con la palanca. Un cuadrado perfecto separaba nuestros dos mundos.

La luz se filtró desde abajo y me permitió ver una habitación estrecha cubierta de mantas y libros, botellas y platos. Me incliné para mirar más de cerca y metí la cabeza por la abertura. Con la velocidad de una serpiente en pleno ataque, su cara apareció ante mí, a escasos centímetros de mi nariz. Inmediatamente lo reconocí, pues tenía exactamente el mismo aspecto que yo de niño. Mi reflejo en un viejo espejo. Sus ojos lo delataron, todo sentimiento y nada de sustancia, y no se movió, sino que se quedó mirándome en silencio sin parpadear, mientras su respiración se alternaba con la mía. No expresaba ninguna emoción, como si él también hubiera estado esperando que llegara aquel momento y que todo acabara.

El niño y yo estábamos unidos. Al igual que los niños sueñan con hacerse hombres y los hombres sueñan con los niños que fueron en el pasado, cada uno de nosotros examinó a la otra mitad. Él me recordó la pesadilla de tantos años atrás, cuando me habían raptado, y de repente los temores y la ira que había albergado durante largo tiempo salieron a la superficie. El quemador de la lámpara me ardía en los dedos, y empecé a notar espasmos en el ojo por la tensión. El niño interpretó mi expresión y se estremeció. Tenía miedo de mí; por primera vez me arrepentí de lo que le había arrebatado y me di cuenta de que al sentir lástima por él me estaba apenando por la pérdida de la vida que me habían robado a mí. Por Gustav. Por el auténtico Henry Day. Por la vida que él no llegaría a conocer. Por todo lo que yo poseía con Tess y Edward. Por mi sueño de la música. ¿Y quién era yo en aquella ecuación sino el producto de mi propia escisión? Qué experiencia tan terrible para un niño.

—Lo siento —dije, y él se esfumó.

Años de ira se disiparon mientras contemplaba el espacio donde él estaba antes. Había desaparecido; pero, durante el breve momento en que nos habíamos enfrentado el uno al otro, mi pasado se había proyectado como una película en lo más profundo de mi mente, y entonces lo dejé marchar. Una especie de euforia me corrió por la sangre; respiré hondo y volví a sentirme yo mismo.

—¡Espera! —le grité, y sin pensarlo me giré, metí los pies por la abertura y caí entre el polvo.

El espacio situado debajo de la biblioteca era más pequeño de lo que pensaba, y al ponerme en pie me di con la cabeza contra el techo. En su gruta no había más que sombras tenebrosas, de modo que cogí la lámpara para ver mejor. Encorvado, busqué al chico con la luz de la llama, con la esperanza de que respondiera a unas cuantas preguntas. Tan solo quería hablar con él, perdonarlo y ser perdonado.

—¡No voy a hacerte daño! —grité en la oscuridad.

Tras deshacerme con esfuerzo de la cuerda, la dejé en el suelo con el cúter. La lámpara oxidada chirriaba en mi mano mientras la luz recorría la habitación.

Él se agachó en el rincón, ladrándome como un zorro atrapado. Su cara reflejaba mi temor. Se puso a temblar a medida que me acercaba, moviendo los ojos rápidamente, buscando una forma de escapar. La luz de la lámpara iluminaba las paredes, y pude ver que a su alrededor había montones de papel y libros por el suelo. A sus pies, atado con un ramal de bramante, se encontraba un grueso fajo de hojas al lado de mi partitura robada. Mi música había sobrevivido.

—¿No me entiendes? —Le tendí la mano—. Quiero hablar contigo.

El niño no dejaba de mirar al rincón opuesto, como si allí hubiera algo o alguien esperando, y, cuando me volví para echar un vistazo, pasó corriendo junto a mí y se chocó con la lámpara. El alambre oxidado del asa se rompió y mandó la lámpara volando por los aires hasta que el cristal se hizo añicos contra la pared de piedra. Las mantas y los papeles se encendieron de inmediato, y arrebaté la partitura de las llamas y la golpeé contra mi pierna para apagar las pequeñas volutas de fuego que había a lo largo de los márgenes. Retrocedí hacia la entrada situada en el techo. Él se quedó mirando hacia arriba asombrado, como si estuviera clavado en el sitio, y justo antes de salir por el agujero, lo llamé por última vez:

—Henry…

Él abrió mucho los ojos, escudriñando el techo como si estuviera descubriendo un nuevo mundo. Se volvió hacia mí y sonrió, y a continuación dijo algo ininteligible. Cuando llegué arriba, una niebla formada por el humo subía por el agujero del suelo. Y la niebla me siguió a través de la ventana rota en el mismo instante en que las llamas empezaban a lamer las estanterías de libros.

Después del incendio Tess me salvó. Angustiado por los daños que había causado, estuve paseándome por casa con cara mustia durante días. Yo no era el culpable de la destrucción de la sección infantil, pero lamentaba profundamente la pérdida de todos los libros. Los niños necesitarán nuevos relatos y cuentos que los ayuden a sobrellevar sus pesadillas y fantasías, a transformar sus penas y temores y no quedarse anclados en la infancia.

Tess y Edward llegaron a casa de la residencia de su prima justo cuando la policía se estaba marchando. Al parecer, se me consideraba una persona sospechosa ya que las bibliotecarias habían informado de mis frecuentes visitas y mi «comportamiento imprevisible». Los bomberos habían descubierto la lámpara entre las cenizas, pero no había forma de que me relacionaran con lo que antaño había sido de mi padre. Tess aceptó mis explicaciones poco convincentes, y cuando la policía volvió a pasar por casa, les dijo una mentira piadosa, contándoles que la noche del incendio habíamos hablado por teléfono y que recordaba con total claridad haberme despertado de un profundo sueño. Al no haber pruebas, el asunto se desvaneció. La investigación para determinar si se había tratado de un incendio provocado, que yo sepa, no dio resultados concluyentes, y el desastre pasó al folclore local, como si los propios libros de repente hubieran estallado en llamas.

Volver a tener en casa a Tess y a Edward aquellas pocas semanas antes de que empezaran las clases resultó al mismo tiempo tranquilizador y desconcertante. Su sola presencia en la casa aplacaba mi frágil mente, pero había veces en que apenas podía mirar a Tess a los ojos. Teniendo que cargar con la culpabilidad de haberla convertido en mi cómplice, busqué una forma de contarle la verdad, y tal vez así ella adivinaría los motivos de mi creciente inquietud.

—Me siento en parte responsable —me dijo Tess mientras cenábamos—. E impotente. Como si debiéramos hacer algo por la reconstrucción.

Mientras comíamos nuestras chuletas de cordero, trazó un plan destinado a recaudar dinero para la biblioteca. Los detalles surgieron de forma tan repentina que me di cuenta de que Tess había estado considerando aquel asunto desde el día de su regreso.

—También pondremos en marcha una campaña para conseguir libros, y tú podrás dar tu concierto en beneficio de los niños.

Aturdido y aliviado, fui incapaz de poner ninguna objeción, y durante las siguientes semanas los arranques de actividad se impusieron a mi sentido del decoro y la privacidad. La gente traía sus cuentos y volúmenes de canciones infantiles, y pululaban por la casa a todas horas con cajas de cartón llenas de libros que apilaban en el estudio y el garaje. Lo que antes había sido mi solitario refugio se convirtió en una colmena para las personas con buenas intenciones. El teléfono sonaba constantemente con ofertas de ayuda. Además del jaleo que se armó con los libros, los preparativos para el concierto interrumpieron nuestra tranquilidad. Un artista se pasó por casa con el fin de enseñarme unos bocetos para los carteles del concierto. Las entradas anticipadas se vendían en nuestra sala de estar. Un sábado por la mañana, Lewis Love y su hijo adolescente, Oscar, aparecieron con una furgoneta, y cargamos el órgano en la parte de atrás para instalarlo en la iglesia. Los ensayos se programaron tres noches a la semana, y los estudiantes y los músicos dieron forma al concierto compás por compás. Aquel ritmo frenético de vida me dejaba demasiado agotado para reflexionar sobre mis sentimientos encontrados. Arrastrado por el movimiento que Tess había iniciado, únicamente podía funcionar concentrándome en la música a medida que el día de la actuación se aproximaba.

Observé desde los bastidores cómo la multitud entraba en fila en la iglesia para asistir al estreno benéfico de *El niño robado*, que iba a tener lugar esa noche de finales de octubre. Como yo tenía que tocar el órgano, había cedido la batuta de director de orquesta a Oscar Love, y nuestro antiguo batería de The Coverboys, Jimmy Cummings, se encontraba en los timbales.

Oscar había alquilado un esmoquin para la ocasión y Jimmy se había cortado el pelo, y parecíamos unas versiones mucho más respetables de nosotros mismos. Algunos de mis colegas profesores de la escuela Mark Twain estaban sentados en las últimas filas, e incluso asistió una de las últimas monjas que quedaban de nuestra escuela primaria. Animadas como siempre, mis hermanas aparecieron con ropa de etiqueta y collares de perlas, flanqueando a mi madre y a Charlie, quien me guiñó el ojo como para infundirme una dosis de su abundante confianza. Me sorprendió mucho ver a Eileen Blake acompañada por su hijo Brian, quien se encontraba en el pueblo de visita. Él me dio un susto momentáneo cuando llegaron; pero, cuanto más lo observaba, menos comparable me parecía con Edward desde un punto de vista racional. Al fin y al cabo, afortunadamente, mi hijo se parece a su madre en todos los aspectos salvo en la apariencia. Con su pelo domado, y vestido elegantemente con su primer traje y su primera corbata, Edward parecía otro niño, y al vislumbrar al hombre en que un día se convertiría mi hijo, sentí al mismo tiempo orgullo y pesar por la brevedad de la infancia. Tess no podía parar de sonreír, y con razón, pues la sinfonía que había prometido componer hacía mucho tiempo era casi suya.

Para dejar entrar el aire fresco de aquella noche fría y despejada de otoño, los sacerdotes habían abierto las ventanas, y una leve brisa cruzaba el altar y la nave. El órgano había sido colocado en el ábside debido a la acústica, y, cuando ocupamos nuestros puestos, me situé de espaldas al público y al resto de la pequeña orquesta; por el rabillo del ojo, solo vi a Oscar dar unos golpecitos y alzar la batuta.

Desde las primeras notas, estaba decidido a contar cómo el niño había sido robado y sustituido por otra persona, y cómo a pesar de todo persistían el niño y el suplantador. En lugar de la habitual distancia y separación respecto al público, se produjo una sensación de conexión durante la interpretación. Los asistentes permanecieron inmóviles, callados, expectantes, y noté doscientos pares de ojos mirando. Me concentré hasta el punto de dejarme llevar y tocar para ellos en lugar de satisfacerme a mí mismo. La obertura dio paso a los cuatro movimientos de la sinfonía: conocimiento, búsqueda, lamento y redención, y cuando levanté las manos de las teclas y las cuerdas emprendieron el *pizzicato* para indicar la llegada de los suplantadores, noté la presencia de él cerca. El niño que no había podido salvar. Y, cuando Oscar me señaló el momento de entrada del órgano, vi al niño a través de una ventana abierta. Él observaba cómo tocaba para él y escuchaba nuestra música. Cuando el tempo disminuyó en el segundo movimiento, me arriesgué más de una vez a mirar cómo él nos contemplaba.

Tenía una mirada seria y escuchaba atentamente la música. Durante la danza del tercer movimiento, vi el morral que llevaba colgado del hombro, como si se dispusiera a realizar un viaje. El único lenguaje del que disponíamos era la música, de modo que toqué para él solo y me olvidé de mí mismo. Durante todo el movimiento, me estuve preguntando si alguien más en la iglesia había visto aquella extraña cara en la ventana, pero cuando volví a buscarlo con la mirada, no había más que la negra noche. En la cadencia, comprendí que me había dejado solo en el mundo y que no iba a regresar.

El público se puso en pie cuando se apagaron las últimas notas del órgano y nos dedicó aplausos y vivas. Cuando desplacé la vista de la ventana al estruendo de nuestros amigos y familiares, recorrí con la mirada las caras de la multitud. Casi era uno de ellos. Tess había levantado a Edward para que participara de los alegres vítores y, sorprendido por su entusiasmo, supe lo que había que hacer.

Al escribir esta confesión, Tess, te pido perdón para poder volver junto a ti. La música me ha ayudado a recorrer una parte del trayecto, pero el último paso consiste en la verdad. Te ruego que comprendas y aceptes que, independientemente de mi nombre, soy lo que soy. Los años de lucha para volver a convertirme en humano dependen de tu confianza en mí y en mi historia. El hecho de haberme enfrentado al niño me ha liberado y me ha permitido enfrentarme a mí mismo. Al desprenderme del pasado, el pasado se ha desprendido de mí.

Ellos me raptaron, y viví muchísimo tiempo en el bosque entre los suplantadores. Cuando por fin llegó el momento de que regresara, acepté el orden natural. Encontramos al hijo de los Day y realicé el cambio. Hice todo lo posible por pedirle perdón, pero tal vez haya demasiada distancia entre el niño y yo para que podamos acercarnos el uno al otro. Ya no soy el niño que fui hace mucho tiempo, y él se ha convertido en otra persona, en alguien nuevo. Él se ha marchado, y ahora yo soy Henry Day.

36

Henry Day. Por muchas veces que pronuncie o escriba esas palabras, siguen siendo un enigma. Las hadas y los elfos me han llamado Aniday durante tanto tiempo que me he convertido en ese nombre. Henry Day es otra persona. Al final, después de observarlo tantos meses, no siento envidia por ese hombre, sino tan solo una especie de lástima moderada. Ha envejecido mucho, y la desesperación le ha encorvado los hombros y ha dejado huella en su cara. Henry se ha apropiado de mi nombre y de la vida que yo podría haber vivido, y la ha dejado escapar entre sus dedos. Qué extraño debe de ser instalarse en la superficie del mundo, maniatado por el tiempo e incapaz de recuperar la personalidad de uno mismo.

Regresé a buscar mi libro. Nuestro encuentro en el exterior de la biblioteca me había asustado, de modo que esperé durante la noche. Antes de que amaneciera, me deslicé por la ranura y entré en el cuarto viejo y oscuro, y encendí una vela para iluminar la estancia. Leí mi relato y quedé satisfecho. Intenté cantar las notas de la canción de Henry. En un fajo estaba mi manuscrito, los papeles que conservaba de cuando había llegado al bosque y la carta de Mota; y en otro, la partitura de Henry. Había pensado dejar ese último fajo en su mesa del rincón. Ahora que nuestra travesura había tocado a su fin, había llegado el momento de reparar las faltas. De repente, un cristal se quebró por encima de mí, como si una ventana se hubiera roto y se hubiera hecho añicos. Se oyó una exclamación obscena, un golpe seco en la puerta y acto seguido el sonido de unas pisadas que se acercaban a la trampilla oculta.

Tal vez debería haber escapado en cuanto tuve ocasión. Mis emociones oscilaban entre el temor y la emoción; una sensación parecida a otra de mucho tiempo atrás, cuando aguardaba en la puerta el regreso diario de mi padre del trabajo para que me envolviera en sus brazos, o una de mi primera época en el bosque, cuando esperaba que Mota apareciera de repente y aliviara mi soledad. Pero con Henry Day no cabían esa clase de ilusiones, ya que sin duda no iba a hacerse amigo mío después de todos aquellos años. Pensé en las palabras que iba a decir, en cómo iba a perdonarlo, a entregarle su partitura robada, a ofrecerle mi nombre y a despedirme de él.

Él cortó la alfombra para averiguar la forma de entrar en el espacio intermedio entre las plantas del edificio, mientras yo me paseaba debajo, meditando si acudir en su ayuda. Después de una eternidad, encontró la portezuela y la abrió haciéndola girar sobre las bisagras. Un foco de luz entró a raudales desde arriba, como el arco iris al atravesar un bosque oscuro. Un cuadrado perfecto separaba nuestros dos mundos. De repente, metió la cabeza por el marco y escudriñó la oscuridad. Me acerqué a la abertura como una flecha y lo miré directamente a los ojos, situando mi nariz a menos de veinte centímetros de la suya. Su imagen me desconcertó, pues sus facciones no reflejaban la más mínima señal de amabilidad o reconocimiento, y su expresión no era sino de puro disgusto, con la boca torcida como en pleno gruñido y una mirada de furia en los ojos. Atravesó el agujero como loco y entró en nuestro mundo —con una linterna en una mano, un cuchillo en la otra y un rollo de cuerda que le atravesaba el pecho— y me persiguió hasta el rincón.

—No te acerques —le advertí—. Puedo mandarte al otro mundo con un solo golpe.

Pero él seguía aproximándose. Henry dijo que sentía lo que

estaba a punto de hacer y levantó la lámpara por encima de mi cabeza, de modo que pasé corriendo junto a él. Henry lanzó el fuego a mi espalda.

El cristal de la lámpara se rompió, y una llamarada se esparció sobre un montón de mantas como si fuera un chorro de agua. La lana ardió, y las llamas corrieron directas hacia mis papeles. Nos miramos el uno al otro a la luz ardiente. Mientras el fuego rugía y ardía de forma cada vez más luminosa, él echó a correr hacia delante y cogió todos los papeles. Abrió los ojos como platos al ver su partitura y mis dibujos. Yo alargué la mano para coger el libro, preocupado únicamente por salvar la carta de Mota, y él lo lanzó al rincón para que yo lo recuperara. Cuando me di la vuelta, Henry Day había desaparecido, y sus armas —la cuerda, el cuchillo, la palanca de hierro— estaban en el suelo. La trampilla se cerró de golpe, y una fina grieta se abrió en lo alto. Las llamas se elevaron rápidamente, iluminando la habitación como si el sol hubiera perforado las paredes.

Con la intensa luz, empezó a aparecer un dibujo en el techo. En medio de la oscuridad de siempre, las líneas de la superficie no parecían más que grietas y surcos que se habían formado al azar en los cimientos; pero, a medida que el fuego cobraba mayor vigor, los contornos se iluminaron. Las formas me desconcertaron, pero en cuanto distinguí las partes, el conjunto saltó a la vista: la accidentada costa Este de Estados Unidos, los contornos con forma de pez de los Grandes Lagos, las extensas y desiertas llanuras, las montañas Rocosas, y encima, el Pacífico. Justo sobre mi cabeza, el brochazo negro del Mississippi dividía la nación, y en algún lugar de Missouri, el camino cruzaba el río y avanzaba en dirección al este. Mota había marcado su ruta de escape y había trazado un mapa del camino desde nuestro valle hasta el océano situado al oeste. Debía de haber trabajado sola en la oscuridad durante meses o años, con los brazos estirados hacia el techo, picando la piedra o pintando con una tosca brocha, sin mostrar su obra a nadie, esperando el día en que su secreto fuera descubierto. Alrededor del contorno del país, había grabado y pintado en el áspero hormigón una constelación de dibujos que habían resultado invisibles durante todos aquellos años. Había cientos de inscripciones primitivas e infantiles, e imágenes superpuestas sobre otras imágenes; cada historia aparecía relatada encima de su predecesora. Algunos dibujos parecían muy antiguos, como si allí hubiera estado un ser prehistórico que hubiera dejado sus recuerdos a modo de pinturas en la pared de una cueva: una bandada de cuervos alzando el vuelo desde un árbol, un par de codornices, un ciervo en un arroyo. Mota había dibujado flores silvestres, prímulas, violetas y tomillo. Había criaturas extraídas de sus sueños, hombres cornudos con rifles y perros fieros. Duendes, diablillos y trasgos. Ícaro, Vishnu y el arcángel Gabriel. Otros modernos procedentes de las historietas: el ratón Ignacio lanzando un ladrillo a la Gata Loca, el Pequeño Nemo al verse transportado al País de los Sueños, Koko saliendo del tintero de un salto. Una madre con un niño en brazos. Un banco de ballenas arqueándose entre las olas. Espirales hechas nudos, una guirnalda tejida con ramas de ipomea. Los dibujos iban desvelándose con las llamas danzarinas. La temperatura había aumentado tanto que aquello parecía un horno, pero no podía evitar contemplar los extravagantes dibujos de Mota. En el rincón más oscuro, había pintado unas manos con los pulgares superpuestos. Su nombre y el mío escritos en docenas de tipos de letra. Dos figuras corrían por una montaña; un niño con la mano atrapada en una colmena; un par de lectores sentados espalda con espalda sobre un montón de libros. En la parte del techo situada encima de la entrada al mundo superior, había grabado: «Ven conmigo a jugar». El fuego absorbió el oxígeno y me quedé sin aire. Tenía que salir.

Estudié la ruta de Mota hacia el oeste con la esperanza de aprenderla de memoria. ¿Por qué nunca se me había ocurrido mirar arriba? Una ceniza saltó y se me metió debajo del párpado. El humo y el calor inundaban la habitación, de modo que cogí el cuaderno de McInnes y otros papeles y corrí hacia la salida, pero el fajo no iba a caber por la grieta. Otro montón de mantas se encendió y desprendió una oleada de calor que me hizo caer de rodillas. Abrí el paquete rápidamente, y los papeles se esparcieron por el suelo. La carta de Mota y unos cuantos dibujos infantiles se hallaban al alcance de mi mano, y los apreté contra mi pecho; a continuación, pasé por la abertura con dificultad y me interné en la noche fresca.

Las estrellas habían salido, y los grillos cantaban como locos. La ropa me olía a hollín, y muchas de las hojas se habían chamuscado en los márgenes. Se me habían quemado las puntas del pelo, y tenía cada centímetro de piel descubierta dolorido y rojo, como si estuviera quemada por el sol. A cada paso que daba, un dolor punzante me atravesaba las plantas de los pies descalzos, pero sabía que debía escapar de un edificio incendiado, y se me cayeron unas cuantas hojas más en la puerta al echar a correr hacia el bosque. El edificio de la biblioteca emitió un crujido, y a continuación el suelo se desplomó sobre la gruta y miles de libros ardieron en llamas. Escondido entre la maleza, oí las sirenas de los camiones de bomberos que acudían a apagar el incendio. Me metí los papeles dentro de la camisa y emprendí el largo viaje a casa, recordando la mirada de loco de los ojos de Henry y todo lo que se había perdido. En la más absoluta oscuridad, las luciérnagas hacían señales con sus semáforos de deseo.

Mota había conseguido llegar allí, estoy seguro, y vivía en una orilla rocosa; el resplandeciente océano Pacífico la acompañaba a diario cuando iba a recoger mejillones, almejas y cangrejos de las charcas que dejaba la marea y cuando se quedaba dormida en la arena. Estaría muy morena, su pelo se habría convertido en una maraña llena de nudos, y tendría los brazos y las piernas fuertes como maromas de nadar en el mar. Me contaría de corrido la historia de su viaje por el país, me hablaría de los pinos de Pensilvania, los maizales y trigales y la soja del Medio Oeste, los girasoles de Kansas, la escarpada pendiente de la divisoria continental, la nieve del verano en las montañas Rocosas, el Desierto Pintado más allá, y por último el océano a la vista. ¡Qué alegría! Entonces me preguntaría por qué había tardado tanto. Y yo le contaría mi historia, esta historia y la de Henry Day, hasta dormirme otra vez entre sus brazos. Solo podía soportar el dolor por medio de la imaginación. Aquel sueño me atraía hacia casa con cada paso mortificante que daba.

Cuando regresé al campamento a la mañana siguiente, los demás elfos y hadas cuidaron de mí. Cebollas y Béka recorrieron el bosque para preparar un bálsamo con el que aliviar mis pies llenos de ampollas. Chavisory fue cojeando al depósito y llenó una jarra de agua fresca para apagar mi sed y limpiar la ceniza de mi piel y mi pelo. Mis viejos amigos se sentaron junto a mí para escuchar la aventura que había vivido y ayudarme a recuperar mis vestigios literarios. Solo habían sobrevivido unos cuantos retazos del pasado que podían demostrar que había existido. Les dije todo lo que logré recordar sobre el mapa de Mota en el techo y las creaciones artísticas que había dejado, con la esperanza de que quedasen almacenadas en la conciencia colectiva de la tribu.

—Tienes que hacer memoria —dijo Luchóg.

—Confía en la mente; en tu cráneo hay una máquina compleja —dijo Smaolach—. Yo todavía recuerdo exactamente cómo me sentí la primera vez que te vi.

—Lo que la memoria olvida, la imaginación lo recrea. —Chavisory había pasado demasiado tiempo con mi viejo amigo.

—A veces no sé si los extraños giros de la vida han pasado o los he soñado, o si mi memoria recuerda lo que es real o los sueños.

—A menudo la mente crea su propio mundo para pasar el rato —dijo Luchóg.

—Necesitaré papel. ¿Te acuerdas de la primera vez que me conseguiste papel, Luchóg? Nunca olvidaré aquel detalle.

Transcribí de memoria el mapa de Mota en el dorso de su carta, y durante las semanas que siguieron, pedí a Smaolach que me buscara un mapa detallado del país y cualquier libro que pudiera conseguir sobre California y el océano Pacífico. Ella podía estar en cualquier lugar situado a lo largo de la costa del norte. No tenía ninguna garantía de que fuera a encontrarla en aquel vasto y extenso territorio, pero la posibilidad me sustentaba mientras empezaba de nuevo. Mis pies se curaron con el reposo que guardé en el campamento, escribiendo todos los días al aire libre mientras el calor de agosto daba paso a las frescas semanas de principios de otoño.

A medida que los arces se teñían de amarillo y rojo, y los robles de marrón tostado, un extraño sonido procedente del pueblo avanzaba de vez en cuando por encima de las montañas hasta nuestro pueblo. La música provenía de la iglesia las noches silenciosas y llegaba de forma intermitente, interrumpida cada cierto tiempo por otros sonidos: el tráfico de la carretera, la multitud que rugía viendo los partidos de fútbol los viernes por la noche y el ruido incesante de la vida moderna. Como si de un río se tratara, la música se esparcía a través del bosque y se derramaba desde la cordillera hasta entrar en nuestra cañada. Cautivados por el repentino sonido, nos parábamos a escuchar. Luchóg y Smaolach, que estaban muertos de curiosidad, partieron en busca de su fuente. Y una noche de finales de octubre regresaron jadeantes con noticias.

—Quédate un poquito más, *a stoirín*, y estará listo.

Yo estaba atando una tira de cuero a mi morral de viaje a la luz del fuego.

—¿Qué es lo que estará listo, amigo mío?

Él carraspeó y, al ver que no captaba mi atención, volvió a toser, pero esta vez más fuerte. Alcé la vista y vi que sonreía y que Luchóg estaba sosteniendo un cartel desenrollado casi tan grande como él. Todo su cuerpo había desaparecido detrás del papel a excepción de sus manos y sus pies.

—Lo tienes al revés, Luch.

—Seguro que puedes leerlo de todas formas —protestó, y acto seguido colocó el cartel correctamente.

El concierto de la iglesia estaba programado para al cabo de dos días, y no solo me sorprendió el título, sino también el grabado xilográfico que había debajo, en el que aparecían dos figuras: una que huía y otra que perseguía a la primera.

—¿Cuál es el hada y cuál es el niño?

Smaolach meditó sobre el grabado.

—Pienses lo que pienses, tienes las mismas posibilidades de acertar que de equivocarte. Pero ¿te quedarás para la sinfonía? Está compuesta por Henry Day, y él también toca el órgano.

—No te lo puedes perder —sostuvo Luchóg—. Un día o dos más. Es un viaje muy largo.

Recorrimos a pie el oscuro bosque en nuestra última travesura juntos, disfrutando con atrevimiento de la sensación de acercarnos sin ser vistos. La noche del concierto nos escondimos en el cementerio mientras la gente entraba en fila en la iglesia, y las primeras notas de la sinfonía atravesaron las ventanas y resonaron entre las piedras. El preludio anunció los grandes temas de la obra y concluyó con un largo solo de órgano. Él tocaba a la perfección, lo reconozco, y al sentirnos atraídos por la música, nos levantamos de uno en uno por detrás de las lápidas para situarnos cerca de las ventanas de la iglesia. Béka rodeó a Cebollas con los brazos y le susurró al oído. Cuando ella se rió de su broma, él le tapó la boca con la mano hasta que ella empezó a resoplar para coger aire; a continuación se quedaron callados. Chavisory imitaba al director de orquesta, trazando arcos y ondas con las manos en el aire. Mis viejos amigos, Luchóg y Smaolach, se apoyaron contra el muro de la iglesia y se pusieron a fumar, contemplando las estrellas de la noche.

Tras echarme la bolsa a los hombros —ahora llevaba mi libro dentro a todas partes—, rodeé el edificio hasta una ventana trasera y me atreví a mirar dentro. Henry estaba de espaldas al público y se mecía al tocar el órgano, con una expresión de intensa concentración en la cara. Estaba transformado, más joven que antes, y ahora parecía más un hombre que un monstruo. Yo no iba a pensar más en él y pronto me habría ido, pero nunca sabré si él se percató de que tenía intención de marcharme.

La muchedumbre de los bancos se hallaba fascinada por la pequeña orquesta, y estoy seguro de que si alguien me hubiera visto mirando por la ventana, habría pasado corriendo por delante del altar y habría salido al cementerio. De modo que tuve la oportunidad excepcional de examinar sus caras desde lejos y reconocí inmediatamente a la mujer de Henry y a su hijo, Edward, en la primera fila. Por suerte, había convencido a Béka y a Cebollas de que dejaran al niño en paz. La mayoría del resto de la gente eran extraños para mí. No había perdido la esperanza de ver a mis hermanas, pero, claro está, en mi memoria ellas seguían siendo unos bebés. Una anciana que se llevó la mano a los labios pareció mirar en dirección a mí un par de veces, y al hacerlo me recordó a mi madre, a la que no iba a volver a ver. Una parte de mí deseaba entrar por la ventana y correr hacia ella, sentir su mano en mi mejilla, que me abrazase, que me reconociese, pero mi sitio no estaba entre ellos. «Adiós, querida madre», le susurré, convencido de que no podía oírme, pero esperando que me entendiera de alguna forma.

Henry no dejaba de sonreír y de tocar, y, como si de un libro se tratase, la música relató una historia que parecía, en parte, un regalo; como si él estuviera expresando lo que latía en su corazón con nuestro lenguaje común. Una pena, quizá, un remordimiento. Con aquello me bastaba. La música nos transportaba en dos direcciones, como si nos llevase hacia arriba y abajo; y en los silencios, los espacios entre notas, me dio la impresión de que él también estaba intentando despedirse de su doble vida. El órgano resollaba y emitía un sonido tras otro, y de repente se quedó en silencio. «Aniday», susurró Luchóg, y me agaché al suelo. Al cabo de unos instantes, la multitud estalló como si fuera una tormenta. Uno a uno, los elfos y las hadas se levantaron y desaparecieron en la profunda oscuridad, deslizándose más allá de las lápidas e internándose de nuevo en el bosque, como si nunca hubiéramos estado entre aquella gente.

Después de haber hecho las paces con Henry Day, estoy listo para marcharme mañana. No he tardado tanto en recrear esta versión de mi historia. No me he preocupado por hacer constar todos los hechos, ni por ofrecer una explicación detallada de la magia de la gente que vive en secreto en el mundo de abajo. Quedan pocos de nuestra especie, y ya no se nos considera necesarios. En el mundo moderno los niños tienen problemas mucho más graves, y me estremezco al pensar en los peligros reales que los acechan. Como ha ocurrido con tantos mitos, un día la gente dejará de contar nuestras historias o de creer en ellas. Ahora que se acerca el fin, lloro la desaparición de todas las almas perdidas y todos los queridos amigos que han quedado atrás. Cebollas, Béka, Chavisory y mis viejos amigos Smaolach y Luchóg se conforman con quedarse como están; los niños olvidados de la tierra. Estarán perfectamente sin mí. Todos tenemos que marcharnos algún día.

Si por casualidad alguno de vosotros ve a mi madre, decidle que le agradezco todas las atenciones que me dedicó y que todavía la echo de menos. Saludad a mis hermanas pequeñas. Dadles un beso en los mofletes de mi parte. Y sabed que os llevaré a todos conmigo cuando me marche por la mañana. Me dirijo hacia el oeste hasta llegar al mar en busca de ella. Mi corazón late más que nunca. Un nombre, amor, esperanza. Dejo esto para ti, Mota, por si no vuelvo y no llegamos a encontrarnos. En caso de que eso ocurra, este libro es para ti.

Me marcho y no voy a regresar, pero lo recuerdo todo.

Agradecimientos

Doy las gracias a Peter Steinberg y Coates Bateman. También estoy felizmente en deuda con Nan Talese, Luke Epplin y todo el mundo de Doubleday, y con Joe Regal y la temible Bess Reed. Mi agradecimiento a Melanie por sus perspicaces lecturas y sugerencias y por los años de apoyo. Y a todos mis hijos.

Quiero agradecer sus consejos e inspiración a Sam Hazo, David Low, Cliff Becker, Amy Stolls, Ellen Bryson, Gigi Bradford, Allison Bawden, Laura Becker y Sharon Kangas. Y doy las gracias a Jane Alexander y Ed Sherin por la patada en Whale Rock.

Mother Nature: A History of Mothers, Infants, and Natural Selection, de Sarah Blaffer Hrdy, inspiró el artículo sobre las raíces antropológicas del mito de los suplantadores.